平和主義者のための暴力論

モロトフ・カクテルをガンディーと

マーク・ボイル
吉田奈緒子・訳

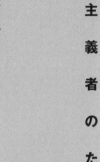

モロトフ・カクテル

Molotov Cocktail

【名詞】ガラス瓶《びん》に可燃性の液体を充填し、着火用のしかけをほどこした、原始的な焼夷弾。火炎瓶。

語源：1939～40年の「冬戦争」を指揮したソ連外相ヴャチェスラフ・モロトフの名にちなむ。ソ連の侵略に抗するフィンランド軍により、兵器として使用された。

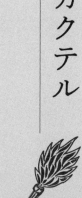

マハトマ・ガンディー

Mohandas Karamchand Gandhi

【人名】〈１８６９—１９４８〉インドの民族運動指導者、宗教家。本名モーハンダース・カラムチャンド・ガンディー。英国による植民地支配に強く反対し、非暴力・不服従運動を展開する。生涯、政府の公職に就くことはなかったものの、インド最大の政治的・宗教的指導者と仰がれた。パキスタンの建国に同意したとして、ヒンドゥー教徒に暗殺された。

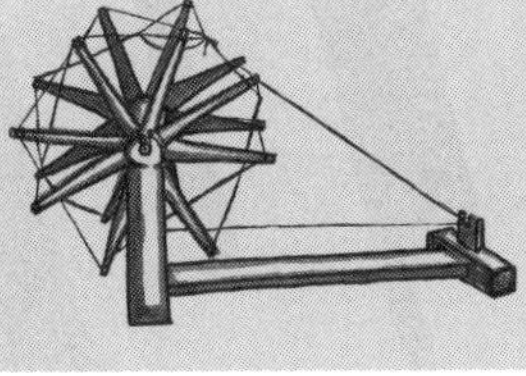

参考：オックスフォード英語辞典（web版）
イラスト：ひまつぶしがらん堂

sist
volt
WILD

抵抗せよ

反逆せよ

野生を
取りもどせ

Re
Re
Re

凡例

▼【001】は原注番号を示します。原注は巻末に収録。

▼〔　〕は訳者による注釈を示します。

▼本文中で言及されている未邦訳書籍については、原題の逐語訳の直後に（　）で原題を併記しました。

▼邦訳がある書籍については邦題を示し、入手できる範囲で訳文を参照しましたが、引用にあたって変更を加えた場合もあります。

序章

3Rをアップグレードせよ

正義に対する尊敬心とおなじ程度に法律に対する尊敬心を育《はぐく》むことなど、望ましいことではない。私が当然ひき受けなくてはならない唯一の義務とは、いつ何どきでも、自分が正しいと考えるとおりに実行することである。

ヘンリー・D・ソロー（飯田実訳『市民の反抗』）

これはけっして暴力礼賛の書ではない。

ただでさえこの世界は、質量ともにかつてない暴力に満ちあふれている。暗く立ちこめた恐ろしげな霧を、いま以上に濃くする気になど、とてもなれない。

本書が手助けしたいのは、踏みだすのがむずかしい平和への第一歩なのだ。平和といっても、幻想の平和とはわけがちがう。産業文化への忠誠や服従と引きかえに特権や庇護を享受する側のぼくら人間が、脳内ででっちあげては日々ひたっている、そんな「平和」モドキをさすのではない。

ぼくが欲するのは、それと気づきにくく、忘れ去られてひさしい種類の平和である。文明世界の住人が日常のニーズやあくなき欲望を満たす際につきものの構造的暴力から、すっかり解放された状態である。

おとなしく飼いならされたぼくらの心をかきみだす、この種の平和の本質は、太古の森の静寂のなかに姿を見せるかと思えば、昔もいまも変わらぬオオカミと雌鹿の追走劇のうちにもひそんでいる。子を守る母ライオンの凶暴さや、熊と鮭と川の三つどもえの格闘にも、不思議と見いだされる平和。こうした生き物たちの物語や代々くりかえされるいとなみが渾然《こんぜん》一体となって、荘厳な〈全体〉を織りなし、みごとな調和を保っている。

以下のページで探求していく〈野生の平和〉は、文明化した都会人のいだく「暴力」「非暴力」「平和主義」といった概念にはしばられない。

日常にひそむ暴力

「機械文明《ザ・マシン》」とぼくの呼ぶ（理由は第2章を参照）産業社会に生きるわれわれは、そこそこの生活を苦もなく送ることができる。

子どもを車で学校へ送りとどけ、スーパーでクロワッサンと新聞を買い、近所のカフェで豆乳ラテを調達したら、いざ会社へご出勤。人助けや社会活動に日々のエネルギーを注ぐ人もいよう。その途上、隣人や教師にあいさつしたり、レジ係に礼を言ったり。赤ん坊のおむつ替えや仕事のキャリアアップに励む合間には、産業社会のすばらしい恩恵——ソーシャルメディア、セントラルヒーティング、格安海外旅行、電気洗濯機、一見罪のない娯楽のかずかず——を大半の人が享受する。先祖たちのコミュニティの結束を長きにわたり維持してきた、家庭や社会や宗教上の多くのしがらみから解放されて。

こうした日常のどこを見ても、いたって礼儀正しく、親切心にあふれ、自覚的な悪意などめったにお目にかからない。

ところが、この見せかけのほがらかさをひと皮むけば、ぼくらの生活様式にすさまじい暴力が充満している事実にすぐ気づく。巧妙に隠蔽《いんぺい》されていなかったとしたら、並の人間は心痛に耐えかねているはずだ。

地球とその〈大いなる生命《いのち》の織物〉、ひいては人間自身に対する、この暴力の片鱗を第2章でお見せしよう。だが、頭で理解するだけでなく、全身で感じとりたいと思うならば、あいにく方法には事欠かない。

丸裸に伐採された原生林跡にたたずみ、眼前の光景の深い悲しみを吸いこんでみよう。メキシコ湾の原油にまみれた海域をおとずれ、海洋生物の視点から自問してみよう——南米産の大豆、ビタミン剤、熱帯の果物、プラスチック包装の加工食品に頼る食生活が、はたして暴力的でないかどうかを。ふだん食べる肉や卵や乳製品が工業的に大量生産される現場をたずねて、産業化が人間らしさの到達点と言えるのか、じっくり考えてみよう。

進歩に見せかけた、そんなありふれた暴力は、人間以外にのみ向けられているわけではない。世界に対してぼくらがしていることは、さまざまな意味でぼくら自身に対してしてしているのだ。

身近なブランド衣料品の生産に未成年者を長時間従事させる(トイレ休憩やノルマに武装兵士が目を光らせるケースも多い)労働搾取工場へもぐりこみ、「非暴力」の意味をよく考えてみよう。毎日二万一千人の子どもがおもに南側諸国で餓死している【001】が、その親たちに向かって、かつては独自性を有していた文化にとって商品市場だの国際金融だのが有益だったか、聞いてみたらいい。世界でもっとも金持ちの八五人がもっとも貧しい三五億人を合わせたよりも多くの富をたくわえた【002】経緯と、それが後者の日常におよぼす影響を思いえがいてほしい。伝統技術を継承する人びとの、時の試練にみがかれた手わざも、〈全体〉への配慮にもとづく暮らしぶりも、いまや機械文明の容赦ない効率性にたちうちできない。均質なモノを吐きだすベルトコンベアではたらく工員は、いつしか自身も機械の歯車のごとく、画一的で取り替えのきく存在となりはてた。

こうしたもろもろを暴力的だと思わず、ただ近代のちょっとした不具合でいずれ政治学者が解決してくれるだろう、なんて思いちがいをしているなら、この本を読みおわるまでに、それらの事象とくらべればどんな抵抗手段も断然平和的に見えるようにしてあげたい。

自然界を守る「過激派」

いずれにせよ、ここにあげた〈生に対する犯罪〉は、国の警察や裁判所による法的庇護のもとにあるばかりか、「平常」と呼ばれる状態を維持していくために欠かせないのだ。ぼくらはフランケンシュタインをつくりだし、その極悪非道なやり口に依存するようになってしまった。

他方、この常態化・日常化した構造的暴力に対し犠牲者や活動家が散発的に起こす「対抗暴力」【003】は、手ひどい取りしまりを受ける。全体論的視野に立った「ホリスティック」な抵抗を、体制側が真の脅威とみなしているからだろう。

二〇〇一年、地球解放戦線（ELF）の活動家ジェフリー・ルアーズは、米国の自動車販売店でSUV――いきすぎた消費主義の象徴たる多目的スポーツ車―

―三台に放火した罪で二二年超の実刑判決を受けた。人的被害を出さぬように と夜間に犯行におよんだにもかかわらず、である【004】。かの国において強姦罪に対する判決が平均八年という事実を考えあわせると、男性優位の産業社会の価値観がよくわかる。

ルアーズにくだったきびしい判決は、ほんの序の口にすぎなかった。二〇〇六年に米国でジョージ・W・ブッシュが成立させた「動物関連企業テロリズム法（AETA）」をはじめ、厳格な法律が制定され、「過激派」組織の撲滅がはかられる。標的は、過去数十年のあいだに台頭したELF、アースファースト！、ストップ・ハンティンドン・アニマル・クルエルティ（SHAC）などの集団だ（第5章を参照）。〈企業―国家〉連合体が過剰とも言える措置を講じたのは、まさにこれらの運動のとるエコタージュ――自然界の破壊者にねらいをさだめたサボタージュ――などの戦術が目に見える成果をあげ、対象業界への金銭的投資の動きを鈍らせたがゆえであった【005】。ようするに、カネがものを言う政治風土のなかで、国家は、身の自由を賭して〈生〉を守る人間に犯罪者の烙印を押し、〈生〉の神聖なかがやきをカネに換えたがる者たちは、世の空気を敏感に読む。

そのうえ、機械文明の側はとっくに気づいている。そうした運動の反体制思想や野生的手法が、上からの暴力の蔓延《まんえん》に耐えかねた大衆の心をとらえようものなら、自分たちにとって深刻な脅威となりうることに。

とかく産業文明は、管理や予測が不可能なもの全般を恐れる。大衆を服従させずにはおかぬ性分は、野生界を管理し飼いならさずにいられぬその世界観と、根を同じくする。そこで、非暴力による抗議の道義的正しさをぼくらに植えつけるプロパガンダを展開して「暴力はけっして変化をもたらさない」と警告しつづけるかたわら、AETAのような法律を制定し、前述の脅威が権力者の手に負えなくなるのを未然に防ごうとしたのだ。

温存される上からの暴力

こうしたプロパガンダは、いまの時代の不公正にいきどおる人びとに対する締めつけとしても機能するようになってきた。

イラク戦争やキーストーンXLパイプライン建設（カナダ・米国間の石油輸送用）に反対する抗議行動から、スペインの「怒れる者たち」運動、オキュパイ運動まで、各種のデモのさなかに下からの暴力に類した事態が起きるとすかさず、体制側も、抗議運動側のスポークスパーソンも、マスメディアに出てこれを非難したり、非暴力の声明を発表したりする。どのような状況で起きたのか、きわめて真っ当な行為だったのではないか、などとは考えもせず。

おかげで、ふだん上から押さえつける側にいる者に対して加えられた暴力は、たとえホリスティックな自己防衛（第4章を参照）であろうと、すべて「まちがっており、非民主的で、倫理に反する」との一般認識が強化されていく。一方で、体制側による上からの暴力は当然視され、温存される。

この偽善ぶりを、笑うべきか、悲しむべきか。

デリック・ジェンセンの述べるとおり、「ヒエラルキーの上位にいる者が下位の者に行使する暴力は、ほとんどつねに不可視であり、気づかれることがない。気づかれたとしてもとことん正当化される。ヒエラルキーの下位者による上位者への暴力などは想像もできない。そのような暴力が行使された場合、衝撃、恐怖、および被害者への崇敬の念をもって受けとめられる」（強調は引用者による）**【006】**。

国家とそのイデオロギー上の共犯者が〈生〉に対して行使する暴力は、ほぼすべて、その被害者以外の人びとによって妥当なものと解釈され、受容される。ところが、〈企業−国家〉連合体の暴力の被害者や、被害者との連帯を望む人びとは、大小を問わず実力行使で対抗する法的・文化的自由を持ちあわせない。

第1章で見ていくが、体制側は他の存在を「非国家」「地下組織」「非正規軍」呼ばわりして、自分たちを議論の余地なき立場に置き、暴力とテロを行使する権利を独占する【007】。

目くらましに励む企業と広告会社

いかにしてこのようなしくみができあがったのか。

大きな問題のひとつは、産業社会に生きる人間が、おのれの経済行動の結果から遠くへだてられてしまった点にある【008】。グローバル通貨だの市場だの（軍事力をうしろだてとする）国際契約や貿易協定だのの相互作用を味方につけたマーケティング専門家らは、生産者の姿（と生産過程）を消費者の目から上手に隠しておくために何十億ドルという予算を与えられる。グローバルな販売戦略によって生産者と消費者を分断することは、どんな多国籍企業においても重要任務なのだ。倫理的配慮のおよぶ範囲内の存在をわざわざ傷つけたがる人など少ないのを、経営陣は知っているから。

さらには、自社の空疎なブランドに意味ありげな物語を注入し（加工食品メーカーがそのままでは食えたものでない食品に人工香料を添加するように）、本物の情緒的・物理的つながりを求めてやまない消費者に、つかの間の満足を提供する。

目くらましに励む企業を顧客とする広告会社には、思いがけぬ同志がいる。当のぼくら自身だ。みずからの行動の結果を目にせざるをえない状況に適応すべく、世界とそのなかに自分たちが占める地位に関して、さまざまな哲学、弁解、自己欺瞞、神話をでっちあげる。安手の娯楽で気をまぎらわし、抗うつ剤や嗜好品で感覚を麻痺させ、倫理的配慮の対象範囲を恣意的にせばめるための物語を入念に創作する。

頭と心と手の不調和に対処しようと、そうやって持ち前の創造力で適応メカニズムの構築にいそしみながらも、なお、自身への正直さを忘れぬ人は多い。例外なく鮮血に染まった生産過程にグリーンのワックスをかける、広告界のカリスマたちの懸命の努力にもかかわらず、「消費者のためという名目のもとに自分たちのカネで何がおこなわれているか」に気づく人は増えつつある。

隠し立てのむずかしいインターネット時代、ぼくらのライフスタイルに潜在する恐怖を描いた記事や画像は、産業界がどれほど事態掌握に努めても噴出してくる。その累積効果にさまざまな立場の人びとが突きうごかされ、住宅ローンを支払ったり家族をやしなったりする合間をぬって、それぞれの目的意識に応じた行動に参加してきた。

だが、日ごろから非暴力の正しさを刷りこまれ、主流意見に同調したいというもっともな欲求にみちびかれ、産業構造が一変してしまうことへの恐れも手伝って、こうした変革の担い手の大多数は、非暴力かつ改良主義的な手法を選ぶ。

改良主義の限界

改良主義とは、革命主義に対置される考えかたであり、「社会（とその政治経済体制）の基盤をなす制度や慣習をじょじょに変えていくことで、まったく異なる社会を実現できる」との信念だ。

二一世紀初頭の政治運動、環境運動、社会運動のほとんどは、この範疇《はんちゅう》に含まれる。クリックティビズム（201ページを参照）、グリーンコンシューマー運動、ロビー活動、抗議行動、合法的キャンペーン活動や啓発活動、トランジションタウン、パーマカルチャー、各種の社会的企業など、改良主義的なアクションや運動の多くは、産業化や資本主義から生じる問題に対処する非常に前向きな力となりうるし、来るべき世界のための革新的解決策を打ちだすのもうまい。これぞ、そうした運動の担う役割であり、きわめて重要な役割である。

ただしズバリ言わせてもらうと、永続的な真の平和にいたる道において、その手の運動はあまりイケてない。

ローザ・ルクセンブルクは政治的変革手段としての改良主義を論じた際、「社会改良が進むにつれ、[資本主義が]ひっくりかえるどころか逆に強化される」【009】とまで述べた。彼女がみごとに言いあてたのは、意図に反した結果を招いてしまう改良主義の逆説的な性質である。横暴で有害な体制の打倒を望みながら、まさにその体制がつくりだしている現状の改善に努めて、大衆が我慢できる程度に変えているのだ。つまりは、善意から出た改良主義的措置が、期せずして、有意義な変革の可能性をつぶしかねない。

もちろん、新しい(いや古いと言うべきか)価値観を取りいれた公正で持続可能な社会の創造を真剣に考えるなら、ひっくりかえさねばならない対象は、ローザ・ルクセンブルクが名ざしした資本主義にとどまらない。資本主義の思想的根幹をなし、ぼくらの経験する世界を無数のやりかたで損ねている、時代遅れの文化の物語をも、ひっくりかえす必要があるが。

今日の危機に対する改良主義的応答は、状況を悪化させてきた主犯格たる権力機構および権力者らによって、大目に見られるどころか、暗に支持、奨励すらされている。民主主義と自由主義をさも重んずるかのそぶりで、一部の抗議活動を容認することにより、政治的経済的権力の持ち主は御用マスコミを通じて、文化の物語を思うがままにあやつれる。

世の言説を手なずけてしまえば、現状維持を望む既得権益層は結託して新しい法律や刑罰指針をこしらえ、良心の人びとからの異議申し立てをいちじるしく阻害できる。こうした異議申し立てをホリスティックな抵抗カルチャーの一環として（あるいはより革命的な目的のために）活用したら、深く確かな変革も生みだしうるのだが。この点については第5章で詳説する。

産業主義の「枝葉」と闘う活動家

往々にして、改良主義者が当初いだいていた理想への情熱は、いつしか疲弊または冷笑、もしくはその両方へと変貌していく。個人・社会・生態系の崩壊という恐ろしげな背景のもと、手遅れにひとしいほころびをつくろおうとする自分の努力などむなしいとも思えてしまう。変化を起こせないからではない。いつだって、ある程度の変化は起こしている。心のどこかで気づいているからだ――自分たちの闘っているのが表面にあらわれた症状にすぎず、病気そのもの根本原因ではない事実に。

ヘンリー・D・ソローがウォールデン湖のほとりでしたためた、「悪の枝葉に切りかかる者が千人いれば、その根っこを打ちすえる者はせいぜい一人」【011】との一節が、これほど長い年月を経ても古びぬようにとは、書いた当人もけっして望んでいなかったはずだけれど。

産業活動の刃《やいば》にぱっくり切られたあまたの傷口を、絆創膏《ばんそうこう》で一か所ふさごうとするや、さらに五か所も傷が増えるのは目に見えている。ふと気づけば産業主義のベルトコンベアのうえを逆走しており、どんなにがんばって急いでも、それ以上の速度で引きもどされていく。機械文明の歯車の休みない回転は、ぼくらの希望をうしなわせ、ついには無気力にしてしまう。そればかりか、ぼくら自身がそうした歯車に異様なほど似てくるのだ（第2章を参照）。

だが活動家らはあいかわらず、産業主義の、資本主義の、グローバリゼーションの、枝葉に切りかかってばかりいる。そのような表面的な方法で、安らぎに満ちた健全で有意義かつ持続可能な社会など創造できないことは、経験上わかっているのに。

なるほど、社会問題や環境問題の根っこを打ちすえるなんていう考えは、ほとんどの人にとってたまらなく恐ろしかろう。たいていの場合、前に進む道すじさえはっきり見えず、成果が得られる保証もない。

そのうえ、人生万事そうだが、改良主義的なアクションと革命主義的なアクションとのあいだに、つねに明確な線引きができるとはかぎらない。あいにく例外的なケースではあれど、改良主義的努力もときに、革命的な抵抗運動の素地をつくりだせる。

ぼくが生まれ育った「エメラルドの島」に関する一例を紹介しよう。

アイルランドにおけるゲール語と文化の復興のために設立されたゲール語連盟が、アイルランド義勇軍への加入者を増大させ、数年後のイースター蜂起（一九一六年に起きた英国支配に対する武装反乱）に重要な役割を果たしたことは、多くの歴史家が認めるところだ。ひいてはこれが、アイルランド独立戦争の原動力となり、アイルランド自由国の成立につながった。

かのローザ・ルクセンブルクでさえ、いま生きていたら否定しないだろう。改良主義的手段もたまには、より根源的な、この時代に切実に必要とされる種類の変革をもたらしうることを。

だから、本書でくりかえし述べるとおり、ぶっこわれた体制のどの部分でも、天賦《てんぶ》の才を生かした自分なりの方法で前向きに改良してやろうという強い衝動を感じるならば、その衝動を信じたほうがいい。結局のところ、心からやりたいこと、やらずにはいられないことをするのが、いちばんなのだから。

非暴力という強迫観念

例外的なケースはともかく、一般的な意味において、永続させるにあたいするはたらきかたと生きかたの創造のためには、ぼくらの政治経済制度に徹底した分解修理をほどこさねばならないことが痛いほど明らかになってきた。

しかし、グローバル金融業界などの権力機構が内部から改善される見込みはまったくない。そうした権力機構――〈企業－国家〉連合体――の存在自体が、物質的・文化的・精神的な共有財産の現金化を前提としてなりたっている以上、有形無形の資源の「掘りつくし」をやめることは自殺行為にひとしく、当然ながら自発的にはなされない。

〈大いなる生命の織物〉の理不尽な破壊を集団殺戮《ジェノサイド》におとらぬ凶行とみなす人なら、胸を突かれる思いがするだろう。というのも、川や海がふたたびチョウザメやタラやクジラで満ちあふれ、空が飛行機雲ではなく渡り鳥に満たされるためには、大地がふたたび、ぼくらには想像もつかないほど多様な動植物や人間文化で活気づくためには、グローバル金融業界の息の根を止める必要があるからだ。

現代社会がとりつかれた改良主義と非暴力への強迫観念は、その観念を生みだしている現象と同じく複雑な性質を持つ。レーニンなら「労働貴族」と呼んだにちがいないほとんどの現代人は、すでに機械文明に魂を売りわたしてしまった。体制側がせっせと地を受けつぎ、わが物とするかたわらで、柔和であれとたたきこまれた者たち（聖書（マタイによる福音書）に「柔和な人々は、幸いである、その人たちは地を受け継ぐ」とある）は、快適な職場環境だの、年金制度だの、マジョルカ島で過ごす休日だのに甘んじている。

言うまでもなく、ぼくらの従順さはカネで買われたもの。経済学者A・エマニュエルの「不等価交換」論によれば、金持ちの西洋の経済は南側諸国から年に総額六兆五千億ドルもの利益（いまなお上昇中）を得ている。この複雑な事情のせいで、超大国の中産階級も労働者階級も、被搾取国の貧困層と連帯するどころか、「南」の人びとの大多数を、経済的搾取と構造的暴力のはびこる人生に追いこんでいるのだ。

「パンとサーカス」――テクノロジー時代なら「インスタント食品とTVドラマ」――が手に入るかぎり、ほとんどの人はあえて波風を立てたがらない。水面に浮かぶ船体に修復不可能な穴があいていようと、いっこうにおかまいなし。

非暴力と改良主義への固執には、さらに根ぶかい理由もある。人間の内なる〈野生〉、すなわち、「暴力」だの「非暴力」だのといった文明のつくりあげた道徳観念で自己規制しようなどとは夢にも思わぬ精神（第8章を参照）は、これまでずっと、ぼくらの身中からたたき出されつづけてきた。ちょうど、人間が、みずからの住む土地から〈野生〉を締めだしてきたのと同じほどに。このため、蛮行に直面してもぼくらの行動は従順で臆病だ。こざっぱりと刈りこまれた庭のごとく。

「よき」テクノロジーはあるか

改良主義的アクションの陰にはまた、たらいの湯と一緒に大事な赤ん坊を流してしまってはいけないとの心情も見え隠れする。多くの環境保護論者が、スマートフォン、テレビ、飛行機などの「たらいの湯」が社会や生態系に与える影響を憂慮してみせるくせに（ただし自分たちがそれを使うことはつねに正当化しつつ）、人工透析装置、救急車、インターネットなどの産業文明の「赤ん坊」は手ばなしたがらない。

こうした不可解な思考回路は、近代経済に対する理解不足に由来する。産業経済の三本柱たる「比較優位」「規模の経済（スケールメリット）」「分業化」をはじめとする近代経済の基本原理に照らすと、「よき」テクノロジーだけをつくりだして「悪しき」ものをつくらないというわけにはいかない（第一、企業の牛耳るメディアにゆがめられたグローバル市場よりほかに、誰が善悪を決定するのか）。現実の経済活動においては、あらゆる工業製品をまるごと受けいれるしかないのだ。さもなければ、これら多くのテクノロジーは途方もなく高価で、個人はおろか国家にとってすら手が届かぬものとなってしまう。

それに透析装置や救急車など、誰もが「よい」とみなす製品にしたって、相当の構造的暴力や破壊性にもとづいている（第2章を参照）。たとえ奇跡的に、産業規模の各種テクノロジーのうち〈生〉全体のためになるものとならないものを峻別できたとしても、それで問題が解決するとは思えない。人類史上まだ新しいこの経済モデルを維持していくには、それらすべての生産を右肩上がりに増やしつづける必要がある。原料となる地球上の物理資源は急速に使いはたされつつあるというのに。

けれども、「近代経済は改良可能で、平和的で、潜在的に持続可能だ」と信じていれば自己満足でいい気分になれる。そして体制の腐りかけた果実をあいもかわらず収穫しつづけながら、表面的な諸症状に向かって毒づくのだ。

悲惨な状況にふさわしい応答とは

眼前の難問に深く対処する能力に欠けるとわかっていてもなお改良主義にしがみついてしまう理由は、まだ他にもある。

概して、真の思いやりを持つ人間は、ふつうに考えて嫌悪をおぼえるような事物で、みずからの道徳律をけがしたいとは思わないものだ。がしかし、ぼくらは「目的で手段を正当化することなどできない」「ご主人さまの道具ではご主人さまの家を壊せない」【012】といった陳腐なエセ金言に洗脳されてもいる。そう信じることによって愚かにも、不公正や大量破壊を目にして行動を決意した社会運動が用いうる応答の選択肢をせばめ、単独では明らかに効果がないと歴史がくりかえし証明してきた戦術に限定してしまう。

ぼくの経験では、その何もかもが、よごれたモップで床をふいているように感じられる。よくてわずかに役だつのみ、悪くすれば逆効果だとわかっているが、少なくとも、掃除らしきことをしたとの自己満足は得られるというわけ。

暴力を憎む態度はまことに結構で、人間社会にぜひともはぐくまれるべきだ。社会変革の手法の多様化を訴えるワード・チャーチルが述べるとおり、「暴力のない協同的な世界への希求は、このうえなく健全な心理の発露である」[013]。

しかしながら、極度の構造的暴力を容認すること、あるいは、その暴力を阻止する効果がないのが経験上明らかな手法に、見当ちがいな道徳主義から取りくむことは、とても結構とは言えない。真剣に平和を考えるのであれば、見さかいのない身勝手な暴力と、悲惨きわまる状況にふさわしい応答というべきものとを、そろそろ明確に区別する必要がある。

隠れた暴力にひとしい「非暴力」

ネルソン・マンデラは、非暴力の市民的不服従が効果をあげる例として平和主義者がよく引き合いに出す人物だが、彼の活動の多くはそれとは正反対であったし、自身もこう語っている。

「わたしにとって、非暴力は、倫理的な原則ではなく、戦略のひとつだった。効力のない武器を使っても、倫理的に得るものはない」

マンデラが認めるように、ある種の非暴力――日常的にその手法の無力さを目にしつつも、ひとりよがりな道徳的純潔の観念ゆえに固執する――は、とうてい非暴力と呼べない。それは隠れた暴力にひとしい。倫理性をよそおいながら、内実は恐怖と洗脳にすぎないのだ。

ぼくら自身が暴力にいだく感情は矛盾だらけである。ぼくらの生きる文化において、道行く人が理由なく殴打されれば、誰しも義憤に駆られるだろう。当然だ。それなのに、人間の活動が原因で毎日二百もの生物種が絶滅しようが、ろくにおどろきもしない。この数字は自然現象による絶滅速度の千倍から一万倍にあたる[014]。

われらが文化の精神性は、生きて呼吸する地球という惑星からあまりに遠ざかり、具体性をうしなってしまった。そのため、こうした大量絶滅を引きおこす産業機械に対する攻撃を暴力とみなし、他方で、当の産業機械から生みだされる有毒な一製品たる発泡プラスチック製ヨガマットを購入すれば悟りに一歩近づくかのごとく考えている。

第1章では、これに代わる見かたを提示し、何が暴力で何が暴力でないかについて、文化による刷りこみの一切に疑義を呈したい。

新しい時代の自己防衛

まずほとんどの人がみずからの道徳主義的立場に反する行動をとるにちがいないケースも考えられる。たとえば自己防衛だ。『緑の怒り（*Green Rage*）』の著者クリストファー・メインズによるインタビューでの作家エドワード・アビーの発言に異をとなえる人は少ないだろう。

「自宅に侵入してきたやつに客観的で理性的な対応などとりはしない。誰だって怒って感情的に反撃するさ」**【015】**

不当な攻撃を受けた場合に自己を守る権利は、たいていどこの法律でも保障されている。第4章では、思想家チャールズ・アイゼンスタインが呼ぶところの「分離の時代」――どういうわけか人間が他の生物とは無関係な存在だと思いこんできた過去千年ほどの期間――からこの権利を取りだして、本来の場所である「再統合の時代」に戻してやりたい。ぼくらがゆっくり移行していく先の「再統合の時代」とは、人間の命と健康が〈大いなる生命の織物〉に全面的に依存することを思いだし、周囲の世界との相互依存と深いつながりをふたたび受けいれる時代である**【016】**。

そうしたよりホリスティックな文脈に自己防衛をあてはめてみれば、機械文明が自然界へしかける戦争（ひいては自然界と相互依存関係にある人類へもしかける戦争）に対する応答のしかたを、根底から変えられるはずだ。

レイプ現場から「歩み去る」意味

こういう場面を想像してほしい。ある夜、パブからの帰宅途中、路地からくぐもった悲鳴と陰険な忍び笑いが聞こえてくる。足音を立てぬよう近づいてゴミ箱の陰に身を隠すと、五人の男が寄ってたかってひとりの女性をレイプしている現場を目撃してしまう。男のひとりは凶器らしきものを手にしているようだが、はっきり見えない。男らはかわるがわる彼女に襲いかかり、ことがすむとハイタッチを交わして次の番と交代する。

ふと右脇を見れば長い角材が一本。通りに他の人影はなし。独力でそいつらを撃退できる見込みは薄い。けれどもタイミングが肝心だ。きみならどうする？

当然ながら、強姦魔らをことばで説得して女性への攻撃をやめさせられれば、それに越したことはない。そしてもちろん、特に情に厚い人ならば、蛮行の犠牲者だけでなく加害者にさえも救いの手を（暴行を止めたあとに）さしのべたく思い、カウンセラーを探してやろうとするだろう。心理的・情緒的に健全な男性はそもそも女性を強姦したりしないのだから。

しかし、悠長に考えているひまなどない待ったなしの局面で、きみはどのような行動をとるか。大声で助けを呼びながら武器を拾いあげ、眼前のいまわしい暴力を止めに入るのか。それとも、かかわりあいになるのを恐れ、暴力にさらなる暴力で立ちむかわざるをえない倫理的ジレンマにすくんで、その場を立ち去るのか。家に帰って集団レイプ撲滅のネット署名をするために。

この例で、最後の選択肢——歩み去る——があまりほめられたおこないでないのは、誰にだってわかる。まず見込みなしと思われる状況において不公正にあらがう人の尊厳については、第6章で論じよう。ふつうならば心も本能も、みずからに強く訴えかけてくるものだ。しかるべき適正なレベルの腕力をもって、より大きくより不公正な目の前の暴力を阻止せよ、と。

だとしたら、抗議デモなどの際に一部の参加者が、すさまじい構造的暴力の行使者に対し「暴力的」行動に出たとき、他の参加者——特に運動のスポークスパーソン——はなぜ、敬意や感謝の念ではなく非難を表明するのだろうか。

強姦のケースは極端な例だと思われるかもしれない。が、けっしてそんなことはない。いま現在、地球とそこに生きる命にぼくらが日常的にふるっている暴力は、輪姦と同様に、言語を絶するほどおぞましい。この惑星を人にたとえれば、母なる地球を集団レイプしているとさえ言えよう。

けれども、ぼくらの文化ではそれがごくあたりまえの状態となったため、リサイクル活動や、湯わかしポットの水を半量にすることや、「グリーン」な製品の購入などが、倫理にかなった応答だと考えられている。グリーン資本主義者らは、こうしたささやかな行動が大きな変化を生むとぼくらに信じこませてきたが、実際のところ、強姦魔が女性を凌辱しているさいちゅうに、ふと思いたってフェアトレードのコンドームを装着するようなもの。いずれも、わずかに倫理的な手口で残忍な凶行におよぶわけだ。

歩み去っても現実は変わらない

アーシュラ・ル＝グィンが短編小説「オメラスから歩み去る人々」で描いたのは、幸福と歓喜にあふれる理想社会オメラス。祝祭的な日常の陰には、しかし、ある暗い現実が隠れており、知るべき年ごろになると地下の一室へ連れていかれる。少年少女らはそこで生まれてはじめて、幽閉されたひとりの子どもと対面するのだ。

身体的苦痛にさいなまれ、吐瀉物と糞尿にまみれた姿の子と。

　文句なしにすばらしいと思っていた自分たちの暮らしがすべて、ひとりの子どもの不幸のうえに築かれていること、この暮らしをつづけたければその子の苦しみをもひっくるめて受けいれねばならぬことに、若者らは気づく。目にした光景に衝撃を受け嫌悪をもよおしながらも、地下室をあとにした市民のほとんどは、元の生活に戻っていき、ユートピア社会の恩恵を享受しつづける。

　だが、一部の人びとはその現実を受けいれられず（そういう人間はかならずいるものだ）、かつて愛した世界から歩み去ろうと決意する。大多数の市民が安逸《あんいつ》をむさぼるなかで、これぞ高潔な態度だ——たいていの読者はそう思う。

　ところが、この短編に秘められたもっと繊細なメッセージは見逃されやすい。すなわち、オメラスから歩み去る人びとは、そこそこ立派ではあれど、幽閉された子どもを救うために何もしないという点においては、他人の苦悩のうえに築かれた生活に戻り、それを受けいれている人たちと、なんら変わりがない。

　機械文明から「歩み去る」ことは大事だし、いろいろなやりかたがある。機械文明の物語に与《くみ》するのをやめるのも、地域に根ざし生態系と調和した文化を育成するのも、地下で苦しんでいる子どもの存在を知らしめるのも、すべて、それ自体は重要な抵抗の行為だ。

しかしながら、もはやそれだけで十分とは言えない。尊厳や調和をうしなわず、生きがいや喜びに満ちた、真に持続可能な人生を送るには、創造と破壊の双方が必要となる。野生界のいとなみにおいて、この二つは同義語にすぎない（第7章を参照）。創造や破壊という概念は幻想なのだ。何物も死に絶えはせず、ただ形を変えるだけ。

野生界において命は、死という暴力的にも見える過程を経て新しい命へと形を変え、複雑な多様性と健全さを〈大いなる生命の織物〉に加えていく。機械文明において命は、進歩という平和的に見える過程を経て汚染物質へと形を変え、複雑な多様性と健全さを〈大いなる生命の織物〉から減じていく。

とはいえもちろん、立ちはだかる難問を前にして、おだやかに傷を癒やすような解決策を「創造」する（古い解決策を「破壊」することにもなる）のを使命と感じる人もいれば、そうした新機軸が芽を出し花ひらくための場所を空けるのに必要なよごれ仕事を使命と引きうける人だっている。

気質や個性のちがいにかかわらず絶対にできないのは、地下牢で拷問されているあの子どもを放置したまま、歩み去りつづけることだ。

異なる使命を持つ人びとの連帯

本序章の冒頭で言ったことをくりかえすと、これはけっして、冷酷無情な武力へのいざないでもなければ、ロマン主義にもとづく暴力的抵抗礼賛でもない。以下の章では、平和――〈大いなる生命の織物〉全体を考慮に入れた平和――を求めるすべての人に呼びかける。連帯し、互いの使命を尊重しあおう。機械文明の精神と装置から活気あふれる〈生〉を守るにあたって、ひとりひとりにその人ならではの役割があることを認めよう、と。

たまたま抑圧する側に生まれてしまった人も、手綱の反対側の人と協力しなければならない。強姦など、個人に対する暴力の問題に取りくむ使命を帯びた人も、資本主義や産業主義や文化帝国主義がつくりだした難題を、あらゆる道具を使って解決しようと望む人と、協力しなければならない。

改良主義者も革命主義者も必要だ。非暴力平和主義的手段をとる人と、多様な戦術の展開をいとわぬ人とが、力を合わせる必要がある。〈生〉の側に立つ人すべてが、機械文明の侵略に防戦するために一致団結する必要が。

非暴力の擁護者や国家のプロパガンダが広めるイメージとは逆に、それぞれの手法で不公正と闘う人びとどうしの連帯感こそ、一九六〇年代のアフリカ系米国人による公民権運動の場で生じていたものにほかならない（第5章を参照）。

この世界のありとあらゆる意義と美の破壊を、〈生〉に対する不当行為を、ぼくらが真剣に止めようとするなら、それ自体では実効性を欠く抵抗手法だけに執着するのはつつしむべきだ。そのためにはまず、暴力というものについて、もっときめ細かい理解をはぐくむ必要がある（暴力の定義については第1章で裏がえしてみせよう）。暴力を、原始状態の汚点かのごとく全否定するのではなく、それにふさわしい場所に戻していかねばならない。

哲学者スラヴォイ・ジジェクも次のように述べている。

暴力を即座に非難すること、暴力は「わるい」と決めつけることは、きわめつけのイデオロギー的操作であり、社会的暴力の根本的形態を見えにくくするごまかしである。きわめて徴候的なのは、われわれの西洋社会が、様々なかたちのハラスメントに過敏に反応する一方で、もっとも野蛮な形態の暴力［中略］に対してわれわれが鈍感になるように、いろいろと手を尽くすことである**【017】**。

暴力では世界を変えられないか

だが、暴力を一律に悪と決めつけるなんていうのは、まさしく、より公正な世界の創造をめざす人たちがしょっちゅうやっていることだ。大衆的な社会運動、環境運動において、統率者の要求する行儀よさと非暴力に徹する流儀から少しでもはずれた参加者を、忌避、叱責、あるいは排除する風潮も、どんどん強まってきた。非暴力デモ参加者のなかには、わざわざ警察に、他の参加者が触法行為をしたと告げ口する者さえ出る始末。

体制側に教えこまれたとおりをオウムのようにくりかえす非暴力原理主義者が、そこまで手なずけられていないメンバーに向かって言いつのる光景もよく見かける。「腕力や暴力では有意義な結果を達成できない」と。

しかしこれは、非暴力だけが適切な変革手法だと信じる人びとの広めた神話である。そもそも、時宜《じぎ》を得た腕力や暴力の行使が、制度の壁を突きくずし、世界をより美しく変える例もあったことは、歴史が教えている（第5章を参照）。

いや、もっと重要な点を指摘しておこう。より多様な変革手法に訴える人びとを非難する御仁は、どうやらお忘れのようだ——道徳的にけしからぬと言うその「暴力」がなければ、地球全体が（そして自分の肉と骨も）一瞬のうちに滅びてしまうことを。

非暴力を主張する人も、自身の健康をおびやかす抗原に、体内の免疫抗体が暴力的攻撃をしかけたからといって、文句をつけはしない。ガイアの免疫抗体人間――すなわち種々さまざまな活動家――が、各自の技能や性分や特質に応じた手段を駆使し、抗原にも似た機械文明の侵入から〈全体〉の健康を守ったからといって、文句をつけるのもやめたほうがよかろう（第7章を参照）。

イギリス帝国主義に抗するマハトマ・ガンディーの闘いに影響を与えたヘンリー・D・ソローは、かつてこう言った。

「私はひとを殺したくもないし、ひとに殺されたくもない。しかし、そのどちらも避けては通れない事態が生じるのではないか、という気がしてなりません。われわれは、毎日、ささいな暴力行為を犯すことによって、地域社会のいわゆる『平和』を維持しています」**【018】**

その他おおぜいの命をとことん犠牲にして、ひとにぎりの人間のふところを肥やす。そんな法律と経済体制が存在するかぎり、その両方を破る人びとがなんとしても必要になってくる。

天国への道に敷きつめられているのは

ぼくらはそろそろ、みずからに正直になる必要がある。産業文明につきものの暴力について、せまりくる生態系の危機、社会の危機、人間の危機の、深刻さについて、さらには、問題に取りくむ際の時間軸について。そのためには、利用可能な選択肢をひとつ残らず俎上《そじょう》に戻してやらねばならない。

本書の主張のひとつは、「ご主人さまの家を建てるときにハンマーやスパナが使われたのであれば、当然、同様の道具を使ってクギを抜いたりネジをゆるめたりできる」というものだ。すなわち、デリック・ジェンセンがもっと露骨に述べたとおり、「支配者のダムを解体するには、支配者の爆弾を使えばいい」**[019]**。

手段の合法・非合法を問わず、生態系の殺戮《エコサイド》（126ページを参照）、搾取、社会的不公正を阻止する運動を、どこからどう見ても善意に不足はない。ところがあいにく、地獄への道に善意が敷きつめられているのは誰もが知るとおり。むろん、だからといって天国への道に悪意が敷きつめられているわけではない。本当のところ、もっと美しい世界へいたる道には、実効性のあるアクションが敷きつめられている。

肥沃な土壌にタネがまかれるように、刺激的な構想やすばらしいプロジェクトが、日々、社会起業家、活動家、さまざまな変化の担い手によって実行に移されている。だが、そのタネが芽を出し、しかるべき解決策にまで育ちおおせたためしは、ほとんどない。なぜか。

商業的に栽培された大木、しかもどこかよその地域から移植されてきた木が、日光をさえぎって、そうした若い芽が根を張り生いしげるのを邪魔しているからだ。これら単一品種の木々を切りたおして、光を入れ、あらたな命がはじまるようにしてやる必要があるし、それは遅いより早いほうがいい。

現状の深刻さを考えると、人類は、持てるかぎりのあらゆる道具を、技と知恵を生かして用いるべきだ。破壊を推進する者たちに憎しみを燃やすのではなく、保護にあたいするすべてへの愛を心にいだきながら。暴力的な体制を転覆させる使命感に駆られる人は、ニーチェのことばを忘れずにおこう。

「怪物とたたかう者は、みずからも怪物とならぬようにこころせよ。なんじが久しく深淵《しんえん》を見入るとき、深淵もまたなんじを見入るのである」【020】

産業革命を人類史上最大の偉業と信じて疑わない人、生気あふれる自然界とのつながりの深さよりも、インターネットへの接続強度のほうが重要だと本心から思っている人、自分がどこかに帰属するという意識よりも、自分に帰属する財産のほうが大事だと感じる人には、いますぐ本書をシュレッダーにかけてしまうようおすすめする。

だけど、産業主義の「闇のサタンの工場」【022】で残業するよりもっと豊かで陽気な人生があるはずだと悩んでいる人、これまでも状況を悪化させてきた思考回路や文化——「テクノロジーの進歩でどうにかなる」——では生態系の危機を解決できないと考える人、機械文明の轟音《ごうおん》のうしろに、切りたおされ、独自の物語や生き物もろとも永久にうしなわれゆく、原生林の悲鳴を聞きとれる人は、このまま読みすすめてほしい。

3Rをアップグレードせよ

この先のページに、増えつづける人類の危機に対するすべての答えはおろか、ひとつの答えだって書かれていると主張するつもりはない。しょせん、ぼくはアイルランド西岸の小農場に住む白人男性にすぎず、自分のいる場所にとって何が最善であるかすら、ほとんどわかっちゃいないのだ。

そのかわり、これだけは言っておく。生態系も文化も豊かな世界と、永続にあたいする有意義な生活様式とを、人類の手に取りもどしたいと願うなら、気候変動世代の三つのR――リデュース（ゴミを減量せよ）、リユース（再利用せよ）、リサイクル（再生せよ）――を本気でアップグレードする必要がある。

現在の3Rは、支配的な文化の物語にとって都合のよいお題目にすぎず、機械文明の覇権を露ほどもおびやかさない。こんなお題目はすみやかに進化させて、いまの時代の危機を直視し、責任のがれをしない、全体的にもっとふさわしいスローガンに変えなければならない。

生物圏もぼくらの尊厳も傷つけずに悲劇的状況を脱して、〈大いなる生命の織物〉のうちへ完全復帰を果たしたくば、手ぬるい改良主義の失敗（およびそれによる疲弊）を全身からはたき落とし、あらたなスローガンを何度もくりかえしとなえることだ。ぼくらの心をがんじがらめにしている機械文明の精神に打ち勝つまで。

では、以下の章で読者の頭と心と手を奮い立たせんとする、このスローガン、すなわち「再統合の時代の3R」とは、いったいどのようなものか。

レジスト（抵抗せよ）

レボルト（反逆せよ）

リワイルド（野生を取りもどせ）

序章　3Rをアップグレードせよ　7

日常にひそむ暴力・自然界を守る「過激派」・温存される上からの暴力・目くらましに励む企業と広告会社・改良主義の限界・産業主義の「枝葉」と闘う活動家・非暴力という強迫観念・「よき」テクノロジーはあるか・悲惨な状況にふさわしい応答とは・隠れた暴力にひとしい「非暴力」・新しい時代の自己防衛・レイプ現場から「歩み去る」意味・歩み去っても現実は変わらない・異なる使命を持つ人びとの連帯・暴力では世界を変えられないか・天国への道に敷きつめられているのは・3Rをアップグレードせよ

第1章

平和主義者のための暴力論

おお、許してくれ、血を流している土塊《つちくれ》よ、
あの殺し屋どもにおとなしく服従するばかりの、このわたしを。

ウィリアム・シェイクスピア『ジュリアス・シーザー』

トールキンの『指輪物語』に登場するモルドールの冥王サウロンなど、お話のなかの悪魔か、さもなくば産業文明くらいだろう。多様な命で栄える惑星を、つまらぬ人工物のゴミ溜めやコンクリートジャングルに平然とつくり変えてしまえるのは。それも、宇宙の時間軸からすれば一瞬にすぎぬ間に。

安物の家具やら、ゲーム機やら、炭酸飲料のためにわれわれは、複雑さに満ちた森を材木置き場に、山を採石場に、海を枯渇した養殖漁場に、川を発電所に変貌させてきた。〈大いなる生命の織物〉を、ハイデッガーの辛辣な言いまわしを借りるなら「巨大なガソリンスタンド、近代の技術と産業のためのエネルギー源」**【023】**に変えてしまった。

そんなモルドール的暗黒世界へと突きすすむぼくらは、二〇一三年十一月、

さらなる一歩を踏みだす。英国エジンバラで「自然資本に関する世界フォーラム」がはじめて開催されたのである。大企業、野生生物保護専門家、政府機関、環境保護活動家といった異色の顔ぶれが、自然界――国連が「生態系サービス」と詩的に呼びかえた、驚異と魅惑の野生の領域――に値札をつけるために参集した。

フォーラムの根底にある倒錯した論理はこうだ。

「自然界の恵みすべて（野生動物、草花、森林、水系、花粉媒介作用、その他何もかも）に値段をつけてやれば、企業はその破壊を思いとどまるにちがいない」

自然界に値札をつける愚行

金銭的価値の付与による自然保護という発想には、少なからぬ疑問がわいてくる。自身ともつながりの深い自然界に対し畏敬の念をいだいてもおかしくない人間が、その恩恵の価値をなにゆえに、官僚的で退屈きわまるカネ勘定でおとしめたいと思うのだろうか、というのがまずひとつ。

しかしもっと重要な問いは、生き物の命をいったいどうやって数値化するつもりなのか、である。地域のなかで占める生態的地位《ニッチ》や、その命に依存する他の命をひとつ残らず理解し、生き物の生息地全体や種の絶滅に値段をつけるわけだ。仮にそんな大それた芸当が可能だったとして、ではその数値化を誰がするのか。査定者の潜在意識にある世界観はどのように結果に反映されるだろうか。

ある風景のなかで特定の種類の蝶が担う重要性や、複雑に織りなされた生態系において「害虫」や「雑草」が果たす役割を——任意の金銭的数値で示せるか以前に——人間が把握しつくせるだなんて。臆面もなくそう考えるうぬぼれ屋に意見を聞くなど、とても賢いやりかたとは思えない。

この方面に先鞭をつけたのが一九七〇年代の科学者らで、(多分に皮肉まじりの冗談だと思いたいが)人体を構成する諸器官に金銭的価値をあてがうという大胆不敵なくわだてに乗りだした。心臓や手や目などのパーツの額を計算機にかけたところ、はじき出された合計は十二ドル九八セント【025】。なんとも滑稽にひびくのは、このショボい数字(インフレを加味すると本書執筆時の貨幣価値で五六ドル強)ではない。人命を価格査定にかけられるとする、また人間の価値が肉体的な各部分の合計にすぎないとする、その思いあがりである。

だが、ここで当然の疑問が生じる。いかなる論理にもとづけば、同様の方法による人間以外の命の数値化を、さほど滑稽に思わないどころか、地球環境保護における前向きな一歩ととらえられるのか。他の動植物の命となると不条理さを感じないのはなぜか。

自然に値づけせよとの主張はたいてい善意から発せられるが、ヒューマニズムや人間中心主義の妄信者以外、かくも倒錯した思考を自分たち以外の生命にあてはめようなどとは思いつきもしないだろう。

ただし、そんな論理破綻は、まちがった方向へ連綿とつづく足跡のうち、最新の一歩にかぎった問題ではない。千年前に端を発し、十七世紀の科学革命以後加速をつづけてきたこの大行進が、よちよち歩きをはじめたのはいつかといえば、人間が自分自身のことを〈皮膚に囲いこまれた自己〉【026】と認識するようになった瞬間なのだ。

本質的に人間に敵対する世界（科学的には時代遅れとなったいまもなおお根づよくはびこるデカルト的自然観）のただなかで、あらゆる他者から分断されたわれわれ――人類がはじめてたき火を囲み、安全地帯（ウチ）と暗やみの原野（ソト）とに世界を二分して以来、自己をこのように認識する機会は増える一方だった。とりわけ、言語、数、科学技術、農耕、貨幣はどれもみな、この認識を存分に体現し補強する役目を果たしてきたため、いまや大部分の人にとって、他の生命といかに深く依存しあっているかを体感することはおろか、頭で理解することさえもむずかしい【027】。

みずからつくりだしたそんな世界のなかで、言語で言いあらわせぬ独自性がじょじょに月並みなことばへと還元され、計量しがたい繊細な美が冷たく味気ない数字に還元されてしまった。

しかし、本来値段のつけられないものにはっきり値札をつけようとする動きは、いわば人類が「最安値を更新した」しるしであると同時に、自然界と地球の将来を守りたい人びとが起こした（気持ちはわかるが）身もふたもないやけっぱち（および敗北宣言）とも受けとれる。

フォーラムに出席した野生生物保護専門家のそうした姿勢（ちなみにこの人たちがわずらっているシフティング・ベースライン症候群【028】については第8章で取りあげる）は、アルド・レオポルドが『野生のうたが聞こえる』を執筆した当時に喚起した大胆な環境保護ビジョンにはおよびもつかない。この著書でレオポルドは述べた。

「土地は、人間が所有する商品とみなされているため、とかく身勝手に扱われている。人間が土地を、自らも所属する共同体とみなすようになれば、もっと愛情と尊敬を込めた扱いをするようになるだろう」【029】

この点はまた、社会運動が、これまでの改良主義的努力の無力さを認識しているか、それとも、地球やそこに住む生き物を苦しめている根ぶかい病の治療開始に必要な、困難だが実効性あるアクションを起こす気がないか、そこのちがいを示すバロメーターともなる。

生物多様性オフセットの落とし穴

問題はまだある。そのような改良主義的手法にはグリーンウォッシュの可能性がつきまとう。つまり、原生林の暴力的な破壊を別の場所への植林で倫理的に正当化すること――現在では婉曲に「生物多様性オフセット」と呼ばれる操作――のできる数値的根拠を、大企業と国家に与えかねないのだ。明らかにバカげた論理だが、それでも〈企業―国家〉連合体には受けがいい。自分たちの目的にかなうよう今日まで形づくってきた物語に、ぴったりとおさまるから。

作家ウェンデル・ベリーの指摘どおり、「グローバル経済が依拠する原理によると、ある地域のために別のどこかを搾取してかまわないし、破壊すらしてかまわない」。

この論理で行けば、特定民族の大量虐殺も倫理的オフセットが可能という話になりそうだ。奪われた人命の金銭的代価を実行犯が合計し、〈軍―産―メディアー製薬―教育―金融〉複合体が独自の方程式を使って「どこか別の場所の人間集団を守る――あるいはただ傷つけない――ことに投資する」べき金額を決定できるのであれば【030】。

かつて米国のロナルド・レーガン元大統領は、アメリカ杉の原生林の大規模破壊を別の場所の植林で相殺する計画に関する談話で、「一本の樹は一本の樹」【031】と言ってのけた。そういうことなら、レーガンや同類の政治家たちは、どこぞの不動産開発業者から、フィラデルフィアやポーツマスの郊外に三百戸の住宅を新築して相殺するとの口実で、ワシントンやウェストミンスターにある自邸の取りこわしを通告されても、文句を言わないのだろう。

ただし、これにまつわる最大の問題は、もっと卑近なところにあるかもしれない。皮肉なことに、先のフォーラムの場で、ワールド・デベロップメント・ムーブメント（現グローバル・ジャスティス・ナウ）のニック・ディアデン代表に向かって「保護を目的に自然に値段をつければ、その値段を支払って破壊する人もきっと出てきます」と（いたって実務的な口調で）告げたのは、野生生物保護専門家ではなく機関投資家だった【032】。

どこの生息域につけられる値段もまず、産業界（とその途方もない富）に破壊を思いとどまらせるほど高くはない。査定にあたり、めずらしく生態学者が意見を求められても、この問題に相当理解のある者でさえ、実業界にあえて忠告することはまれだ。急速にうしなわれゆく表土のなかに存在する命の豊かさには、その下に眠る莫大な量の鉱物や化石燃料に対して産業界が喜んで支払う金額以上の価値があるのですよ、と。

ニール・エヴァンデンは次のように指摘する。

まず第一に、自然環境に貨幣価値をあてはめるのは危険である。山々の用途をあれこれ比較させてしまう。景観としての価値よりもブリキ缶としての価値のほうが高いと算定されたとたん、その山を擁護する声は聞かれなくなる。しかし、もっと気をつけねばならないのは、論じられている価値がそもそも経済的な性質のものではないという事実が、値ぶみをすることによってうやむやにされてしまう点だ【033】。

何を暴力とみなすか

イデオロギー上の伴侶たる政治家にはたらきかけて山をブリキ缶につくり変えたがる企業は、現に存在する。今朝の新聞の見出しがほんの一例。英国のデーヴィッド・キャメロン首相がロンドンの金融街「シティ」の友人らのたっての要請で、「シェールガスのために全力を尽くす」【034】と約したという。シェールガスに関しては、水圧破砕と呼ばれる抽出過程が生態系や人体へおよぼす悪影響が、すでに明らかになっているにもかかわらず。

読者のなかには、地球の水圧破砕を進歩とみなす人もいるかもしれない。雇用が増え、地域にお金が落ち、エネルギーの増産がさらなる財政的伸長に貢献するから、と。

こうした皮算用にことごとく反論することもできよう。生まれる雇用は短期の仕事で「人間の魂への侮辱」的性質のものにすぎず、もっとも甚大な損害をこうむる層が手にする金銭的見返りは子どもの駄賃並み。おまけに、はてしない経済成長などは基本的に持続不可能なのだ。

だが、いま言いたいのはそんなことではない。

理由はおいおい説明するが、ぼくらが真っ先に――眼前の生態系破壊と社会的不公正にどう応答すべきかを考える以前に――自問しなければならないのは、ありきたりな問いではない。こうだ。破砕法などの処理過程を暴力的だと思うかどうか。

同様に、熱帯雨林を分速一ヘクタールの割合で平らな木材に変えるだとか、原生林(もちろんそれ以外の森林でも)を一本残らず伐採するだとかは、暴力行為なのかどうか。

真に持続可能で有意義な生計手段——およびかつて維持されていた社会構造——を根絶《ねだ》やしにし、コールセンターやら営業所やら産業主義のベルトコンベアやらでの仕事に置きかえてきたことは?

多様性に富んだ野生環境が単一作物の農地へと容赦なく変えられたのを反映するかのように、世界の多様な文化が均質化されてきたことも忘れてはならない。これは暴力行為か、そうでないか。

河川のダム建設と、それが森林や原生地域にもたらす破壊については、どう思うか(森や原生地域の安定と多様性と健全性は、生まれ故郷へと遡上する鮭に依存する)。

超富裕層と超貧困層のあいだの巨大な格差と深刻化する不平等、そしてさまざまな社会的影響については?

成長を強いる資本主義のために、ぼくらの自然資本、社会関係資本、文化資本や、ごく親密な人間関係を、非情な数字に換算するのは?

工場式畜産、トロール漁業、土壌の収奪は?

〈大いなる生命の織物〉を根こそぎ破壊する所業が、金曜の夜に酔っぱらいがクラブであばれるのとくらべて、さほど暴力的に感じられないとしたら、その理由は何か。

また逆に、人間以外の生物が自分たちの生息地を守るために実力を行使した場合、それは暴力行為であろうか。南アフリカのズールーランドにあるトゥラ・トゥラ私設野生動物保護区で、繁殖用に捕獲された複数のレイヨウが、半狂乱で逃げようとしていた。すると数時間もたたぬうちにゾウの群れがあらわれ、リーダー格のメスが鼻で鍵と門を壊してレイヨウを解放した。動物どうしのこうした連帯は、おどろくほどよく見られるわりに、あまり知られていない【035】。

抵抗運動も人間の世界にかぎった現象ではない。インドのパンジャーブ州では、人間による占領に抵抗するサルが何年にもわたって器物損壊をくりかえし、サル監獄に送られたり(同州でサルの殺害は違法)、非合法に射殺されたりした。またこれもインドの話だが、ゾウがハンターや生息地を荒らす人間たちに復讐をはじめた。アッサム州で二年間に一三〇人がゾウに殺されたという【036】。

サルたちの自己防衛が暴力でなくて(この点についてはのちほど詳説する)、動物としてただ無心に生命のよりどころを守っているだけだとするなら、同じ立場に置かれた人間が、みずからの本来の居住地を同様の実力行使で守るのも、もっともなことと言えないだろうか。

以上の問いへの答えは、見かけ以上に重要だ。われわれを取りまく不公正に、より深く、より実効性の高い方法で対処できる可能性が、それらの答えのうちにひそんでいるから。

だが、その答えを探すのに先立ち、「暴力」ということばの解釈について、ぼくらの暴力観につきまとう矛盾について、暴力を考える際の倫理の境界について、まず論じておかねばならない。では、厳密にいうと暴力とは何か。「とうてい許しがたい」代物だと説く者たちこそがもっとも盛んに行使する、この暴力とは?

暴力の正体をあばく

暴力をどう思うかと問われれば、多くの人は「断固反対」と答える。悪いことだ、まちがっている、逸脱行為であって克服せねばならない、と。ただし、権力の座にいる人びと(あるいはその関係者)に向けて下からふるわれる暴力に関しての話であって、上から下へ行使される場合はそのかぎりでないのだが。

この点は、ぼくらの置かれた不安定な状況とその原因に気づく人が増えるにしたがい、広く認識されるようになってきた。ノンフィクション作家のレベッカ・ソルニットは『ガーディアン』紙で次のように書く。

あなたが貧しければ、人をあやめる手段は昔ながらの方法にかぎられる。ローテクの暴力とも呼ぶべき、素手や、ナイフや、こん棒。または近代的な手道具（拳銃や自動車）を使った暴力もある。けれども、あなたがとてつもなく裕福ならば、産業規模の暴力を行使できるので、みずから肉体労働をする必要がない。たとえば、いずれ倒壊をまぬがれぬつくりの労働搾取工場をバングラデシュに建て、歴史上のどんな大量殺人犯が直接手をくだしたよりも多くの人間を殺すことができる。あるいは、リスクと利益を計算したうえで、毒物や危険な機械を世に送りだせる――メーカー各社が日々やっているように。あなたが一国の長ならば宣戦布告して、十万、百万の単位で人を殺すこともできる。［中略］だが、暴力が語られるとき、話題になるのはほとんどつねに下からの暴力であって、上からの暴力ではない。［中略］いかなる場においても、権力を持たぬ者たちの直接的暴力だけでなく、産業規模の構造的暴力に目を向ける必要がある【037】。

見えない構造的暴力

ソルニットが随所でうかがわせる心情は、ベルトルト・ブレヒトの『三文オペラ』にも描かれている。劇中、盗賊団の首領メッキースが問う。「株を買うことにくらべれば、鍵をこじあけるなんてかわいいものじゃないか？銀行をつくることにくらべれば、銀行強盗なんてかわいいものじゃないか？」

スラヴォイ・ジジェクにならってこのセリフを敷衍《ふえん》すると、法の範囲内で起こる暴力にくらべれば、法を破る暴力なんてかわいいものだ【038】。二者のちがいといったら、構造的な権力濫用には完全服従が求められる——自分で自分に求めてしまう——ところである。

調査報道ジャーナリストのウィル・ポッターは、同様の点を指摘するためにアウグスティヌスの『神の国』から一シーンを引く。アレクサンダー大王が海賊を捕らえ、「なぜ海を荒らすのか」と尋問した。「陛下が全世界を荒らすのと同じこと」と海賊。「あっしはちっぽけな船でやるので盗賊と呼ばれ、陛下は大艦隊でなさるので皇帝と呼ばれるだけでさぁ」。ポッターはつけくわえて言う。

「暴力の定義がどうあれ、国家のしたことはけっしてテロにならない」【039】

マックス・ヴェーバーは国家を「ある一定の領域の内部で正当な物理的暴力行使の独占を（実効的に）要求する人間共同体」【040】とさえ定義したが、この見かたは、プラトンの『国家』におけるトラシュマコスの主張以前より存在した。

「もっとも声高に暴力を非難するのはたいてい体制の支持者」であって、「体制を護持する暴力を体制に抗する暴力と同じ基準ではまず見ようとしない」【041】という事実はさておき、暴力に対していだく嫌悪の念からは、いろいろな意味でわれわれ自身について教えられる。場合によっては、他者の身になって考えられる証拠だし、あるいはまた、すべての命が相互共存《インタービーイング》状態にあるのだと心のどこかで（主流文化の言説にさからって）忘れずにいる証拠かもしれない。

あきもせずワンパターンに「暴力反対」をとなえながらも、暴力という語があなたにとって実際に何を意味するかと問われて、はっきり答えられる人はほとんどいない。答えられると思っていても、おおかた、ほんの少しつっこまれただけでしどろもどろになることだろう。

では、ぼくたちが暴力と呼ぶこの謎めいた代物の正体は何か。

暴力と聞いて思いうかべるイメージは決まりきっており、テロリズム、殺人、人権侵害、強盗、流血革命、性的暴行、オフィスの窓を割る黒装束のデモ参加者など、目につきやすい何かだ。しかし、このような形だけが暴力だろうか。

また、一見はなはだ暴力的なこれらすべてが、もっとホリスティックなレンズをとおしたとき、かならずしも同じように見えるだろうか。

歴代の賢人――フーコー、アーレント、サルトル、トルストイ、フロイト、ホッブズ、ジラール、ベンヤミン、マルクスなどの哲学者や、ガンディーからヒトラーにいたるまでの政治家――が多方向からこの主題を掘りさげてきたにもかかわらず、暴力の正体を明確につかんでいる人もまれなら、あらゆる形態の暴力を細大もらさず説明しつくせる理論も見あたらない。

暴力の一般的解釈

これより、読者のみなさんをやっかいな旅にお連れしよう。何を暴力と見るかに関する現時点での一般認識から、支配的文化がけっして歩ませたがらぬ人跡未踏の野生の道へと。

まず、えらく散文的だが重要な辞書の定義から、旅をはじめたい。というのも、そこには、この語に対する世間一般の理解がもっともよく反映されているからだ。

『コリンズ英語辞典』は暴力《バイオレンス》の定義を複数載せている。標準的現象の激化した状態をあらわす――ハリケーンを暴風（バイオレントな風）と表現するなど――のも、ひとつの用法である。しかし、いまの議論に関係する定義は、「物理的な力の行使、またはその事例。通常、けがや破壊などの結果を生むか、それを意図したもの」。『オックスフォード英語辞典』も同様で、「人または物の傷害、損傷、あるいは殺害を意図した、物理的な力を伴うふるまい」を筆頭にあげる。

一般に受けいれられたこの解釈に照らしても、前述した所業の大半――テクノロジー社会を動かしていくための大規模な森林伐採、石油の掘削、水圧破砕など――は極端に暴力的である。ただし、われわれ現代人が覚悟しているよりもずっと間口の広い（しかし哲学的・科学的には一貫性の高い）倫理観を採用すれば、の話だが。

動物を「人」や「物」とみなすなら、工場式畜産場、製薬会社の実験室、工業的規模の食肉解体場は、そこを通過する動物にあえて危害を（通常、残忍なやりかたで）加えて死にいたらしめるという意味で、暴力的である。森林を「物」と（アニミズムの視点から見れば「人」とも）呼ぶのを妥当とするなら、それを丸裸に伐採する人間は、物理的な力――この場合はブルドーザーとチェーンソー――を用いて意図的に「破壊」を引きおこしている。

信頼性を誇る辞書に記載された定義によっても、これらのありふれた行為はまぎれもなく暴力的だし、（のちほど述べるとおり）その蛮行に関与する者は、いくら距離をとろうと努めたところで、意識的な共犯関係ゆえに暴力的なのだ。

同時に言っておくと、変わる必要があるのはおそらく、暴力に関するぼくらの共通認識であって、特権的立場の白人から不条理かつお行儀のよい平和観を押しつけられる人びとの生活ではない。

たとえば、食べる行為自体は本質的に暴力たりえないと言ってさしつかえないだろう。誰しも生きていくために食べる必要がある。またその営為は、命を別の形に変容させ、精緻で多様性に富んだ生態系をつくりだす役割の、不可欠な一翼を担っている。それなのに、食物とのかかわりが密接な狩猟採集民の表面的な姿だけを見て、えらく暴力的な集団だとみなしがちなのが、一般的な暴力観だ。日々、じかに腕力をふるって動物を傷つけ殺すなんて、と。

だが、こうした民族の生活様式を全体として観察すれば、その食料獲得手段が、人類学者や生態学者の知るかぎりもっとも無害だという事実が明らかになろう。多くの狩猟採集社会では、極力残酷さの小さい方法で、必要最低限の命しか奪わなかった。この点に思いをはせるとき、野生動物——本来の性質にさからわず自由に大地を動きまわって生涯を過ごせた動物——を殺す行為が、自分たちの利便性と良心の慰撫のため「食品製造業者」にカネを払って家畜を監禁させる（表面上は非暴力的な）行為とくらべて、実に思いやりぶかく感じられてくる。

精緻な生態系のなかでどの生物種も独自の地位《ニッチ》を占めており、狩猟採集民が捕食者の役割を演じることでかえって、しばしばより多くの生命が栄える現実を考えると、その感はいっそう強くなる。

さらに、地域に応じた進化発展をとげてきたそれぞれの役割の重要性をかんがみれば、特定の種を殺さない行為（いや〈非＝行為〉と言うべきか）は、複雑な生態系に思わぬほころびを招きかねない。

同様に、雌ライオン——生きていくにはもちろん食べる必要がある——がわれとわが子のためにハイエナを殺したからといって、あるいはまた、体内で自然につくられる免疫抗体が、侵入してきた細菌やウイルスをやっつけたからといって、それを暴力だとは思えない。これらもひっくるめたすべてがすなわち生であり、生はたえず新しい生に変容しながら、じょじょに豊かさと多様性を増していく。

ジョージ・モンビオが述べるように、オオカミなどの絶滅した捕食動物を本来の生息地に再導入すると、生物学で言う栄養カスケード――「食物連鎖の頂点に君臨する動物によって引きおこされた作用が、段階的に最下層までころがり落ちていく」【042】――がつくりだされ、生物群系《バイオーム》全体の種の多様性が飛躍的に向上する場合もある。このような生と死のはてしない循環は、たたえられこそすれ、そこから断絶した都会人の勝手な思いこみで非難されるべきではない。

ぼくがミンクを殺すとき

最近もそんな経験をした。ぼくはアイルランドで、パーマカルチャーの原則と古来の贈与文化の価値観にもとづく面積三エーカーほどの小農場に暮らし、ニワトリを飼って卵を得ている。

ある日、鶏舎の掃除に行くと、頭部から胸のあたりまで裂傷を負った一羽が床に倒れていた。周囲の状況からしてミンクのしわざと思われる。この場合、ミンクの行為を暴力とは考えなかった。なにしろミンクも生きるために食べ物が必要だし、肉食はミンク本来の性質である。だから、その行為をもって暴力的と形容するのは、生への誹謗中傷にほかならない。

ただし、ミンクはアイルランドにもともといた動物ではない。アイルランドで野生のアメリカミンクがはじめて確認されたのは一九六〇年代だった。一般的な定義にもとづいてさえ「暴力的」と呼んでさしつかえない環境下で毛皮用に飼育されていた何匹かが、脱走、野生化したのだ。

毛皮動物飼育場主らは、動物の権利《アニマルライツ》活動家が忍びこんでミンクを放したと言いたてたが、保険金詐取の目的で場主みずからが逃がしておきながら活動家のしわざに見せかけた、と異をとなえる声も多い（双方の主張とも根拠は未確定のまま）。微妙なバランスのうえになりたつ生態系のなかに外来生物を放つのが由々しき行為であるのは、活動家の多くが十分承知しているはずだ。

鶏舎の一件には頭を悩ませた。他者の命を奪うなんて、ぼくに軽々しくできることではない。しかし、ここでくだんのミンクを退治しなかったら、おそらくいつかは全部のニワトリが殺されてしまうだろう。それればかりでない。ぼくが住む地域の生態系においては人間だけがアメリカミンクの唯一残された天敵であるから、このミンクを殺さないと、当地に適応・進化してきたハタネズミなどの絶滅に手を貸す結果になってしまう（子育て中の母ミンクはなわばり内のハタネズミをたった一年で絶滅させることもある）。

このような場合にミンクを殺す行為と、健全な関係を構築するにいたっていない土地でミンクが狼藉をはたらくままにさせておく〈非＝行為〉（詳細は後述）と、ふつうに考えて、どちらが本当の「暴力行為」だろうか。

環境大臣とミンクのちがいは

さらに類似の、だがもっと物議をかもすにちがいない観点から問えば、政治家とその親分たる実業家連中の「駆除」を、かならずしも暴力的な選択肢とみなすべきなのか？（米国のフォークミュージシャン、ユタ・フィリップスはかつて言った。「地球は死にかけているのではない。殺されかけているのだ。おまけに、殺そうとしている者たちの名前も住所もわかっている」と）

英国の環境・食糧・農村地域省（DEFRA）のオーウェン・パターソン前大臣を例にとろう。在職中はさまざまな環境政策を承認しつづけた。輸送事業のために原生林をブルドーザーで真っ平らにならすとか、科学的根拠のないアナグマ駆除に一匹あたり四千ポンドの予算をつぎこむとか【043】、ビョーキとしか言いようのない政策だ。そんな歯止めのきかない男を、同類たちのつくった人間中心的な法制度のなかで任期満了まで（五年間にできる悪事はたくさんある）野放しにしておくほうが、暴力的な選択肢だとは思えないだろうか。

パターソンのような輩《やから》が英国の健全な生態系のために果たしている役割は、アメリカミンクがアイルランドで果たしている役割より、さらに小さい。だとすれば、パターソンや取巻き連中を駆除する行為が、ミンクやアナグマを駆除する行為よりも倫理的でないとされるのはなぜか。

何を根拠に差をつけるのか。彼がわれわれと同じ人間だからか。ミンクなどより知能指数が高い（と言われている）から？　足が四本ではなく二本だから？　それとも、ピンストライプのスーツを着ているからか？

もちろん、病的な政治家を暗殺したり傷つけたりするのが正しいおこないだと言っているのではないけれど、いつなんどきでもそれがまちがったおこないかどうかは、また別の問題だ。

もうひとりの社会病質者《ソシオパス》ヒトラーに対してなら、そのような行動に出てもほとんどの人が納得するだろうと思う。パターソンとのちがいは、ヒトラーの蛮行が、われわれの倫理的配慮がおよぶ対象の生物種と文化に直接向けられたという一点のみだが。

角度を変えて単純に問うてみよう。先ほどの例で、ミンクの殺害が、巨視的に見て非常に賢明な行為だと感じられるのはなぜか。一方でもうひとつの筋書き、すなわち、ひとにぎりの人間が故意に、ミンクが十万匹がかりでもかなわないほどの大混乱を生態系と社会につくりだしている状況を想定したとたん、その元凶の殺害がとんでもない行為に思われてくるのはなぜか。

同様の意味で、モンサント——政治通の活動家に言わせれば当代きっての環境破壊企業〔二〇一八年に独バイエル社が買収〕——の社屋を打ちこわすのは、暴力的な選択肢だろうか。そうした企業の蛮行を阻止する効果的なアクションをとらずにいる態度こそが実は暴力的だと、考えてみてもいいのではなかろうか。

だが、そんなふうに人前で口にするや否や、奇妙に結託した平和主義者と権力者の怒りを買わずにはいられない。ぼくらに植えつけられた条件反射はあまりに強く、こういう疑問を提起しただけで、ヒューマニストからも、資本家からも、環境保護主義者からも、こぞって異端視されてしまう。

絶滅の危機に瀕《ひん》した「野生の革命家《ワイルド・レボリューショナリー》」を政治の地平に再導入することによって、いわば政治版の栄養カスケードをつくりだし、ひいてはヒトの生息域や関連領域の文化社会的多様性を劇的に向上させられるのではないか。そんな問いも、のちほど扱うつもりだ。

豊かで有意義な暮らしを、〈大いなる生命の織物〉と調和した生きかたを、みずからの手で創出したければ、機械文明に対するぼくらの直接行動や抵抗運動もまた、荒廃から守るべき生息地と同じく野生的であらねばならぬ。

〈非＝行為〉の暴力

フェイスレス〔英国のエレクトロバンド〕のロロ・アームストロングの歌詞にあるとおり「何もしないことこそが大量破壊兵器」で、〈非＝行為〉もときに、どんな行為にもおとらぬ暴力になりうるとするなら、その決断〔何かをのさばらせておくのも、消極的ながらぼくら自身の選択だ〕はさらに重要性を帯びてくる。

何もしないことが暴力の一形態だと言われてもピンとこなければ、なんとかできるはずの問題に対して有効なアクションがとられないがゆえに、毎年どれほどの人間やその他の生き物がもだえ苦しみ、死んでいくか、考えてみてほしい。

これは「無関心や放置によって起きる損害も、革命家らの暴力行為と同じく、人間の暴力の一部」**［044］**というマルクス主義的暴力観にも通ずる。実際、結果がまったく同じだとしたら当然ではないか。エンゲルスが『イギリスにおける労働者階級の状態』で述べたように、「殺人もおかされてきた。何百という労働者らが社会によってそのような境遇に置かれるなら、寿命に達する前に不自然な終末を迎えざるをえない。労働者の死は、刃物や銃で殺されたかのように暴力的である」。

〈非＝行為〉の暴力を理解するには、もうひとつ非常に重要な問いを立てねばならない。共犯行為もいくぶんかは暴力的と言えるかどうか、だ。これを考えるために、しばらく思考実験におつきあいいただこう。

孤独な男がさしたる理由もなく、ある女性を射殺した。こういう場合、ふつう、暴力行為をはたらいたのは銃のひきがねを引いた冷血漢ただひとりと考えられる。しかし、女性の死に対する究極的な責任は、彼女を撃った人間にはない。そう、究極的責任は銃弾に帰せられる。彼女の心臓の大動脈を切断したのは、男ではなくて銃弾だからだ。厳密にそう言ったところで、極悪非道行為の罪が男にないという意味にはもちろんならないが、そこの区別立てがぼくらにもたらす影響はもっと注目されていい。

なぜかというと、暴力とは間接的に実行しうるもの（この場合、犯人の男と物理的力の作用地点とがほんの少し離れているように）と認めてしまえば、平穏な日常のなかで密《ひそ》かにくりひろげられる身の毛もよだつ暴力に、ほかならぬわれわれ自身も関与しているのだという事実と、正直に向きあわざるをえなくなるから。

もうひとつ例をあげて説明しよう。ある女が意図的に、腹をすかせた虎を学校の教室に放ったため、虎はひとりの男児を食い殺してしまった。理性ある人なら誰しも、子どものいる場所に飢えた獣を放すなど、きわめて暴力的な行為だと思うだろう。たとえ、その子を殺した物理的力そのものと女のあいだに、一段階のへだたりが存在しようとも。

これもまた、暴力をはたらく者がその行為の犠牲者から少なくとも一段階は離れていられる事実に、ぼくらがすでに気づいているあかしだ。

間接的暴力の連鎖

だが、暴力行為の責任分担を考える際、一段階のへだたりまでにとどめる必要はあろうか。前の例であれば、もう一段さかのぼって、殺人者に銃を売った行為もまた、長い長い暴力のときのまさに一部とは言えまいか。

さらにおおもとまでさかのぼって、命を奪う銃の製造を商売にしている武器メーカーを含めてはどうか。ジジェクとブレヒト（67ページを参照）にならって言うと、何百万ものひきがねを製造する暴力にくらべれば、特定のひきがねを引く暴力などかわいいものではないか。

さいわい、ほとんどの人は銃器の製造とも常用とも縁がない。だがあいにく、もっと身近で、かつ気づきにくい事例が存在するのだ。

ケージ飼いの家畜について考えてみよう。みずからの意志に反して短い一生を檻のなかで過ごしたすえに、かつてユダヤ人ノーベル賞作家アイザック・B・シンガーがトレブリンカ強制収容所にたとえたほどの状況下で、惨殺される運命にある。こうした工場式畜産過程の多くは、旧来のレンズをとおしてさえ、まぎれもなく暴力的に映る。それでも現在、不自然に肥育された肉をスーパーで買う行為を暴力的だとみなす人は、いてもごく少数だろう。ただ牛肉や鶏肉を買っているだけだと考えている。

巧妙な宣伝戦略と顔の見えない長大な流通経路により、みずからの行為の結果とへだてられてはいるものの、実際のところ消費者は、家畜の暴力的拷問と死に直接関与している。それは、先ほどの銃殺犯が女性の死に直接関係があるのと、なんら変わらない。商品の代価を支払うことによって、いわば洗練されたひきがねを引き、次にひかえている動物の心臓に銃弾を撃ちこんでいるわけだ。

しかし、ぼくらの文化に組みこまれた――時間と空間の両面にわたる――分離幻想のせいで、文明生活の暴力を認識できずにいる。

昨今の諸問題に効果的に応答するためには、それぞれの行為を個別の時間的瞬間と考えるのをやめ、できごとのつらなりを総体としてとらえ、そのなかでめいめいがなにがしかの役割を果たしていることを自覚しなくてはならない。

このような見かたからすれば、くだんの銃殺犯は、長くゆっくりした暴力のひとときのうち、最後から二番目の動作を引きうけたにすぎない。

ウォシャウスキー兄弟は、アラン・ムーアの名作コミック『Vフォー・ヴェンデッタ』の映画化作品で、この考えをあざやかに描きだした。

十一月四日、「鼻」と呼ばれる警察機構の長、エリック・フィンチ警視の執務室のシーンである。警視ら独裁ノースファイア党幹部は、主人公のV――ガイ・フォークスの仮面をつけたアナキスト闘士――を懸命に追っている。翌日の晩にVがロンドンの国会議事堂を爆破し、独裁政権打倒の革命に火をつけるのではないか、と恐れているのだ。

無数に並んだドミノ牌が最後のひとつに向かって整然と倒れていく壮大な情景（あらゆる行為がつながりあっていることの象徴）を背に、フィンチが相棒のドミニク・

ストーン警部に語りはじめる。昨夜、Vの事件を考えていて、これまでのできごとはまさに起きるべくして起きたのだと気づいた。「突然感じたんだ、すべてがつながっていると。いろいろなできごとがひとつの長い連鎖をなしていて、それはラークヒル（Vを「生んだ」強制収容所）以前にまでさかのぼる。その全体像が見えた。過去に起きたこと、そしてこれから起きることまでが、ひとつの完ぺきな図式となって目の前に広がった。われわれはみな、その一部なんだ。誰もそこから逃げられない」。

フィンチ警視のセリフとともに、過去と未来のできごとが画面上に次々と——しまいには時系列を無視して——映しだされる。

日常の経済習慣のなかで展開される極度の暴力に組みこまれたみずからの役割と、いったん正直に向きあってみれば、突きつけられる問いは「暴力に荷担すべきか否か」ではすまなくなる。平和的な文明人づらをしているぼくたちは、すでに暴力に荷担している。しかも徹底的に。

よって、あいにくながら、リアルな問いは耳ざわりのよいものではない。「この時代に、何に対して暴力的になるべきか」だ。そもそも何かに対して暴力的になる必要などあるのか、と思われるかもしれない。その見かたにも一理あるが、そこには「生態環境を踏みにじる体制に対してさえ実効的なアクションを起こさぬ選択が、非暴力の実践だ」との思いこみが隠れている。

「必要悪」は悪か

地球との戦争を、このままつづけていくべきだろうか。同じ地球上に住む生物のコミュニティとの戦争を、すでに貧困状態に置かれた者たちとの戦争を、ひいては自分たち自身との戦争を。

それとも、生命尊重型の真に平和な暮らしをつくるため、現在進行中の巨大な暴力の矛先を、政治経済体制——およびその官僚組織や物理的インフラ——へと向けなおすのか。ふと我に返った瞬間に耐えがたくなるような、そんなふるまいを強いてくるシステムへと。

平和主義者による理解とは対照的に、ぼくがいまから提起する暴力の定義にしたがえば、いささか反語的にこう述べることができよう。『Vフォー・ヴェンデッタ』に描かれたドミノ倒し的な暴力の連鎖全体のなかで、いちばん最後の行為、つまり国会議事堂の爆破だけが、真に非暴力的な行為なのだ、と。失墜以前の独裁政府によるおこないはいずれも、住民の管理を強化し苦痛を増大させることを意図していたが、Vのたくらみは逆に、圧政から人びとを解放し、構造的暴力の押しつけにほぼ終止符を打つ意図にもとづいていた。

こうしてウォシャウスキー兄弟はぼくの考えをわかりやすく代弁してくれる。つまり、いわゆる「必要悪」も、きわめて暴力的な独裁政権の打倒実現に必要ならば、まったく悪くない、ということだ。ぼくに言わせればむしろ、ノースファイア党に実効的に対処しない行為のほうが「不必要悪」であり、もっとも暴力的な行為だったろう。

本物の暴力と、真の勇気(あるいは愛)にもとづく行為とを識別するには、この意図という側面が非常に重要になってくる。

たとえば、友だちがひどい奥歯の痛みに苦しんでいるとしよう。彼女は歯医者が大の苦手だし、歯にかけた糸をドアに結びつけて勢いよく閉める昔ながらの抜歯法もうまく行かぬらしい。横っつらに一発パンチをかましてくれないか、とぼくに頼んできた。そこで左ジャブを見舞ったところ、みごとに歯がとれた。

人の顔を殴るなんて、ふつうなら暴力とみなされる行為だけど、この場合はどう見ても愛にもとづく行為である。少なくともこうした意味において、暴力の語義解釈の核に意図を含めた辞書は正しい。

この点に関連して、「人間社会の暴力《バイオレンス》についてまず理解しておくべきは、力《フォース》とは別物だということ」【045】であるから、同義語として使われがちな〈力〉と〈暴力〉との区別は重要だ。

痛む歯を引きぬいてくれる歯医者は力を行使するが、もちろん患者に対して暴力をふるっているのではない。それどころか逆に、抜歯はまことに思いやりある行為と言える。だが、何かを白状させたい拷問者が、いやがる相手の歯を無理やり引きぬく場合、いかなる常識に照らしても、力と暴力の双方を行使しているのは明らかだ。力を受ける側の合意の有無に加えて、行為の背後にある意図がしばしば鍵となる。

ネルソン・マンデラやチェ・ゲバラも、自分たちの一見暴力的な変革アクションが愛の精神にもとづいていたと証言している。愛情にもとづき何かをおこなうなら、判断力のとぼしい目には暴力と映る行為も、実際にはまったく別物、ことによれば思いやりの行為にさえなりうる。むろん、つねにそういうわけではなく、ときには、だが。

暴力を「他に害をおよぼす、過度で、正当性のない力の行使」とする見かたも存在し、これはある程度いい線を行っている。食料を得るために残忍さの薄い方法で命を奪うことは、この理解のもとでは暴力とみなされないし、通り魔の襲撃をやめさせるために腕力を行使することも同じ。

だが、この暴力解釈も、ぼくにとってはまだまだ不十分である。なぜならば、構造的暴力――ときに〈非＝行為〉に伴う――をも、共犯的な暴力をも、適切にとらえきれないから。

また当然ながら、「正当性の有無を判断するのは誰か」という難問が宙に浮いたままだ。いまのところその地位は国家が独占している。国家にそなわった、極度の（直接的あるいは構造的な）暴力を行使する比類なき才能と、〈生〉を利潤に換えるべくつねに先を読む実業界とのイデオロギー的・金銭的協力体制を思うと、憂慮を禁じえない。

では、こうした視点を取りいれ、〈非＝行為〉――はなはだしい不正を目撃しながら自分の力のおよぶ範囲で実効的に闘おうとしない行為――も暴力の一形態であるとの考えを反映した、暴力の定義・解釈は、はたして存在するのか。

サルトル、エンゲルス、ヘーゲルら哲学界の重鎮でさえぼくを納得させられなかったのに、ずっと非力なぼくが読者を説得できる望みは薄い。だけど、やってみよう。最悪でも、暴力の概念がきみにとって何を意味するか、考えはじめるきっかけぐらいは提供できるのではないか。うまくすれば意見が一致し、生態系と社会と個人の危機にともに立ちむかえるだろう。平和主義、非暴力、暴力についてのきめ細かい理解から、深い変革を創造するあらたな機会を得て。

暴力観を変える

まず最初に疑うべきは、暴力というものが存在するとの前提かもしれない。『非暴力の失敗（*The Failure of Nonviolence*）』においてピーター・ゲルダルースは「暴力は存在しない。暴力は実体のあるモノではないのだ」と述べる。「暴力とは、発話の主が暴力的だと評することにした何か」で、「自分に対してふるわれる場合は暴力的だが、自分がふるう（もしくは自分の利益のためにふるわれる）場合は、正当性があり、許容でき、ともするとふるっていることにも気づかない」【046】。

ゲルダルースによれば「暴力は社会的に構築された概念であり、危害の形態いかんで、この概念が適用されたりされなかったりする。基準となるのはたいてい、われわれの社会のなかでその危害が正常《ノーマル》とみなされているかどうかだ」【047】。このため彼は、「ふつう非暴力の範疇に含めない手法や戦術」に言及する際、より正確な用語として「非合法の」「戦闘的な」「衝突を伴う」「力ずくの」などを好んで使用する。

多くの点においてゲルダグルースは正しい。

暴力か非暴力かなどと問うのはことば遊びにすぎず、自然界の平和、野生の平和を経験する機会を持たなかった（当人たちのせいではないにせよ）文明人のする議論である。野生界とは、生が死に依存し、健全な生物多様性がどう猛さと柔和さとにひとしく依存する、不思議な場所なのだ。

それに対して都市は例外なく、極度の暴力を土台とし、かつエネルギー源とする。戦争に反対しながら都市に暮らす平和主義者らは、「自然と接する生活では不殺生の教義を守れぬから」と都市に住むジャイナ教徒と同じく、心得ちがいをしている。都会人のレンズをとおしては立派に見えようとも、どちらの集団も、自分たちが暴力とみなす行為を外部へ下請けに出しているにすぎない。

とはいえ、ゲルダグルースでさえ「その［暴力という］単語自体を廃止してしまうのはバカげている」と認めている。では、なんらかの行為（または〈非＝行為〉）をさしてこの語を――特定の生物種や社会階級の規範にとらわれることなく一貫性をもって――使おうとする場合、どのように広く定義すれば、ホリスティックな意味で健康的かつ調和のとれた生活を送るのに役だつだろうか。

配慮を欠いた押しつけ＝暴力

暴力という事象をまるごと理解するうえで最大のヒントをくれたのは、名だたる哲学者のいずれでもなく、ほとんど無名に近いケリー・ブースという人物だった。ブースの定義によると、暴力とは「ある流儀または一連の条件を、相手の利益や状況に配慮せず押しつけること」【048】。

興味ぶかい解釈である。調べてみると、多くの次元において――身体的、感情的、心理的、精神的次元にさえ――通用するのだ。

先ほどの狩猟採集民や雌ライオンを思いだしてほしい。

狩猟採集民は他の存在（たとえば鹿）になんらかの流儀を押しつけているだろうか。そのとおり、たしかに押しつけている。では、相手の利益や状況に配慮せずそうしているのか。おそらく否だ。さまざまな部族民を対象に、複雑な生態系における役割の自覚についても調査した、人類学的な研究が教えてくれる。総じて、食料を得るための殺生《せっしょう》は必要にせまられての行為であり、その際、精神面でも技巧面でも最大限の配慮がなされていると言わざるをえない。捕食者としてのみずからの役割が生態系全体の健全さにとり不可欠であることを、この人びとが深く理解していると知ればなおさらだ。よって、この解釈にもとづくと狩猟採集民の食生活は、ぼくが見たところ、暴力の対極に位置する。

それに引きかえ、ぼくら農耕民はといえば、たえず地面を破壊的に耕していて、土の健康や福祉だとか、土壌生物のことなど、まず考えもしない。健全な土壌に依存して生きる他の多くの野生生物のことは言わずもがな。

通常の観点と人間中心の倫理観からすると、人為的な改良をほどこした少品種の作物に養分を吸わせようと土を掘りかえす行為は、これっぽっちも暴力的とみなされない。実際、ぼくの知るかぎり、有機栽培は環境保護論者や平和活動家のあいだでも概して評判がいい。

だが、ブースの定義にもとづくなら、慣行農業は原始的な狩猟よりもはるかに暴力的である。というのも前者は、土壌生物に対し本物の配慮を払うことなどめったにないし、また少なくとも、数平方メートル四方に何十億と存在する（ほとんどが肉眼で見えない）生命体の生息環境をぶちこわしにしているのだから。

ブースによる定義がすばらしいのは、とらえにくい形の暴力を理解するのにも役だつところだ。たとえば、数千年かけて進化発展してきた地域経済への配慮を欠く、特定の経済制度の押しつけが、実は暴力にほかならなかった、と気づかせてくれる。

そうかといって、土着の人間の食ニーズと動物が当然持つ生存欲求とが衝突するなどの、利害が対立する局面の存在（地球をひとつの有機体とみなすラブロックのガイア仮説のようにホリスティックな観点からすると、利害が対立するかどうかさえ疑わしいが）を否定しているわけではない。むしろ対立うんぬんより、他の定義とちがって、生命のダンスというエネルギー変換に着目する。だからこそ、〈全体〉の健康を左右する役割を深く認識したうえで、思いやりと配慮をもって命を奪うとき、それは暴力的ではない、との結論をみちびけるのだ。なるほど、とことん平和的とは言えないかもしれぬものの、そんな未熟なレッテルにとらわれない野生の空間に存在する行為と考えられる。

暴力を定義しなおす

ブースの定義は、ぼくの出会ったかぎりでもっとも、ホリスティックな意味で理にかなっており、ともに地球に生きるすべての生命コミュニティにまで倫理的配慮の対象範囲を広げる可能性を秘めている。とはいえ、いくつか欠陥があるし、何よりもぼくにとって掘りさげかたが十分ではない。

そこで、次のような暴力の定義を提起しておこう。同意してもらえるかどうかはさておき、少なくともぼくが暴力について語るときの前提を了解いただくためである。

暴力とは、故意または過失により他の存在に危害をおよぼすようなしかたで、あるいは他の存在のかかえるニーズや帰属する〈全体〉に配慮せず、力を不当に行使すること。故意の不履行、自覚のある間接的関与、一連の条件の強要によって、他の存在への加害に荷担する行為をも含む。

論より証拠。序章であげた集団レイプの例で考えよう。

辞書の定義によれば、手近な凶器をつかんで被害者への暴力を止めに入るのも、暴力行為とみなされる。ほとんどの人が必要悪と呼ぶような行為であってもだ（不当な攻撃を実際にやめさせるには愛と勇気の行動が必要だと思いつつもなお、それを「悪」と呼ぶのはどういうわけか、ぼくには理解しかねるけれど）。

たとえ勝算がなくても自分以外の存在のために危険を冒す勇者を、暴力的な人物だと本気で思うだろうか。まさか思いやしない。そうした状況下では、模範的な行為だったと誰もが認めるだろう。ましてや何の介入もおこなわなかった場合の臆病な〈非＝行為〉の暴力とくらべれば、なおさらである。

ひるがえってぼくの定義によると、集団レイプを制止する行為は非暴力とみなされる。他の存在を物理的攻撃から守るという正当性があるからだ。

力の行使が正当かどうかは、それが防衛のためか攻撃のためかで峻別できる場合が多い。よりホリスティックなレンズ越しに暴力をながめれば、ひとえに〈生〉の防衛を目的とする行為に着せられた暴力の汚名を、平和な外見を長年よそおってきたものの実ははるかにその名にふさわしい行為に、ようやく引きわたすことができよう。

愛と勇気にもとづいて〈生〉を守ろうとする行為から汚名を取りのぞくと、信条もさまざまな活動家のあいだに圧倒的規模の潜在エネルギーが解き放たれる可能性が、また、真に平和、かつ生態学的に健全で、社会的に公正な世界をともにつくりだす努力に、このエネルギーを役だてうる可能性が、はっきりあらわれてくる。定義を見直すことによって、互いに支えあって構造的暴力に立ちむかえるようになり、それまで支持や関与に二の足を踏んでいたたぐいの活動に参加しやすくなるかもしれない。「何が暴力であり、何がそうでないか」に関するこの新しい解釈は、食のいとなみにもあてはまる。

前述のとおり、辞書の定義にしたがえば、食べることは例外なく暴力的とみなされる。これは明らかにバカげたことだ。

一方、ぼくの示した定義によれば、食べること——生きることの当然の一部——が暴力的とみなされうるのは、その過程において、命をもらう動植物のニーズや、それらの生物種が不可欠な役割を担っている生態系に対し、配慮を欠いたときのみである。狩猟採集民が食料を得るために命をとってきたやりかたには、通常、そうした配慮が見られるから、暴力行為ではないと考えてさしつかえない。

ひとつはっきりさせておきたい。〈非＝行為〉はしばしば他の何にもまして有害な行為たりうるが、蛮行に直面した際の〈非＝行為〉がひとつ残らず暴力行為であるとはかぎらない。そんな主張は、これまたバカげている。〈非＝行為〉が暴力的なのは、目撃した不正に対してある程度まで何かできる立場にありながら、何もしないという決断をくだした場合だけだ。目撃した暴力が構造的な性質のもの（産業主義など）ならば、長期的尺度で取りくむのが適切であって、あまたの戦術・戦略の策定を伴う道のりとなるだろう。この場合、睡眠をとることはもちろん暴力的でないし、家族や友人と過ごす時間とて同じこと。そのような長丁場の活動に必要とされる心理的・肉体的・精神的・情緒的に健全な人間には、いずれのいとなみも絶対不可欠なのだから。しかし、即時的な性質の暴力（強姦や暴行など）を目撃した場合、半時間ほど仮眠をとったりするのは不適切な対応である。なるほど、この両極のあいだのどこかに位置する事例も多いだろうが、直感と常識で十分判断できるはず。

基本概念の解釈の見直しによって、従来押さえこまれていたエネルギーがぼくらの頭と心と手のうちに解き放たれるケースは、少なくない。そのわりに、こうした概念の吟味検討は、ひどくおろそかにされている。読者自身の倫理、文化の物語、哲学的信条にもとづいて、ぼくの定義をきびしく点検し、精査に耐えるか確かめてほしい。落第だと思ったら、きみ独自の視点から倫理的配慮の対象範囲を拡張したり、暴力の定義をしかるべく書きかえたりしてほしい。

いずれにしても、大事なのは疑うこと。世の中の支配的な文化が押しつけてくる暴力観をうのみにしないことだ。

ワード・チャーチルの論争的な書『病理としての平和主義（*Pacifism as Pathology*）』にデリック・ジェンセンが寄せた序文にあるとおり、「もちろんチャーチルは、考えなしのやみくもな暴力を奨励しているわけではない。ただ、考えなしのやみくもな非暴力に異議をとなえているのだ」**【049】**。

同様の心情を、デンマークのブレーキング・ストリート・ギャングによる論説「すべては政治の問題である（*It is All About Politics*）」からも読みとれる。この革命的社会主義者の小グループは、第三世界における解放運動に（精神的な支援にとどまらぬ）物質的援助を提供するため、合法的活動のかたわら銀行強盗を二十年つづけていた。

われわれは暴力に惚れこんでいるわけではない。レバノンの内戦をこの目で見てきたし、ローデシアで火を放たれた村々も見てきた。B52がベトナム中の町に爆弾を落とす光景や、ナパーム弾に焼かれジャングルから走り出てくる子どもらも、テレビで見て知っている。ただしまた、非暴力にも惚れこんでいないのだ**【050】**。

暴力で暴力と闘うことはできないのか

ぼくの定義に対しては批判が百出するにちがいない。「暴力で暴力と闘うことはできない」との意見が典型である。

この考えを端的に言いあらわしたのが、「『目には目を』では全世界が盲目になるだけ」という警句で、マハトマ・ガンディーのことばと誤解されることが多い（実際は伝記作家のルイス・フィッシャーがガンディーの思想を説明する際に使った言いまわしであり、ガンディー非暴力研究所も記述の趣旨には賛同している）。際限なき暴力の連鎖の無益さを説いた句とも受けとれ、一見筋がとおっている。しかしよく考えると、やはりちょっとおかしい。

地球の生命の未来と社会正義のために闘う者の立場から見て、山積する問題の元凶たる権力者の目をつぶせば、今後そいつらが他人の目をつぶす力を抑制できるだろう。相対的弱者の目をつぶしていた強者自身が失明すれば、少なくとも以前よりはその加害能力が落ちるわけだ。

さらには、それで勇気を得た民衆がそいつを（比喩的に）たたきのめし、罪なき犠牲者への暴力を抑止して、もうおとなしく視力を奪われるがままではいないぞと思い知らす可能性も生まれてくる。

よって、「目には目を」がかならずしも全世界を盲目にしてしまうとはかぎらず、逆に、しかるべき目を上手にえぐり出せば、搾取されてきた無数の人びとが結果的に視力を取りもどせるかもしれない。

また、先ほどのぼくの定義を批判するとき、あるいは一般的に非暴力の美徳や戦術上の優位性について論じるとき、非暴力が人間の心を変容させる力に言及する人も多い。すなわち、「暴力でもって暴力と闘うことはできない」というよりも（通常それも含意されるが）、「暴力に対する最善の応答は平和だ」という意見である。

非暴力の実践者がその利点を説く際によく引き合いに出すのが『もう殺さない――ブッダとテロリスト』【051】などの物語だ。アングリマーラという名のテロリストは、あちこちの町や村にあらわれては住民を惨殺し、死者の指を次々と自分のおぞましい首飾りに加えていた。村中がパニックにおちいるなか、ブッダに遭遇したアングリマーラは、自分が何者でどんな残虐行為を犯してきたかを告げる。まるで意に介さぬ様子のブッダに「わからねえのかい、おれが平気でお前を殺すことだってできるのが」と言うと、ブッダは答えた。

「お前こそわからないのか、わたしが平気で殺されることだってできるのが」

この豪胆なふるまいに接したテロリストは、悪行を思いとどまり、変容の道を歩みはじめ、ついには人びとに奉仕する者として社会復帰を果たす。

どこから見てもすばらしい物語で、大事な教えが詰まっているが、ひとつだけ小さな欠点がある。現実の政財界にあてはめると笑い話になってしまうのだ。原生林につづく道路を封鎖している環境保護活動家に向かって、〈企業―国家〉連合体（この例では木材会社と警察）が「わからないのか、われわれが平気で諸君全員を逮捕し原生林を破壊するつもりでいるのが」と告げ、抗議者が「わからないのか、われわれが平気で逮捕され、あんたたちに森を破壊させることができるのが」と応じた場合、警察と木材会社と政府が、たちまち一切の操業を取りやめて人間的・制度的な変容を開始し、国策だった大規模伐採に終止符を打つなどと、本気で信じられるだろうか。とてもそうは思えない。

個人に対するのと制度に対するのとでは、応答に区別をつける必要がある。生態系オンチや精神病質傾向のある人間が政界と産業界を牛耳っているような経済体制（289ページを参照）において、運動側はこう応ずるほうが賢い。「わからないのか、このすばらしい森とそこに栄えるすべての命を破壊から守るために、われわれがいかなる手段も辞さないつもりなのが」と。

さらには、歴史的証拠によっても逸話によっても、暴力で暴力――とりわけ構造的暴力――に対抗できることがはっきり示されている。

第5章で見るとおり米国の「モンキーレンチ・ギャング」たちは、機械類の解体と破壊を効果的な手口と規模でくりかえし、森林の全面伐採や野生馬の虐殺などの企業活動を阻止してきた。私有財産をねらったこの手の活動はもちろん、従来の観点からは暴力的とみなされるだろう。しかし、もっとホリスティックなレンズをとおして見れば、これらの勇敢な行為が、暴力的でないどころか、積極的な意味で平和的に映るにちがいない。シー・シェパードの創設者ポール・ワトソンがかつて言ったように、「古くさい考えかたで恐縮だが、生命の尊重は、生命を奪う財産の尊重に優先すると思う」。

暴力をめぐる物語を疑え

本章序盤で触れたとおり、眼前の危機に効果的に対処したければ、ぼくらの暴力観を疑ってかからねばならぬ理由がいくつも存在する。

何よりも、力と暴力をどう認識するかは、生態系・社会・個人の問題に取りくむ姿勢に多大な影響をおよぼすので、現状を固守する層による不自然な束縛から解放される可能性がある。

が、理由はそれだけにとどまらない。真に平和的な生きかたを創造したいのなら、パブで人を殴りとばすほうがまだましに思えるほどの構造的暴力をふるう経済習慣への荷担を、ぼくら全員がやめなくてはいけないのだ。

ぼくの定義に賛成か反対かなんて話はどうでもいい。本当に重要なのは「何が暴力であるか」、そして「何が暴力でないか」に関して、われわれのいだく物語を疑ってみることである。

ましてや、トロール漁船の打ちこわしを暴力と考え、飛行機でネパールへ瞑想合宿に出かけるのを文句なしの非暴力行為と考える文化、あるいはまた、国際的な武器製造企業（や融資元の銀行）の建物や重役への襲撃を許しがたい暴力と断じ、何十億ドル相当のレーザー誘導ロケットを戦争屋に売りさばく行為を健全な企業活動とみなす文化において、その重要性ははかりしれない。

支配的な文化が推奨する世界観よりも思慮ぶかくホリスティックな視点を取りいれて、現行の政治経済モデルがまちがいなく「カネで買える最高に暴力的なシステム」であることを、次にお見せしたい。

第2章

カネで買える最高に暴力的なシステム

ちまたでもてはやされている科学技術の進歩の一切、つまりわれわれの文明そのものが、病的犯罪者の手中にある斧のようなものだと思えないだろうか。

アルベルト・アインシュタイン

非常におどろき考えさせられる主張がある。文明と呼んでいるものこそがわれわれの苦悩の主原因であり、それを捨てて原始生活に戻ればずっと幸福になれる、というのだ。

ジークムント・フロイト

『繁栄——明日を切り拓くための人類10万年史』(早川書房)の著者マット・リドレーは、名門イートン校出身の貴族でエコノミスト。取締役をつとめていたノーザン・ロック銀行で、預金の取りつけ騒ぎ(英国での発生は約百年ぶり)を経験している。同書で彼は、いまは空前のよき時代であると主張する。「アイデアは過去に例を見ないほど盛んにつがいあって」より複雑なテクノロジーをますます安く生みだしているため、今後も加速度的に暮らしはよくなるだろう、と。

問題は、空前のよい暮らしをしているのは具体的に誰（何）なのか、である。法外な富の持ち主だからといって、かならずしも社会正義の感覚に欠けた人ばかりではないし、生まれつき型にはまった物の見かたをするとはかぎらない。しかし、先の論点に関するリドレー子爵の客観性が、特権階級の出自によっていささか損なわれてしまったことは、指摘するまでもなかろう。彼の意見は、われわれの政治経済体制がもたらした結果に耐えかねている何十億もの人びとを代弁していない。

肉眼ではやや見えにくいかもしれないけれど、文化の物語と暗黙のイデオロギーというものが現に存在し、貴族にかぎらずあらゆる社会階層の人間が考えることや考えないこと、言うことや言わないこと、することやしないことを、あまねく左右している。以下で述べる〈生〉に対する産業規模の総力戦を、進歩の名のもとに正当化するのも、これらのイデオロギーだ。

人間中心主義の幻想

ぼくらのすべての行動や思考の基礎をなす世界観は、アリストテレスやプラトンの時代以前から集団的心性に植えつけられ、十七〜十八世紀の「啓蒙の時代」に洗練を加えつつ悪い方向へかじを切った。いまや電子時代の人類のささいな日常習慣にも、そうした世界観を見てとれる。

ソクラテス、デカルト、ベーコン、ヴォルテール、ロック、ニュートン、ルソーの著作を実際に読んだことのある人は少ないと思うが、彼らの時代遅れの哲学や科学理論を、ぼくらは毎日、無意識のうちに体現しているのだ。大半の人が「自分は自由にものを考えられる」と錯覚している一方で、「[誰もがみな]誰かしら過去の経済学者の奴隷」【052】と述べたケインズは正しい。

文化のなかで受けつがれてきた主要な観念のひとつに、〈人間中心主義〉という非常によく見かける態度がある。

「人類は他の生物種よりも高い徳性を持つ」との信条を意味する人間中心主義は、人間のつくりあげたレンズであって、これをとおすと自分たちが、宇宙の中心、被造物の頂点にいるように見えてしまう。

フェミニスト哲学者ヴァル・プラムウッドによれば、生態系理論における〈人間中心主義〉は、反人種差別理論における〈自民族中心主義〉や、フェミニスト理論における〈男性中心主義〉に相当する【053】。特筆すべきは、この世界観が産業革命の勃興と伸長への地ならしをした点だ。かくも倒錯した世界観に立たぬかぎり、日々、産業主義ゆえの虐待を非人間界——本来は人間に対するのと同じ尊重と配慮にあたいする領域——に加えることなど、法律も倫理も許さなかったはずである。

産業革命が啓蒙思想の時代から間もなくして起きたのは、偶然ではない。啓蒙の時代にはデカルトら世界的に著名な思想家たちが、「地球上で尊重にあたいする存在は人類だけ」と盛んに説いた。人間以外の生き物は魂を持たないと主張したデカルトやその一派は、宗教界の巨人（とりわけ旧約聖書）の肩の上に乗って神話を広めていたにすぎない。

そう聞くと、宗教と距離を置く世俗的なヒューマニストは困惑するだろう。というのも、この点において、おおかたの世俗的ヒューマニストとデカルト派の見解はおどろくほど似ているのだから。

奇妙にも「創世記」第一章二六節（神はまた言われた、「われわれのかたちに、われわれにかたどって人を造り、これに海の魚と、空の鳥と、家畜と、地のすべての獣と、地のすべての這うものとを治めさせよう」）がいまだに多くのヒューマニスト的思考にひそんでは、人間中心主義の幻想をながらえさせている。はかり知れず大きな存在を人類は統治できるのだ、と。

この人間至上主義イデオロギーにまったく染まっていないと思う人は、おそらく自分をごまかしている。

みずからの心に問うてほしい。たとえば、初対面の相手にムカついて平手打ちを食らわす際に感じるのと同程度のためらいを、プラスチック製のおもちゃを子どもに買いあたえる際に、あるいは毒エサでネズミを退治する際に、はたまた工場畜産肉使用の安いフライドチキンを注文したり、家の眺望をさまたげる巨木を伐採したりする際に、はたして感じるだろうか。

どれかひとつでも答えが「ノー」なら、きみは人に対してよほどケンカっぱやい性格か、でなければ、古くさい人間中心主義思想に気づかぬうちに洗脳されているかだ。映画『倒錯的イデオロギーガイド』でジジェクが指摘するとおり、イデオロギーの外側で生きていると思ったそのときこそ、そのイデオロギーにすっかり染まったときなのだ。

人類がそもそもどのような経緯で人間至上主義思想を持つにいたったのかは、さだかでない。合理主義と論理学が発達したとされる科学革命の時代にこの信仰を深めたという点も、理解に苦しむ。

ピーター・シンガーが「種差別」【054】と名づけたこの根づよい差別の形態について、肯定する側からさまざまな根拠が提起されてきた。いわく、人間は将来のことを考える能力や道徳心を持っている、知能指数が高い、手先が器用、あるいはリドレーお得意の「人間に特有な交易の欲求」説など。

けれども、いちばんうなずけるのは次の主張だろう。そのような世界観が受けいれられてきたのは、支配的な文化と非常に相性がよく、地球上の他の生き物を人類が搾取するのに必要な口実を与えてくれるからだ。しかも徹頭徹尾、平和を愛する善人気取りでいられる。

生態系中心主義の精神

確証があるわけではないが、そう考えるとぼくらの不合理な態度も説明がつく。ジョージ・モンビオはかつて、米国の生態学者ギャレット・ハーディンが「共有地《コモンズ》の悲劇」【055】で展開した経済観〔資源の共有が過剰消費と枯渇を招くとの説〕が当時の政治体制に受けいれられた事実もまた、同じ理屈で説明できる、と述べた。ハーディンの小論が影響力を持ったのは、見解の完全無欠さゆえではない。実際、考えちがいもずいぶん含まれていた。むしろモンビオが注目するのは、

「世界銀行や西洋諸国の政府などの権力機関にとってみれば、当時広まりつつあった土地私有化の動きに合理的根拠を与えてくれた」【056】という点だ。まことしやかな人間至上主義思想と同じく、権力者が以前からやりたがっていたことを実行するのに、もっともらしい口実を与えたのである。

科学的根拠のない人間中心主義を人心に強固に植えつけるべく、宗教界と産業界と権力機構がやっきになっているわりに、この価値観の正当化に使われる理屈はなんとも説得力を欠く。

たとえばブタは、人間至上主義者らが種差別の根拠にあげてみせる多くの点において、重度の知的障がい児よりも高い能力を示す。が、この障がい児にすでに認められている権利や庇護をブタにも与えようとの提案はまずなされないのだから、矛盾もはなはだしい。

さらには、生態学の素養がある人なら知ってのとおり、人間がみずからの分《ぶ》を守って自然と調和したリズムで生きているとき、その風景のなかで果たす役割は他の生物種とくらべて大きくもなければ小さくもない。チーターはヒトより速く走れる。鮭は地図や標識に頼らなくとも、何千マイルと離れた生まれ故郷に帰りつける。多くの鳥たちは、機械じかけのエンジンや化石燃料の力など借りずに大海原を横断できる。これらの特性を持つからといってヒトよりすぐれているとか、天性にしたがって気品ある有意義な生を送るのによりふさわしいとかいうことにはならない。ただ単に、ぼくらは互いにちがっているというだけだ。植物の世界にしても、同等の尊重と配慮にあたいする。

人間中心主義は現代精神に深く埋めこまれ、現代人の心の病とも言えよう。それときわだった対照をなすのがアルド・レオポルドによる造語「生態系中心主義《エコセントリズム》」**[057]**、すなわち「人間もその他の生物もひっくるめたありとあらゆる命は、人間にとっての有用性いかんを問わず、それ自体に価値がある」という主張だ。人間ではなく自然界を中心に置いた生命観であり、人間以外の生物をそれ自体として尊重し、そのニーズに相応の配慮を払うよう、人びとに求める価値観である。

今日の文明人にとってはおどろくべきことに、土地に根ざした先住民社会の多くは、その地の生物共同体全体に相応の配慮を払ってきたし、少数ながら残存する社会ではいまなおその姿勢をうしなっていない。

ポーラ・アンダーウッドはこの精神を、オナイダ族（現在の米国ニューヨーク州北部でイロコイ連邦を結成した最初の五部族のひとつとして知られるファースト・ネーション）の物語に結実させた。この物語は、特にファースト・ネーション民族のあいだでさまざまな形をとって語りつたえられているが、世界各地の他の先住民のあいだにも存在する。

著書『狼の代弁はだれがする』で彼女は述べる。

オナイダ族はその昔、人口が増えたために、新しい住みかを探さねばならなくなった。探索に出た者たちはすばらしい場所を見つけ、一族はそこへ移住した。移住後、「よりによって狼の大群の中つ地を選んだ」ことに気づいたが、そこを出ていきたくはなかった。やがて人びとは、人間と狼とがこれほどせまい場所で共存することはできないと結論した。協議の結果、狼一族を狩って絶滅に追いこむこともできるという話になった。だが、そんなことをしたらどういう民になりさがるかを考えたとき、「そんな民になることは彼らの望みではなかった」。

そこで一族は自分たちの影響を抑制する方法を編みだした。何を決めるときも「狼の代弁はだれがする?」と問い、人間以外の世界の利益について考慮するようにしたのだ[058]。

誰がオオカミを代弁するのか

いまのぼくらのうち、誰がオオカミの代弁をしているか。ドードーの、タスマニアタイガー（フクロオオカミ）の、ハワイミツスイの、西アフリカクロサイの、リョコウバトの代弁は？　いずれの生き物も生息地を追いたてられ、残された行き場所は絶滅しかなかった。悠久の命のかがやきは、電動歯ブラシや、便秘にきくチョコレートや、人体埋めこみ用のマイクロチップに変えられてきた。もう一度問おう。誰がオオカミを代弁するのか。

マット・リドレーでないことは確かだ。実際のところ、ほとんどの人間が代弁していない。

人間中心主義が現実の行動にどう反映し、周囲の世界にどう影響をおよぼすかを気にするどころか、人間中心主義ということばさえ耳にせぬまま一生を終える人が大半である。そんな現状を思えば、不合理な人間中心主義者（「合理的な楽観主義者」という自称のもじり）リドレーが「人間の偉大さ」の錯覚にとらわれていようといまいと、たいしたちがいもなかろう。

人間中心主義などのイデオロギー――われわれの一挙手一投足にまで浸透し、ものごとの感じかたに逐一フィルターをかける――が実生活でどれほど破壊的な行動をとらせるかに無自覚だという、まさにその事実が、それらのイデオロギーを危険なものにしており、だからこそ注意喚起が非常に重要になってくる。依存症の場合と同じく、個人として集団としてのふるまいが引きおこしている損害の大きさをとことん認識しないかぎり、変化は望めない。

この世界についての根ぶかい思いちがいは数あれど、何よりもまず、人間中心主義の錯覚を問いなおすべきだ。日常的な意思決定のよりどころとなり、暮らしを左右する公共政策を形づくりもする倫理の、境界線を押しひろげるために。価値体系を拡張して〈大いなる生命の織物〉を組みいれることが必要で、それは、自分たちの生、またともに生きる生物共同体の生を、真に平和なものとするどんな試みについても言える。

人間以外の命に内在する価値に気づかぬかぎりぼくらは、それに配慮すること、尊重すること、含味《がんみ》することにかけて、昔の人たちの足もとにもおよばない。

地球とそこに住まう生き物――その健康状態によって人間の健康も決まる――を虐待すれば、相手に暴力を加えつづけるだけでなく、ひいてはぼくら自身をも痛めつける結果になる。ディープ・エコロジー（エコ資本主義の底が浅い《シャロー》エコロジーと対置される思想）の父と呼ばれるノルウェーの哲学者アルネ・ネスは、人間中心主義こそ、われわれを取りまく生態系の危機と生物種の大量絶滅の根本原因だと考えた。急進的な環境保護組織の多くが同様の見かたに立ち、大なり小なり、いかなる戦術も排除せずに人命とその他の命とを守りぬく決意を固めてきた。

非暴力気取りの活動家

だが、人間至上主義に注目すべき理由はもうひとつあって、こちらのほうが本書の射程にとっては重要となる。

すなわち、人間中心主義の正体を見きわめ、現行の政治経済体制とそこから生みだされた各種制度において人間中心主義が果たしている根源的役割に、しかと向きあわぬうちは、このような制度が存続するなかでも非暴力的な人間でいられるとの誤解を、いつまでたっても抜けだすことができないのだ。

たとえば、英国内だけでも毎年九億八九〇〇万頭の畜産動物を残虐な扱いのすえに殺している（加えて飼育中に弱った四〇〇〇万頭を殺処分している）事実【059】を暴力的だと思わないのは、心のどこかでこう信じているからである。人類はデカルトの夢をかなえて「自然界の王にして所有者」となった、自然界の値打ちは人間がどれだけの価値と実益を引きだせるかで決まるのだ、と。

また、後述する生態系殺し（エコサイド）、コミュニティ殺し（コミュニサイド）、自分殺しが、文明生活の日常で起きるのも、同様の世界観のもとならではの現象と言えよう。

文化や経済モデル（ぼくらの行為と〈非＝行為〉が支えつづける）のなかだけでなく、土台となるイデオロギーや神話の体系全体にも内在する、この種の構造的暴力。この暴力に関して自分自身に正直にならぬかぎり、〈企業－国家〉連合体による生命への攻撃に抵抗する手段も、あいかわらず、単独ではさっぱり効力のない非暴力的なものにかぎられてしまう。なぜか。以下で見ていくが、歴史も教えているとおり、抵抗運動が成果をあげるためにはありとあらゆる手段に訴える必要があって、それを可能にするには、まず、穏健な変革運動にたずさわる人びとが非暴力気取りをやめるしかないのだ。

電気、バス、調理用ミキサーなど、ぼくらが手ばなそうとしない文明の利器がどれもこれも〈生との戦争〉の戦果に由来すると気づいてしまえば、いずれにせよ非暴力的なふりなどできなくなるけれど。

工業的医療への依存

序章で触れたように、産業の勝利（自称）でさえ苛烈な暴力にもとづいており、それとくらべればランボーもマザーテレサに見えてこよう。

人工透析装置と救急車――知的で思慮ぶかい環境・平和運動家ですらけっして手ばなそうとしない複雑な科学技術の象徴――は、どちらも暴力的なテクノロジーである。短期的には人命を（昨今ではとりわけ産業主義に起因する傷病や状況から）救うように見えても、これらの存在に必要な産業プロセスは、いずれ地球を、人間を含む多くの生物が住めない場所にしてしまう。

一台の救急車を分解して、使われている素材を吟味すれば、まさに機械文明そのものが忽然と姿をあらわすのだから。

たった一台の救急車を製造するにも、油田の掘削現場で、さまざまな工場で、採石場で、鉱山で、それぞれにはたらく人間が必要となる。しかし、こうした（死や生態系破壊と隣りあわせの）職場は、救急車とその他いくつかの「よい」製品だけにしか社会的需要がなかったとしたらなりたたない。われわれが現に求めてやまぬように、想像を絶する量のプラスチックと何十億リットルもの石油に対する需要があって、はじめて採算がとれるのだ。

プラスチックと石油は、ありとあらゆるガジェットや、消耗品や、屋根裏を占領するがらくたに形を変えられていく。こうしたモノを製造する工場には機械・

道具類が必要で、それらの生産にも工場、採石場、原油掘削装置がさらに必要となる。

すべての施設をつなぐ道路網は、ぼくらの土地のすみずみにまでよごれた空気と容赦ない騒音をもたらし、肺臓を毒で満たし、魂をむしばむ。次には、そのような地球規模の交易を進めるのに必要な契約を守らせるため、軍隊、警察、監獄、裁判所を設置せねばならない。そこで武器の必要が生じ、それを大量につくる工場その他も必要になる。

どこまで行ってもきりがないこと、マトリョーシカ人形のごとし。

救急車または透析器が一台欲しければ、軍隊を持ち、おもしろくもない仕事、有害物質に汚染された海や川、死に絶えた土壌、温室効果ガスや汚染物質だらけの大気に満たされた世界を、必然的に受けいれることになる。なんたる皮肉だ。ひとり残らず助けようとしたのに、はからずも生態系オンチのせいで、ひとり残らず（そして他にもいろいろと）殺してしまうかもしれないとは。

自分にとって大切な誰かが工業的医療やテクノロジーのおかげで「命びろい」した経験を持つ人——ぼくも含めて——には、認めるのがつらい現実である。でも、ぼくらの有毒な文化が生んだ心身の病で将来の世代をも苦しめたくなければ、この現実に向きあわざるをえない。

そんな受けいれがたい状況を考えるにあたり、そもそもなぜこれほど工業的医療に依存するようになったのかを問うてみるべきだろう。

砂糖、処方薬、カフェイン、添加物たっぷりの加工食品、抗うつ剤、たばこ、酒の摂取でやっと生きている文明人――すし詰め状態の都市で、猛毒を含んだ空気と水を摂取している人びと――の社会において、工業的医療とワクチンに大きな需要が生まれるのはあまりに自明で、わざわざ言うまでもあるまい。

それにくらべて説明がいりそうなのは、イヴァン・イリイチのとなえた「社会的医原病と文化的医原病」【060】および「生活の医療化」の理論である。

イリイチによると、製薬会社と医療従事者は二つの望ましからぬことがらに対し既得権益を持つ。ひとつは、人の一生につきものの単なる体調不良をめぐって非現実的な健康願望をつくりだし、病気とみなされるケースを増やすこと。もうひとつは、昔から痛みや病気や死に対処してきた伝統的な方法を抹殺し、工業的規模のヘルスケアへの依存を必要以上につくりだすこと【061】。

産業帝国主義者がいまなお、各地の土着の文化を自然療法の知恵もろとも意図的に破壊し衰退させつづけている現実を思えば、ますます油断がならない。製薬業界の幹部らは、巨億の利益を出す野心と重圧をかかえている。企業が遺伝子操作でウイルスを開発し、次には要望に応えてそのワクチンを製造する、という筋書きの可能性を頭から否定できるのは、よほどの世間知らずだけではないか。

いま述べた筋書きは憶測にすぎないが、次のはまごうかたなき事実である。すなわち、病気産業は一大ビジネスなのだ。皮肉屋と呼んでくれてかまわないけど、企業利益やGDPにとって、健康な人たちの存在はちっとも健全でない。健康維持の振興にあてられる公的支出にくらべて、製薬会社の宣伝費がはるかに高額なのは、そのせいだ。

世界中で処方薬に支払われた額だけでも、二〇一五年には一兆ドルを上回る見込みである。職務を全うしている企業が莫大な利益をあげるのは当然だ、と考える読者は、がんなどの職業病をわずらいながらも治療費を捻出できないために毎年何百万人もが死んでいく状況——自然をうしなった文化が、カネのかかる医療への依存をつくりだしてきたのだが——に、どうか思いをはせてほしい。

企業の強欲が原因で文字どおり何百万という人びとが亡くなっているというのに、われわれの文化ではこれが立派なビジネスとされ、一方で、その社屋を標的とする者たちには暴力のレッテルが貼られる。

エスカレートする非暴力志向

医療制度さえも含めた日常生活が暴力に満ちている現実を認めれば、「平和主義」や「非暴力」のレッテルなど自分にも他人にもふさわしくないと気づき、前世代から受けついだ窮状の複雑さをより細やかに理解したうえで変革に取りくめるようになる。

自己満足を与えてくれるだけで実効性を持たぬような非暴力を、名誉の記章《バッジ》と誇るべきではない。名誉の記章を身につけたいなら、すさまじい構造的暴力を実際に阻止できるアクションだけにしておこうじゃないか。

さもないと、ぼくらはいつまででも、非暴力行為ゆえに罰金を徴収され、監獄に――もちろん平和的に――送られつづけるだろう。まるで〈生〉の側について闘う人材があまっていて、歩兵の替えはいくらでもきくかのように。

無私のおこないが権力者の心をもやわらげるだろうと考え、国家による暴力の証人となるべくみずから進んで拘禁されるのは、戦術としてまちがっていると思う。ロバート・P・ウルフ［米国の政治哲学者］が随筆「暴力について（*On*

Violence)」で述べた次の一節に同感だ。

国家の権威を否定すると同時に肯定するという不毛な試みながら、相当数の良心的服従拒否者が、国家による処罰を甘んじて受ける覚悟を決め、倫理に反する法律にはしたがわない権利を主張してきた。みずからの信条のために牢屋へ入るのもいとわない態度は、わが国において、おおむね倫理的誠実さのあかしと考えられている。［中略］戦術面からいうと、法律的「殉教」には利点も多い。［中略］だが戦術的なことを抜きにすれば、不公正な政府にあえて表だって反抗しなければいけない道義的責任など、誰にもありはしない。みずから進んで不当な刑罰に服す義務もない。単純な選択だ。正しい法にはしたがえ。まちがった法はすり抜けろ【062】。

社会変革へのアプローチを考えなおさないかぎり、不当な法律の押しつけに苦しみつづけるのみならず、思想的に腐敗した政府が主権国家に戦争をしかけるのを許しつづけることになるだろう。せいぜい抗議の横断幕をかかげて「言論の自由」の権利を表明するくらいで、「行動の自由」の権利は自主規制しながら。

ぼくらのプラカードや署名や手紙、あるいはオーガニックカフェでカプチーノ片手に交わされる討論を、事実上の統治者——金融業界《シティ》——が気にかけるだなんて自分をごまかしつづけるあいだにも、当の抗議対象の政策や姿勢は、業界のビジネスモデルにおいて中心的役割を果たしつづけるだろう。

エスカレートする非暴力志向はとどまるところを知らず、近ごろはデモの計画をあらかじめ警察に届け出さえする。権力者（なんら問題なく暴力を行使できる側）にとってみれば、ぼくらに対する洗脳が完了し、非暴力の市民的不服従という教義が徹底されたしるしにほかならない。

こうした平穏なデモはまた、虚構の非暴力の正体——政治的ぬるま湯につかった怯懦《きょうだ》——を存分に観察できる場となりはてた。

非暴力主義者が所有権を主張するかのような（自分たちと異なる手法をとる参加者を「われわれのデモをだいなしにするな」と叱責するなど）今日の抗議デモで、実際に見かけた典型的な一幕を、ゲルダルースが描いている。

スペインで二〇一一年に起きた15M大衆運動の際、非暴力の抗議者が「銀行の正面に整列して窓ガラスを破壊行為から守ったり、警官の前に並んで大衆による侮辱からかばったり」した。この態度をあくまでもつらぬきとおすなら非暴力原則への信念の表明と言えなくもなかっただろうが、あいにく「警察が群集に向かってゴム弾を発射しはじめると、この活動家らは列をつくるどころか逃げだした」【063】。ようするに、富と権力（と銃）の持ち主の側について勇敢な道徳家を気取るのは簡単なのだ。

それもこれも文化の一部。この文化はぼくらに教えこむ。デモで警官をハグしているかぎりは、また地球の生命基盤の破壊者に刃向かわぬかぎりは、非暴力の人であり、すなわち善人である、と。だが、石油会社にカネを払って化石燃料の採取を肩代わりさせ、そのガソリンを満たした車でデモに出かけることもまた、到着した先でとりうるどんな行動にもおとらず暴力的だ。

非暴力のベールを脱ぎすて、ぼくらをひとり残らずからめとる極度の暴力の存在を認めたとき、つかの間の平和主義などといった支離滅裂なポーズから解き放たれ、いかなる戦法をも受容できるようになる。ゆくゆくは真の平和――人間だけでなく生物共同体全体を含む平和――をもたらすであろう戦法を。

産業文明がふるう三種の暴力

マーケティング専門家らがどれほどたくみにごまかそうとも、このうえなく暴力的な時代にぼくらが生きているのはまちがいない。科学的に古びてつじつまの合わぬ思想にもとづく政治経済体制が、この止めどない暴力を支えつづけている。体制の中心には産業主義イデオロギーがある。資本主義、社会主義、共産主義の、いずれの近代モデルでも主役をつとめてきたイデオロギーだ。

本章では、産業文明が生命にふるっている暴力を、三つの領域に分けて検討しよう。第一に、生物共同体全体（人間はそのモザイクの一片にすぎない）に対する暴力。第二に、われわれ人間の共同体に対する暴力（結果的にいたるところでコミュニティの崩壊が起きた）。そして最後に、現在の支配的イデオロギーがぼくらにふるわせる、自分自身に対する暴力と、同じ人間どうしの暴力。ここには、身体的暴力のみならず人間の精神や魂に対する暴力、また、ぼくらの尊厳、自律性、自由が日々耐えしのんでいる傷も含まれる。

以下、社会正義や個人や生態系の問題に取りくむ誰もが固執しがちな非暴力や純粋平和主義に、空世辞《からせじ》を言うつもりは一切ない。本当の意味で平和な生きかたをともに創造すべく、団結したいと願うからだ。この生きかたには、黒人と白人だけでなく、女と男だけでなく、ブルーカラーとホワイトカラーだけでなく、すべての生き物が含まれなければならない。でなければ、長きにわたり女性や黒人を従属的立場に置いてきたのと同じように、自然界を従属的立場に置きつづけることになる。

三つのうちの最初の領域は、いまでは「生態系の殺戮《エコサイド》」として知られている。われわれ人間至上主義者が「集団殺戮《ジェノサイド》」と呼ぶ行為をただ人間以外の命にあてはめた、いわばホリスティック版ジェノサイドだ。

エコサイド

ジェノサイド、すなわち、なんらかの至上主義的イデオロギーに端を発し、必然的になんらかの蛮行に到達するプロセスは、当然ながら世間の悪評を買う。ジェノサイドを正当化する理由をでっちあげることができるのは、ヒトラーなどの社会病質者か、英国や欧州の植民者くらいだろう。

それに引きかえ、どうも納得の行かぬ話だが、エコサイド――ジェノサイドの根底にある価値観と原理をそっくりそのまま〈生〉全体にあてはめる行為――は大衆文化において、ジェノサイド並みの生理的拒絶反応を獲得しえていない。ナチスやクリストファー・コロンブスら、ジェノサイドの先駆者と同様、人間中心的な産業文明の主流文化も「小説『羊たちの沈黙』に登場する、都会的で洗練された外見を持つ残忍な精神病質者《サイコパス》ハンニバル・レクター」【064】に不気味なほど似ているのに。

何をもってジェノサイドとみなすか、また殺人とのあいだにどう区別を立てるかはむずかしい問題だが、第二次世界大戦末期にこの造語を提唱したポーランドのユダヤ人弁護士ラファエル・レムキンは、おおよそ次のような意味で使った——「民族的、人種的、宗教的、または国民的な集団の、全体もしくは一部を故意に破壊する行為」【065】。

当時のできごとをつなぎあわせればその発生経緯は明白であったものの、レムキンが与えた呼び名によって人類は、ことの本質を理解でき、効果的な対応をとりやすくなった。

一九四四年以前、ジェノサイドは一般に知られたことばではなかったが、またたく間に牽引力《けんいん》を持つにいたった。同じくエコサイドの概念も、ますます激化する地球上の生物の虐殺がナチ支配下のドイツにおけるユダヤ人虐殺に通ずることが明らかになって以来、認知度を上げてきた。反ユダヤ主義的な意図から言うわけではないけれど、〈生態系中心主義〉のレンズ越しに見たとき、ヒトラーとその取り巻き連中が一少数民族にふるった凄惨な暴力も、毎年一〇万種を超す生物の「完全浄化」にくらべれば影が薄れてしまうほどだ。ホロコーストを矮小化するつもりはさらさらない。ただ、今日のエコサイドの規模を正しくつかんでおきたいだけである。

生態系破壊が罪に問われる日

『エコサイドの撲滅（*Eradicating Ecocide*）』の著者にして「地球の弁護士」と呼ばれる法廷弁護士ポリー・ヒギンズによると、エコサイドとは「ある領域に住まう生き物の平穏ないとなみが、人為的またはその他の要因によりいちじるしく損なわれるほどの、大規模な生態系の損傷、破壊、喪失」【066】であり、「平和に対する罪」のひとつである。

ただしジェノサイドとちがって、エコサイドは「いまだ罪ならぬ罪」で、本書執筆時点ではまだ国際法上の犯罪と認められていない。人間中心主義の教義がいかに幅をきかせているかがよくわかる事実だ。

かたや、ハイイロオオカミ、シロナガスクジラ、チャバラショウビン、ショートノーズ・スタージョン（その他無数の絶滅危惧種）にとっての朗報がないわけではなく、エコサイドの犯罪化される日がはてしなく遠いとも言いきれない。エコサイドに関する国際法を「国際刑事裁判所に関するローマ規程（ICC規程）」に含める修正案の上程計画が進んでおり、含められたあかつきには、「すべての国ぐにがこのエコサイド法を国の制定法として採用できる」【067】。

ヒギンズはすでに、英国の最高裁判所で二日間にわたる模擬裁判を開いた実績を持つ。この裁判では腕利きの弁護士と判事が法案にもとづき、カナダのオイルサンド（油砂）から原油を採掘した架空の化石燃料企業二社のCEOに有罪判決を、メキシコ湾に原油を流出させて損害を与えた企業には無罪判決をくだした。

ボリビアはさらに先進的な国で、「パチャママ」と先住民が呼ぶ存在を保護するため、二〇一〇年に「母なる地球の権利の法律（*Ley de Derechos de la Madre Tierra*）」を憲法に収載している。そこまで急進的ではないエクアドルも同様に「自然の権利」を憲法でうたう。

ぼくらの世界認識（および世界のなかで人間が占める地位への理解）の深まりを反映して実際に法律が変わったとしたら、エコサイドの罪とはどのようなものになるだろうか。

まず、生に対するこの暴力に重大な役割を果たしてきた者たちは、自身のふるまいを根本から変えねばならなくなる。「上位者責任の原則」のもと、各国の元首から企業のCEOまでのひとりひとりが、エコサイド行為の責任を負うのだ。選挙で選ばれた国会議員や、企業内の（選挙によらない）議員的存在にふりかかる影響は、大英帝国領内で奴隷貿易にたずさわっていた企業に一八三三年の奴隷制度廃止法が与えた影響を上回る可能性もある。

旧来の人間中心主義イデオロギーとたもとを分かち、より生態系中心のものの見かた——科学もぼくらの本能もそれが正しいと知っている——に移行する姿勢が凝縮された法律となるにちがいない。

ヒギンズの活動は、非常に良質で当を得た改良主義の例である。エコサイドを禁じる法律がジュネーヴ条約の第五条約かそれに類するものと認められれば、絶滅危惧種の少なくとも一部は、人間の理不尽な破壊欲求（ないし破壊能力）が弱まる日まで生きのこれる可能性も出てくる。実際的だし、ある程度有意義な効果をあげるかもしれない。

ただし「かもしれない」と書いたのは、ひかえめに言っても、十分な数の政府がそれに賛成票を投じる見込みは薄いと思うから。

世界でも特に裕福な国ぐに、温室効果ガスをとりわけ多く排出している国ぐにが、「今日の人類にとって最大の脅威」と圧倒的多数の科学者がみなす気候変動に関して、なんら有意義な対策に合意できていない。そう考えると、エコサイドを禁じるラディカルな法律を国際法に記し、与党政治家を資金援助している当の企業に守らせるなど、はなはだ遠い道のりだろう。

環境保護の領域では、もっと穏健な法律でさえ成立させるのに苦労しており、すでに存在する制度もつねに政治的思惑の脅威にさらされている。気候変動による大惨事を防ぎたくば、残された時間は少ないのだから、法的措置だけに期待をかけるつもりはぼくにはない。

法的措置の限界

たとえエコサイドがどうにかして平和に対する罪の五番目の項目として認められても、部分的な解決にしかならない。グローバル化と産業化の進んだ資本主義経済において、大規模な破壊を防ぐために法律にできることは非常にかぎられ、しかも表面的な対処にとどまる。

たとえばボリビアは、いまだ炭化水素の主要輸出国であると同時に主要消費国でもある。国の経済自体が、エネルギー源と国際収支の両面において炭化水素に依存するようになってしまっているのだ。そのような経済習慣は、きれいな大気や水への権利、汚染されずに生きる権利など、母なる地球が持つ七つの権利を具体的に列挙した「母なる地球の権利の法律」の精神にも文面にも、ひとしく反するというのに。

しかし、ボリビアの人びとに何ができるだろう。事実上の首都ラパスの住民の暮らしは、エコサイドの所産にすっかり依存している。

つまり、万が一、国民が望んだとしても、政府にできるのはせいぜい、もっとも悪質で象徴的なエコサイド犯を起訴する程度。動物の権利《アニマルライツ》活動家がよくマクドナルド――動物界への暴力供給元ナンバーワン――をやり玉にあげても、工場畜産のチキンを販売する小規模なファストフード店までいちいち批判しないのと同じだ。

だからといって、他のファストフード業者にはエコサイド行為の（少なくとも共犯者としての）責任がないわけではない。ただ、国の認識によると、生活、価値観、制度のすべての基盤としてきた産業経済のしくみにその程度の暴力は欠かせない、というだけのことだ。

ここでは規模の問題がくせもので、エコサイドを定義する際、どの程度の環境破壊を「平和に対する罪」の成立要件とするかは非常に悩ましい。

昆虫とその生息地を含めるとしたら（含めるのが筋だと思うが）、ボリビア国内での殺虫剤使用をただちにやめなければならない。これが起きっこないのはわかっている。ぼくらと同じくボリビア人も、みずからつくりだした農業システムで生物多様性を破壊してきたため、いまや食料栽培のための農薬なしでは生きていけないと考えている。

この点を強調するのは、ボリビア国民やその助力者らの勇敢な行動にケチをつけるためではない。実際、困難きわまる状況のなかの先駆的な動きであり、正しい方向への有意義な一歩であることはまちがいない。ただ、既存の人間中心主義の枠組み内でこのような法律を施行するのがいかにむずかしいかを示すために述べているのだ。

ぼくらはひとり残らず、無数のエコサイド行為に日々荷担している。責任の軽重は人それぞれにせよ、生活の何から何まで——食料供給体制、工場生産技術、テクノロジー、快適さの要求レベル、教育と刑罰の制度、輸送網、統治方式——を、エコサイド禁止法で非合法化対象とされるような慣行を前提に設計してきた。世界のどんな国や企業も、自身の制度やその土台となる世界観の合法性を事実上ゆるがす法律など、通過させも施行しもしないだろう。

問題はさらにややこしい。地球生態系は当然ながら複雑にできているゆえ、最大級のエコサイド現象の責任を一企業やひとりのCEOに負わせることは、まず不可能だ。

たとえば、気候変動によっておそらく今後数十年間に何百万という人びとが命を落とすだろう【068】。では、気候変動を引きおこしたかどで、誰を罪に問えばいいのか。ミツバチの大量殺戮のかどでは? そんな「確定不能」な行為について特定の法的主体の責任を問うことは、乳がんを引きおこした責任を誰かに負わせる以上にむずかしい。というのも、人間至上主義イデオロギーとその具現化した事象によって、ぼくら全員が多かれ少なかれそうした行為の共犯者に仕立てられてきたから。

本当に罪に問われるべき主体は、けっして罪に問われない。すなわち、この産業文化総体である。

だからこそ、多様な戦術をとらねばならない。改良主義的なアクションの役割は、できるだけ実効性の高い方法で、破壊に歯止めをかけることだ。革命主義的なアクションの役割は、第一に、攻撃者の手から武器を取りあげることだ。

エコサイドの非合法化をめぐる困難さをひとまず横に置くと、その成功のあかつきには長期的利点が期待できよう。エコサイドを禁止する法律の制定は、ぼくの言う「ホリスティックな自己防衛の権利」を保護する法律のさきがけともなりうる。後者の法律が制定されれば、みずからが居住し依存して生きる土地の生態系を脅威から守る場合に、法廷で自己防衛を主張できるようになる（第4章を参照）。上から下――許される唯一の方向――にふるわれる暴力しか経験したことのない人びとにとって、これは非常に大きな意義を持つだろう。

ぼくらが荷担する自然との戦争

産業経済モデルをとる国の思想的・実際的基礎には、かならずエコサイドが組みこまれる。エコサイドを平和に対する罪の一種であると、法廷で認めようが認めまいが、エコサイドが起きている事実は変わらない。仮に、一九四八年の国連総会で「集団殺害罪の防止及び処罰に関する条約（ジェノサイド条約）」が採択されていなくても、ジェノサイドがさほどまちがっていなかったとか、存在しなかったという意味にはならない。ただ、人間保護のための国際法制が未整備であるというだけだ。

ロンドンでおこなわれた模擬裁判とは異なり、エコサイド行為は日々、この瞬間にも実際に起きている。経済学者E・F・シューマッハーが指摘したとおり、ぼくらは「自然との戦い」のさなかにいる。「万一にも人間が勝ちを制したと思ったとき、実は負け組にいることに気付く」ような戦争の【069】。それが何より如実にあらわれたのが、世界の森林を平らに梱包してしまう所業である。

材木、タブロイド紙、本書のような書籍のために森林が伐採されるスピードもまた、法には触れずとも実質的なエコサイドと言える。国連食糧農業機関（FAO）が二〇〇五年に発行した報告書によると、人間による森林伐採のスピードは年に一三〇〇万ヘクタール（一時間あたり三六六七エーカー）。この勢いでは、あと百年たたぬうちに熱帯雨林のすみずみまで残らず破壊しつくしてしまう。地球の陸生の動植物の七割以上がなんらかの種類の森を住みかとし、その大半が生息地の大規模破壊によって生きられなくなることを考えると、なおさら悲劇的だ。

自然林や原生林の代わりに単一樹種の若木を植林したところで、政治家やお抱えコンサルタントが喧伝するような解決はもたらさない。人工林は、多くの生物種にとってふさわしい生息環境とはならないから。

人間中心のものの見かたにあくまでもしがみつき、商業的な伐採を「住民が寝静まったロンドン郊外の住宅団地をブルドーザーで解体する」暴力に匹敵すると感じない人には、次のたとえなら納得してもらえるだろうか――「九十億の人間に対する酸素供給を事実上断つ」。世界各地の森林を大規模伐採する木材パルプ産業が（ぼくらからも資金を得て）やっているのは、まさにそういうことなのだ。

海から魚がいなくなる

次は海洋について考えよう。あの複雑さと威厳をたたえた世界、植物プランクトンのふるさとだ。朝目ざめて海や植物プランクトンのことを気にかける人は少ないが、ぼくらの命は海に大きく依存しており、その度合いは配偶者や親への依存よりも高い。

各地で海（地球上で生物が生存できる空間の九九パーセントを占める）【070】をおびやかしているきわめて大きな問題に、底引き網漁業がある。小さいころ父さんに教えてもらったマス釣りみたいに、浜にたたずんで釣り糸を投げいれるような、そんなロマンチックな漁師像は考えなおしたほうがいい。底引き網漁では通常、海底近くまで沈めたトロール（底引き網）を引きまわして獲物をとる。

他にもこまごました原因は多いにせよ、おもにこの近代的漁法のせいで、タラ・カジキ・マグロなど商業価値のある魚の数は、産業化以前とくらべて九割も減っており、「現在の傾向がつづけば二〇五〇年までに世界の水産業が壊滅すると科学者らは予測する」【071】。

トロール船は必要のない魚や水生生物をもむやみやたらに混獲してしまうため、「世界の総漁獲量の八～二五パーセントが、死亡あるいは瀕死の状態で海中投棄される」【072】。毎年二〇〇〇万トン超の（人間同様に神聖な）命が、何の理由もなく奪われているにひとしい。

底引き網漁の同類である延縄《はえなわ》漁（約一二〇キロメートルにわたって縄を張ることもめずらしくない）は、海鳥だけでも年間約三〇万羽の命を犠牲にしているうえ、当然のことながら海をからっぽにする主要因となる。それを認識したうえで、イルカ――ちなみにこの動物もやっかいな立場に置かれている――にたずねてみよう。ファストフードの寿司を食べる平和原理主義者は、本人が思っているほど非暴力的な人間なのか、否か。倫理的優越性を自負するぼくらの文化とは異なる意見を聞けるかもしれない。

先ほど述べたのと同様、時代遅れの人間中心的なものの見かたにしがみつくかぎり、構造的暴力はやはり天文学的レベルにおよぶ。三五億人以上が主要な食料を海から得ており、ここには海で一家の生計を立てている人も含まれる。国連環境計画（UNEP）が、いまのままで行くと「四〇年後には実質的に魚がいなくなる」と警告したことを考えると、人類の健康や経済への影響という観点のみから見ても、報復措置としてトロール船を破壊するアクションが、不思議と、平和と思いやりの行為に思えてくる。

海には魚があふれているだけではない。とりわけ驚嘆すべきは、植物プランクトンの故郷でもある点だ。人間とそれ以外の動物が吸う酸素の半量を植物プランクトンが生成しており、さらには「数多くの目に見えぬ部分で連動的に地球の代謝を担っている」【073】。

前述した慣行のいずれも困りものだが、人間の産業活動が引きおこした大気中の二酸化炭素濃度の急上昇による、海水の温度上昇と酸性化は、水生生物と陸生生物の双方にとって最大級の脅威となる。

海洋保護団体セーブ・アワ・シーズ財団によれば、問題は――科学者らによって解明されているかぎり――こうである。海面の温度が上昇すると「成層化が起きて、貴重な栄養物質が海中深くに閉じこめられる」。このために「海の表層部に生息する植物プランクトンが、栄養物質をエネルギーに変換して食物網の上位にいる生物に与えることができなくなる。食物網の基底部がこのように攪《かく》乱《らん》されると、他のあらゆる種に影響がおよぶ。最上位にいるクジラ、サメ、アザラシ、マグロ、そして人間にも」【074】。

アラナ・ミッチェルはずばり指摘する。

「明日プランクトンがいなくなったとしたら、海の食物連鎖はバラバラにほどけてしまう」【075】

ホリスティックな見地から、これを暴力と言わずしてなんと言おう。ほとんどの人がとる人間中心主義の世界観によれば、平常状態にすぎないが。

動物界の悲劇

さて、お次は動物界だ。近くにいてほしくない動物を、ぼくらはほうむり去る。それも先例のないスピードでどんどん殺すものだから、「完新世」〔一万年前〜現在をさす地質時代名〕の大量絶滅」と呼ばれる現象が起きている。ひかえめな見積もりでも年に一万種以上とされ、「種数面積関係」理論に「上限推定」を加味すれば、現在の絶滅スピードは「年間十四万種にのぼると思われる」【076】。

ピンタゾウガメは、最後の一匹のロンサム・ジョージが二〇一二年に死亡し、地球上から消滅した。ヨウスコウカワイルカ、オレンジヒキガエル、西アフリカクロサイもいなくなるだろう。いずれの種もすでに、急速に項目数を増やしつつある「進化の袋小路」生物リストに載っているし、これらの生物の物語や進化様式は、進歩発展の神話に道をゆずってしまった。

お気に入りの動物についてはどうかというと——「お気に入り」とは「役にたつ」という意味だが——大部分を檻に閉じこめ虐待している。すべて、ぼくらの政治経済体制がいやおうなしに要求してくる「経済成長」と「もうけ」のためだ。工場式畜産は、（現在一般におこなわれている「飼養」と屠畜場《とちくじょう》における残虐な扱いをとおして、感覚を持った存在に加えている拷問を別にしても）毎年一五〇〇億もの家畜を殺している【077】。この数字には、大量生産の卵や乳製品のために監禁されて一生を送るニワトリや乳牛は入っていない。多くの部族民が忘れずにいる、動物自身のニーズや生態系全体の健全さに対する配慮など、こうした所業にはまるで見られない。有害どころの話でも破壊的どころの話でもないが、十七世紀のデカルト的世界観を捨ててはじめて、そう気づく。

以上は目を引く数字のほんの一例にすぎず、毎週のようにくりひろげられる無数の悲劇のひとつひとつを表現しきれているとはとても言えない。機械文明によるエコサイド行為を列挙すればきりがなく、それらがあいまって引きおこす悪循環は、大気の様相を変え、気候変動をもたらし、地球上に残された生き物の生存を危うくしている。

しかし、地球上の命に対する人間の仕打ちについて、事実を並べたてるのはそろそろ終わりにしたい。ようするにこうだ。ぼくらは病的な文化のなかに暮らし、それにひと役買っている。この点を自分自身に対し、互いに対しても、ごまかすのをやめないかぎり、非暴力ぶったとてしょせんはふりにすぎず、いつまでたっても状況にふさわしい実効的な対応などとりはしない。

実効的な対応をとりそこなえば、うしなうものはあまりに多い。アリク・マクベイは能弁に語る。

危機にさらされているのは何か。ひなに対する忠義心が強く、踏みつけられるまで巣を離れようとしないホイップアーウィルヨタカの雌と、純粋な奉仕の心で求愛の歌をさえずる雄。［中略］自分が選んだ共生相手の植物に養分を与え、スプーン一杯分の土のなかに何マイルもの菌糸を張りめぐらして土壌を育てる菌根菌。恒温性で泳ぎの速いクロマグロ。妖しい美しさのテングタケ。妖精もかくやと思わせる青いヒメシジミ蝶。百マイルにもわたってひしめきあう魚で銀色に光る川。故郷へ帰る渡り鳥の大群。葉をしげらす日を夢見て地中へもぐっていく、数知れぬ小さな幼根。荒々しくもはかなげな糸の一本一本がつらなりあった、奇跡のレース編みだ【078】。

いつ「もうたくさんだ」と言うのか

ホイップアーウィルヨタカの雌の勇気を見ならって自分たちの生息地を毅然と守ることを、ぼくらが拒否するなら、何を危機にさらすことになるのだろう。国連の官僚が生態系サービスと呼ぶ、前述のかがやきと美のすべてと、それ以外にもまだまだある。眼前でくりひろげられるこのエコサイドを目撃していながら、どの時点で「もうたくさんだ」と言うのか。

「われわれの大義が十分に鮮明さと緊急性を帯び、味方が十分多くなって、敵を罷免できるようになるまで、なぜ待てないのか。なぜそれまで辛抱できないのか」とウェンデル・ベリーは問い、彼自身の答えをかかげている。

われわれが辛抱しているあいだに、さらに多くの山や森や川が、さらにおおぜいの家や命が、アパラチアの炭鉱地帯で破壊されていく。四〇万エーカーの土地が荒廃し、一二〇〇マイルの川が消滅しても、まだ十分でないと言うのか？　これはやめさせる必要がある。「規制する」必要ではない。連邦政府も州政府もこれまでたっぷり証明してきたとおり、忌まわしい行為を規制することなどできない。やめさせるしかないのだ【079】。

産業主義の文化が冒涜《ぼうとく》しカネに換えているもののうちでも、とりわけ神聖な〈生〉。その防衛に必要な行動をとるまで、いったいどれだけ待とうと言うのか。

デリック・ジェンセンの著書『最終局面（*Endgame*）』も、この問いを投げかける。「どこまで行けばようやく立場をはっきりさせるのかを具体的に教えてくれ。わたしに、そして何よりきみ自身に」

有毒な文化が生んだがんやその他多くの心身の病気で、友人が、恋人が、家族が死んでいくのを、何人見送れば「もうたくさんだ」と言うのか。誇らかに立つ熱帯雨林が残り二パーセントまで消滅したら、ぼくら自身の誇りを取りもどすのか。それとも一パーセント、あるいは〇・五パーセントか。海の魚が九割減少したことをすでにいきすぎだと感じるか、それとも、大西洋と太平洋をただよう魚が産業革命以前の生息数の三パーセントに落ちこんだとき、忍耐の限界に達するのか。日常生活のすみずみにいたるまで機械化され、貨幣価値ではかられ、馴致《じゅんち》され、調査検分され、規制され、企業利益を増やす方向へ誘導されつくしてようやく、がまんをやめるのか。反撃に出るしきい値はどこにあるのか。

ジェンセンがかさねて問いかけるように、「そのしきい値を言えない（言わない）なら、それはなぜか」【080】。

ソローも指摘したとおり、「もうたくさんだ」の表明には、法律を――法律自体が不当にできている場合――破る行為も含まれるかもしれない。新しい法律をつくりだすだけではなく現にある法律を破らねばならないと想像するのは、恐ろしいかい？　もちろん恐ろしいだろう。

ぼくら自身や子どもたちのためだけでなく、生命の織物をともに織りなしてきたあまたの生物種の将来世代のためにも、美しく栄える地球を守りたいと真剣に願うならば、ぼくらの生きかたを、政治経済のシステムを、それらのすべてを下支えする文化の物語を、根本から変える必要がある。

そこまで大規模な変革はいつだって恐ろしいし、いつだって前例がない。だが、それを忌避すべきものと見るのではなく、この時代に生まれついたぼくらが乗りだしうる最大の冒険と受けとめることもできるはず。ひとつの目的のもとにぼくらを結束させ、官僚主義だの流れ作業だのタイムカードだのに支配されてきた人生に意義を取りもどしてくれる冒険だ。地球の収奪者たるぼくらが当然享受できると思いこんできた近代文明の便益を、何もかもうしなってしまうと考えるのをやめて、うしなったことにさえ(産業主義のせいでいまだかつて経験したためしがないため)気づいていなかった自分たちの根源的性質を、奪還する好機と見ることもできよう。

背すじをピンとのばし、この時代の難局から逃げださずにいれば、尊厳ある人生をもう一度送れるようになるかもしれない。地球との親密な関係を修復していくうちに、地球の擁護を恐れなくなる人生を。

機械文明とその基底にある思いこみによって踏みにじられているのは、人間以外の自然界だけではない。人間はみずからをも踏みにじっている。いや、もっと正確に言えば、みずからが踏みにじられるのを許しているのだ。

コミュニサイド

おれたちの土地を破壊や侵略から守るために必要とあれば、いかなる手段に訴えるのも倫理的に正しいと思う。

エドワード・アビー

ある日の昼どき、ちょっとした野良仕事を手伝ってもらった隣人と一緒にお茶を飲んでいた。やがて、アイルランドの僻村の衰退についての話題になる。問題の大きさと深刻さのわりに、注目されることのあまりに少ないテーマだ。

ぼくは、自動車や電子ネットワークやテレビをはじめとする先端技術によって、アイルランドの村人たちが長年満足してきた暮らしぶりが徹底的に損なわれた、とごくあたりまえの意見を述べた。隣人は、ぼくとはずいぶん異なる時代、国民のほとんどが二シリングの金すら持たないような時代（さほど昔ではないけれど）を経験しているだけあって、もっと鋭い眼力をそなえていた。小さな村落の社会組織を完膚なきまでに引き裂いた技術は、意外にも、テレビや車やインターネットなどの産業主義を代表する製品ではない、と言うのだ。それは思いもよらぬささやかなもの、魔法びんだ、と。

おどろいたぼくは説明を求めた。彼が思春期を過ごした一九六〇年代、よく家族と湿地へ泥炭掘りに出かけたそうだ。地域ぐるみで助けあい、時間や腕前や道具を融通しあった。泥炭の切り出しはにぎやかで楽しいけれど重労働だから、掘る泥炭が多ければ多いほど、お茶をがぶがぶ飲むことになる。当番の世帯が火をおこしてやかんの湯をわかし、そのまわりで一服するならわしだった。

水分補給自体ももちろん大事だが、たき火には実はもっと大きな役割があった。こうした重要な季節行事の際に、コミュニティ全体がつどう中心を提供したのだ。一日中、お茶をわかしながら村人らはおしゃべりしたり冗談を言いあったりし、夕方になればその火で料理をした。日が暮れれば決まって、何かしら余興がはじまる。楽器を鳴らしてジグを踊るかと思えば、気の毒な誰かの手押し車を隠すお調子者もいて、翌朝は雑談のネタが尽きない。

泥炭地での労働は、単に生活の物理的要求を満たす以上の意味を持っていた。共通の目的意識のもと、代々ひきつがれてきた手わざを用いる喜びを、人びとに与えたのである。その経験が、個々の人間を縦横に織りあわせ、物理的、心理的、情緒的、精神的な面でも手をさしのべあう強固なコミュニティをつくりあげた。

ところがある日突然、何の変哲もない魔法びんが登場する。それ以前の日常的な技術と同じく、発明されて売りだされた当初はその恩恵しか聞かされなかった。魔法びんのおかげで、いつでもどこでも熱いお湯が使える。ただそれだけのように思われた。

だが次に起きたのは、「意図せざる結果の法則」をまさに地で行く現象だった。人びとは間もなく、自宅のコンロでわかした湯を泥炭地へ持参するようになる。たき火をおこすよりずっと面倒がない。この変化は、もう火をたく必要がないことを意味すると同時に、行事のなかにたき火が組みこまれなくなり、千年にわたり果たしてきた役目が終わることをも意味した。

たき火がなければ、人びとのつどう中心も消える。集まる中心がなければ、歌も、ダンスも、隣人と愉快にやる機会もなくなる。何年かたつうちに、弾力性にとぼしくよそよそしいコミュニティができあがった。

こうして魔法びんは、個人主義（大量消費主義とともに進行する）への動きにひと役買う。人びとに自立の幻想を与えたのだ。当然ながら、以前とくらべて少しも自立したわけではない。湯を保温するモノにあいかわらず依存しているのだから。

唯一のちがいは、周囲の天然素材と人間に依存する（この依存は健全な人間社会と生物共同体の維持に不可欠）代わりに、地球の裏側にある工場とその労働者に依存するようになった点である。目と目を合わせることもなければ、その労働環境を見ることも、いつ何があれど会うこともない人びとに。

魔法びんもまた、「目的をよく吟味せぬまま、ひたすら手段の改善に励む文明」【081】の産物だった。

コミュニティ崩壊の真の元凶

この話を要約すると、チャールズ・アイゼンスタインの基本的主張のひとつにたどりつく――「われわれの文化には、いまだかつてないほどの孤独感と、真正性への渇望が見うけられる。『コミュニティの構築』を望んでいながら、社会的・物理的インフラ自体に断絶が組みこまれたこの社会において、気持ちがあるだけでは不十分だ、ということに気づいていない。われわれの暮らしがよって立つこのインフラに手をつけずして、コミュニティなどけっして実現しないだろう」【082】。

彼はこうも述べている。

「コミュニティとは、その他のニーズにあとから上乗せするたぐいのものではない。食料、住居、音楽、人とのふれあい、知的刺激など、さまざまな形の肉体的・精神的滋養と並存して幸福を構成するような、独立した要素ではないのだ。コミュニティは、そうした欲求を満たす過程で立ちあらわれてくる。互いを必要としない人びとのあいだにコミュニティが生まれる可能性はない」【083】

コミュニティ崩壊の全責任を魔法びんに負わせるのは、一民族集団のジェノサイドを一発の銃弾のせいにするようなもの。真の元凶は、ぼくら文明社会の人間がつくりあげた文化、つまり産業化・グローバル化・貨幣化した文化の総体である。

産業主義と貨幣経済とグローバル化と資本主義のイデオロギーを、社会という大きな試験管のなかで混ぜあわせてできた文化が、何よりも得意とするのは、ぼくらが互いを必要としていないとの誤解を与えることだ。この幻想は、人間的で健全な規模の住空間（農村など）を破壊してきたばかりか、人口過密で妙に匿名的な都市のかかえる疎外と苦悩を悪化させてきた。土地との、また（樹木や野生生物と同じく）その土地の一部をなす他の人間との、きわめて密接な関係が、やがては金銭のやりとりへとおとしめられていく。それというのも、資本主義の要求する「たゆみなき成長」をかなえるため。

そうやってぼくらは、身体的・心理的・情緒的・精神的にもみずからを虐待する社会をつくりだしてきた。身の丈に合った持続可能なコミュニティに対し、どんな戦争にもおとらぬ暴力をふるう政治経済のシステムを築きあげたのだ。

細分化された暮らし

いささか言いすぎだと思われるかもしれない。説明しよう。

本当の「共有地の悲劇」とは、私有財産と産業化という同時発生した二つの概念ががっちり手を組み、経済的な意味でも物理的な意味でも、人びとを自分たちの土地から都市へと追いたてたことだった。あらゆる次元に甚大な影響をおよぼしたこの悲劇にもまた、ジャレド・ダイアモンドがかつて農耕を評して述べた「人類がいまだ復興を果たしえぬ災厄」【084】との形容があてはまる。

人びとは帰属意識が重視される場所を去って、自分に帰属する財産が重視される場所へ移住しなければならなかった。家族や友人やコミュニティの代わりをするのは、忠義を感じることも信頼を寄せることもない赤の他人だから、しまいには、産業化以前の村ではとても考えられなかった犯罪も起きてくる。

昔ながらの手わざを用いて、意味ある関係を結んだ相手のために生活必需品をこしらえる代わりに、産業主義のベルトコンベアに無理やり乗せられ、細分化された退屈な仕事――人間の魂をさいなみ、やりがいも愛着も持ちえない仕事――に従事するようになった。足もとの土地と真につながりあったコミュニティから引きはがされ、その土地で生まれそだった友人や家族と離ればなれになった人びとは、ジャック・エリュールの言う「人間以下の生活」を余儀なくされる。エリュールはこの影響の陰うつさを次のように描く。

考えてみたまえ、われらが偉大な都市の過密ぶりを、スラムを、空間の不足、酸素の不足、時間の不足を。陰気な街路と、昼夜の区別もつかなくする黄土色の灯火を。考えてみたまえ、われわれの満たされぬ感覚を、［中略］自然からの疎外を。かような環境で送る人生に意味などない。考えてみたまえ、人間が小包よりもぞんざいに扱われる公共交通機関を、人間が番号でしかない病院を。されどわれわれはこれを進歩と呼ぶ。［中略］それにあの騒音といったら、夜も休みなく襲ってくる怪物だ【085】。

かつて持続可能な仕事で生計を立てていたころは、地場の素材を利用して、みずからの想像力と魂を形にしていた。それが、世界中から資源が集まる工場での反復作業に変わった結果、マルクスの言う「あまりに多くの有益な品々の生産」が「あまりに多くの無益な人びとを生みだす」【086】。

この過程で持続可能な伝統技術は死に絶え、代わりにウェブ開発やコールセンターや製薬関連業界の職が登場した。安価でよごれたエネルギーの時代、尽きせぬ富の神話にもとづく産業の短命な時代が終われば、どの職も消えていくにちがいない。

あるいはまた、自然界のはからいによって人類がついに〈大いなる生命の織物〉と調和した持続可能な生きかたに立ちかえらざるをえない時代が来たら、そうした近代的技能は無用の長物と化すだろう。

本当の経済学の知識とは、土壌と樹木と身体に関する知識、その地の風景においていかに生活のニーズを満たすかに関する知識のことだが、これらの喪失は、いずれ都市人口を激減させてしまう可能性がある。いずれというのは、つまり、都会人を（他地域の大規模な破壊をとおして）支える持続不可能なシステムを動かしつづける代償を、金融資本も自然資本もいよいよ支払いきれなくなったときだ。

持続不可能な都市生活

もちろん、今日の若者たちはもう、物理的に強制されて都市に出ていくわけではない。制度化した商工業上の慣習によって経済的要因の呪縛も強まってはいるものの、産業主義が落とす影は、往時よりはるかに隠微になった。

産業活動の機械じかけの肛門から飛びだした画期的なテクノロジーのひとつ、テレビは、長年、あこがれのライフスタイル、あこがれのセックス、あこがれの家を売りこんできたが、よほどの金持ちでないかぎり、そのいずれをも現実に手にする機会はない。しかし、それらのイメージはぼくらの心中に根をおろし、エンクロージャー〔農地囲い込み〕と同様の効果を発揮する。すなわち、持続可能な農村の衰退の進行と、持続不可能な都市や街の急速な拡張だ。

このような陰うつで不自然な住空間の拡大は、「アバター効果」と呼ばれる現象をもたらした。このことばは、映画『アバター』の封切り直後に見られたうつの波や自殺願望をさす。生態系が豊かで多様性に満ちた、架空のパンドラの月――命が栄え、住人が文字どおり〈全体〉とつながっていた世界――に、人びとは思いこがれたのだ。ぼく自身もこの映画を観て、経験したことがなくとも原始的自己が記憶している生きかた、遺伝子のどこかにいまも息づく生きかたの喪失に、深い悲しみをおぼえた。

ありていに言って、現行の政治経済体制は、いまだ五千ほど残る先住民族の文化（居住区域の合計で世界の総陸地面積の二割を占める）【087】に対し、自分たちのやりかたを押しつけつづけている。これらの文化には、古来、外部と接触を持たない部族民が周囲の風景と調和して生きてきた地域も含まれる。

機械文明は、軍事力にもとづく経済を回していくために、先住民の土地に産する資源をひたすら必要とするうえ、「成長」のためには先住民自身をも工業製品の消費者に仕立てあげねばならない。人びとの関係性をカネに換え、すでに金銭的に豊かな側の人間に利益や給与や税金の形で再分配せねばならない。

土地に根ざした生活者を産業主義に組みいれるこうした動きは、その直接の被害者に対してつねに暴力的である。と同時に、資源の採掘（および資源の獲得に必要な戦争）で遠隔地を破壊せずにはやっていけぬ都市をつくりだし、広げ、動かしつづけることによって、生物共同体全体に対しても間接的に暴力をふるっているのだ。

この体制は、自発的にみずからを改良するような体制ではない。自己破壊を伴わぬ改良はありえないし、現状に対し既得権益を持つ人間があまりにも多い。だから、ぼくらができるかぎりの手を尽くして、遅ればせながらこのシステムを終わらせるしかない。必要かつ効果的な、あらゆる手段と戦略を用いて。

さもないと事態は悪くなる一方だ。実際、過去数百年にかぎってもわれわれは、何千もの固有の文化や言語を破壊し、無数の種を絶滅させてきた。いまのところ気づく人は少ないが、これは世界にとって恐るべき損失だ。

しかし、まだできることはたくさん残されており、うしなうものもたくさん残されている。〈生〉を擁護して立ちあがらなければ、機械文明の猛攻に屈せずにきた文化と連帯して反撃に出なければ、みずからつくりだす没個性的で画一的な文化にお似合いの人間になってしまう。

機械文明の横暴

ダンテが『神曲』で地獄のさまを描いたとき、同じ動作を延々とくりかえす工場の流れ作業風景も含めたらよかったのに。人間の自主性をそぎ、脳をさびつかせるような仕事だが、何百万もの英国の労働者が人生の大半をそれについやしている。

E・F・シューマッハー

ある朝ぼくは、数百人の乗客にまじってロンドンの地下鉄を降りた。誰もがあわただしい足どりで、会議や訪問先や職場へと向かっていく。たいていの人は何かしらの電子機器を手にし、コンクリートと鋼鉄に囲まれた息苦しさを音楽やソーシャルメディア――さほど社交的《ソーシャル》とも思えないが――でまぎらわそうとしている。ラッシュアワーの駅構内はごったがえしていた。

エスカレーターに近づくと、昇り口付近に人があふれていて、みな一様に上を見つめている。ちょうど、どうしたらいいかわからない子どもが親を見上げるときのように。乗客はとぎれることなくそのうしろまでやってきては、同じく当惑した顔になる。最初、けが人が出たのだろうと思ったが、そのうち、なんということはない、エスカレーターの故障にすぎないとわかった。ようするに、ぼくの若かりし時代に「階段」と呼ばれていた代物に変貌したのだ。

階段としての機能には、まったく申し分がない。それなのに、このいい年をした大人たちは、どうすべきかと途方にくれ、ただ呆然と見つめるだけだった。

群衆のうしろのほうで誰か――身体性をうしなっていない人であろう――が「足を使いなよ」とさけんで、ようやく前方の人たちが、動かないエスカレーターを歩いてのぼりはじめた。のろのろとあとにつづく一群のなかには、約四〇秒かけて一段一段のぼらねばならぬことにうんざりした表情を見せる人もいた。

いまの人間文化についてのぼくの確信が、みごとに具現化された一瞬だった。ぼくらは、身も心も魂も、機械文明に乗っ取られてしまったのだ。

機械に近づく人間

この現象は、あいにく笑い話ですまない場合も多い。機械文明のおよぼす影響は実用機能的な面によるものにかぎらない。その土台にある思想（科学的正確さ、効率の最大化など）を、感情や意識を持ち、多様な創造表現を希求する人間存在にあてはめることによる悪影響も、ますます肥大しつつある。それらをとおして産業文明は、飼い主（食べ物を与えてくれる生態系）の手をかむだけにとどまらず、文明自身の手にもかみついている。

ぼくらは機械経済の枠内で生き、はたらいている。経済がますます機械に動かされるよう変化してきたのみならず、その過程でぼくら自身が経済の歯車になってしまった。

これは比喩で言うのではない。まさに文字どおり、文明批評家ルイス・マンフォードの言う「巨大機械《メガマシン》」の交換可能な部品になりはてたのだ。

そんなことはないと思った人は、よく考えてほしい。フランツ・ルーローの有名な定義によると、機械とは、「耐久性のある部品で構成され、各部品が特化した機能を持ち、人間の管理下で作動し、エネルギーを利用して仕事をするもの」【088】。この定義が正しいとすれば、現代の労働力人口と呼ばれる巨大労働機械は、不気味なほどこれにそっくりだし、マンフォードの指摘どおり、「どこから見ても正真正銘の機械である。部品――骨や神経や筋肉でできた――が単なる力学的要素に還元され、限定的タスクの実行に適するよう厳密に標準化されているのだから、なおさらだ」【089】。

人工知能（AI）などのテクノロジーによって機械が人間に近づいてきたと言われる時代において、それと対の事実がほとんど話題にのぼらないのは不思議でならない。すなわち、人間が機械に近づいてきたことである。

テクノロジーの麻薬

機械文明は、おびただしい量のガジェット――いずれも空前のまぶしさと速さと安さを誇る品々――を世の中にまきちらしはしても、たいして人びとの役にたっているわけではない。役にたつような印象は与える。事実ぼくらは製造されたモノを買っているのだから、多少はこの文明を欲しているはずだ。

けれども、何かを欲するというのは、それが役にたつ証拠にはならない。ヘロイン中毒者がヘロインを欲するのは、生活を向上させてくれるからではなく、中毒になっているから。最初に使ったのは、むなしさを埋めるため、進歩の切っ先に打たれ、ぱっくりと開いた傷口をふさぐためだったが。

機械文明のテクノロジーにも同じ効能がある。広告業界のやり口と同じく、本当のニーズ(深いつながりへの渇望など)を故意に、かつ巧妙におおい隠し、喪失の痛みを麻痺させる代用品を売りこむ。

ああ、広告。学生時代のぼくも洗脳されていたあの悪の手管《てくだ》は、まず犠牲者にはたらきかけて自尊心を打ちくだき、次に製品やサービスを提示する。それを買えば、つい先ほど虚偽の広告で打ちくだかれた自信をいくらか取りもどせるかもしれない。下剤チョコレートみたいなもので、宣伝を通じて「便秘でお悩み？　それならこのチョコをもっとめしあがれ！」と訴えかけてくる。そもそもチョコレートのような食べ物こそが慢性的便秘の誘因だというのに【090】。

心理的・情緒的に健康で、ありのままの自分に満足している人間は、広告主にとって望ましくない。必要なのは、究極の貧しさを感じる人間。つまり、どれほど多くかせいでも、どれほど多くを所有しても、けっして満足しない種類の人間だ。

女性誌業界がこの典型である。まず、一般読者とはかけ離れた姿に修整をほどこした女性の写真を見せる。その下には、これこれの製品〔日焼け用化粧品やダイエット食品〕を買えば彼女みたいになれるかもしれませんよ、とそそのかす広告。もちろん彼女みたいになるのは不可能だ。当の本人ですら写真どおりではないのだから。

いや、そんなふうに受けとるのはひねくれている、広告会社の幹部だってそれほど悪意のかたまりではないさ、と思うなら、次の事実をどう考えるだろうか。カルチャー・ジャミング〔消費文化の創造的破壊〕の雑誌『アドバスターズ』はあるとき、三大女性誌に広告を出そうとして、所定の掲載料の支払いを申し出たにもかかわらず、かなわなかった。ふつうの広告が女性たちに欠落感を〔フロイト的な手口で〕与えようとするのとは異なり、ボツになった『アドバスターズ』の広告は、読者に向かって「ありのままのあなたが美しい」と語りかけるだけの内容だった。販売する製品は特になし。しかし、軒並み三誌とも掲載を拒否する。理由は簡単で（そう言いはしなかったが）、女性たちをいまのままの自分に満足させるのは、長期的に見て女性誌ビジネスの利益に反するのだ。

これを、人の情緒と心理、ひいては身体の健康を害する攻撃と言わずしてなんと言おう。製品やサービスの消費が増えつづけないかぎりやっていけない広告産業を、持続可能な経済に改良できると思ったら、大きなまちがいだ。

機械文明と、そのベルトコンベアから毎秒吐きだされるガジェットも、同様のはたらきをする。親類知己との深いつながりを、これまでも、これから先も打ちこわしつづけ、代わりに中毒性のある模造品をさしだす。

当然ながら、この模造品はとりあえず目新しくて魅力的に映るし、魔法びんと同じで、最初のうちは利点しか見えない。自社の商品を売りこむ企業も、製品のおよぼす影響を広告でうたったりなどしない。往々にしてそれらの影響は、人間らしく——動物らしく——あろうとするすべてに対して暴力的だから。

他の依存症と同様、これら中毒性の模造品は、その先行品に傷つけられた心の痛みを忘れさせてくれる。が、麻痺の効果はいつか薄れるものと決まっており、ぼくらはさらに強い刺激を追いもとめ、借金などのあらゆる束縛にからめとられていく。ラン・プリュールが警告したとおり、「どんなテクノロジーも、最初は鍵だが、最後は檻となる」【091】。

効率性がすべての社会

おどろくなかれ、昔からずっとこうだったわけではない。製品やサービスをただ消費するだけではなく、みずから進んで人生に参与していた時代もあった。自分の手で採集したり生産したり料理したりして食べていた。音楽や物語をつくって、たき火のまわりで友だちや家族や隣人に披露していた。木から思い思いの形に彫りだしたスプーンや椀を使っていた。酒も協力して仕込み、一緒に飲んでいた。

しかしだんだんと機械文明の亡霊がぼくらの心に入りこみ、取りついてしまう。いまや、多様性に富んだ人生、千通りの自分を千通りに表現できる人生を生きる代わりに、もっぱら特定の仕事に従事し、毎日毎時間同じようなことをくりかえしている。機械文明の「効率の最大化」というスローガン――不相応にもてはやされる特性――を体現しようとして。

「新自由主義者たちは『効率』という言葉をほとんど神聖視し、恥ずかしげもなく使っているが、この言葉がほんとうに意味しているのは、人間の尊厳を株価という祭壇に生《い》け贄《にえ》として捧げることである」【092】。マンフォードのうがった見立てによると、「力、スピード、動き、標準化、大量生産、数量化、統制、精度、均一性、けたはずれの規則性、そして何にもまして管理――これらが新しい西洋式の現代社会で合いことばとされた」のだ【093】。

効率性への執着は、地球上の多くの命を効率よく破壊してきただけでなく、真に持続可能で有意義な生計手段――かつて人間的な尺度でいとなまれていた仕事――の死も招いた。職人の手仕事による技能と速度は自動機械の機能効率性にたちうちできないから、人間の身の丈に合った生計手段はすでに絶滅危惧種リスト入りしており、モーリシャスで絶滅したドードーと同じ運命をたどるものと思われる。

意義ある仕事が消えていくのをことさらに嘆じる声は少なく、せいぜいリョコウバト〔乱獲のため二〇世紀初頭に絶滅した北米の渡り鳥〕の絶滅と同程度にしか認識されないが、実は毎週月曜日の朝、人は無意識のうちにそれを悼んでいる。目ざまし時計に起こされたとたん、「いまが金曜の夕方だったら」と願うときに。

産業主義の強要は、見えにくい構造的暴力を日々ぼくらにふるいつづけるし、イデオロギーである以上、改良の余地はまるでない。南フロリダ大学の宗教学教授ダレル・J・ファシングの説を信じるなら、「現代のテクノロジーは、文明の総体におよぶ現象となり、新しい社会秩序を決定づける力となった。この社会秩序のもとでは、効率性はもはや選択肢のひとつではなく、人間の活動すべてにおいて必須なのだ」【094】。

寿命と幸福度

機械文明が深刻な悪影響をおよぼしてきたのは、生計の立てかたや、日々仕事に追われるぼくらの情緒面・精神面にとどまらない。身体面でも非常に有害な結果を招いている。

すなわち、がん、心臓病、自己免疫疾患など、さまざまな産業病をつくりだし、おまけに産業のみがそれを治療できると思いこませる。そうやって、ひどく持続不可能な全地球規模のインフラ、この星全体の健康を（ひいては人類の健康をも）ぶちこわしにするインフラに、ぼくらをすっかり従属させてきた。

いまではひとつ残らず奪われてしまったかつての治療技術は概して、今日目標とされる最長寿命ではなく、最適寿命を生きられるようにするものであった。

もちろん、なるべく長生きしたいと望むのは自然なことだ。とりわけ、自然の生命サイクルからはるかに遊離したぼくらの文化においては。けれども、人工的に可能なかぎり長生きするのが人間の究極の目標だと考えている人は、こう問うてみたらいい。三〇〇歳まで生きられる最先端の薬が開発されたとしたら、われわれ自身とこの地球に何が起きるか。五〇〇歳までならどうか。消費をいまよりうんと切りつめたとしても、それだけの人口を地球は支えきれないだろう。現在の人口数にさえ対処しきれていないのだから。

したがってぼくらは、最適寿命と最長寿命が別物だという事実を受けいれねばならない。最適寿命とは、健康で自然な生きかたを与えてくれる寿命であり、健康で自然な生きかたとは、人間以外の生物コミュニティが同じように生きるのをさまたげない生きかたである。

そう考えると、長いほうがかならずしもよいとかぎらないのは明らかだ。もしもあと二百年長く生きたとしたら、いま以上にありとあらゆる体調不良に悩まされるだろう。人工股関節手術の心配だけではすまない。量は質の保証とならないし、量がいったん最適レベルを超えると、犠牲になるのは質だ。

アイルランドの女性は男性よりも平均で四年長く生きるから、この統計のみにもとづいて「女性は男性よりもよい人生を送っているはずだ」と言えば、当然、こう反論されることだろう。大事なのは人生の長さではなく質である、家父長制と男性支配の社会で、女たちが人生の質の高さを実感するのは男たちよりずっとむずかしいのだ、と。

だのにわれわれは、この誤った考えかたを文明社会にあてはめ、その長所を賛美するために寿命ののびを強調してやまない。まるでこれが、われわれがより有意義で幸せな人生を送っていると証明する最大の指標であるかのように。実際の人生は有意義でも幸せでもないくせに。

みずからに問うてほしい。自由で周囲の世界と密接につながった六〇年の人生を送りたいか、それとも、目には見えない檻のなかで八〇年の人生を送りたいか。さらにつけくわえると、長寿への強烈な欲望には、死に対する異常に激しい恐れが隠れている。それこそが、〈大いなる生命の織物〉との健全な関係のうちに生きていないことを強く示す指標である。

本当の幸福度を示す指標を一見すればわかるとおり、グローバル化した西洋社会の住人は、かつてないほど金銭的に豊かになったにもかかわらず、かつてないほど不幸である。機械文明イデオロギーが地球上のどこよりも幅をきかせる米国では、抗うつ剤の使用が急増している。一九九八年にこの種の薬を服用中の人は計一一二〇万人もいた。さらに二〇一〇年までには、倍以上の二三三〇万人に達した【095】。

まったくなんという社会をぼくらはつくりだしてしまったのだろう。これほど多くの人がこれほど不幸を感じていて、親密なつながりや、生きがいや、真のコミュニティと帰属の意識に欠けた世界で生きるつらさをやわらげるため、副作用の多い工業製品の薬を飲まずにいられないとは。憂うつ、孤独感、孤立感、欲求不満をかかえた人生を送る人が、他にもどれだけいることか。

「市民の服従」が招く大量死

警官、武装兵士、法律制度による実力行使や暴力は増大の一途をたどれども、犯罪率はいっこうに下がらない（強姦、強盗、暴行の発生件数は、二〇一〇〜一二年のあいだに三割以上増加した）【096】。健全で結束の強いコミュニティに生きる人びとなら犯さぬたぐいの犯罪が、今日われわれのあいだでは起きており、もちろん発生率もくらべものにならないほど高い。ただし、その種の犯罪に手をそめる者たち自身もたいていは被害者で、人間のつくりあげた文化全体の構造的犯罪によって、罪を犯さざるをえない境遇に追いこまれている。この文化を破壊しないかぎり、真に平和的な人生を創出できる望みはない。

産業文明がふるう最大の暴力は、おそらく、もっとずっと見えにくい性質を持つ。すなわち、機械文明はぼくらを地球から切りはなし、地球との密接なつながりを断ちきり、地球との共存意識をぶちこわしてしまったのだ。

ロロ・メイが『自分さがしの神話』で述べているように、「テクノロジーは世界をきれいに整理する技だが、そのためにわれわれは世界を自分で体験できなくなる」【097】。

ぼくらはもう、世界の豊かさを体験することがなくなった。草地に咲く花から花へと飛びまわる蝶を、ゆっくりめでる余裕はない。はだしの下に土を感じることもない。トム・ブラウン・ジュニアとちがって、人間の足あとを見るだけで、その人がどんな気分でそこを歩いたかを知ることなど、できやしない【098】。速度を落として、いまの瞬間に身をひたす時間も、過去の罪の意識や将来の心配から解放される時間もない。産業主義のイデオロギーや、それが要求してくる効率のせいで、小川やツバメやミミズをながめて、すべての命どうしがいかに分かちがたく結ばれているかを深く理解することも、もはやできなくなってしまった。

　こうしたおおもとの暴力から副次的な暴力行為が数知れず起きてくるのは必然で、ぼくらにとりついたこの亡霊を追いだすまで、けっしてやまないだろう。

　ぼくらの生活様式——産業文明が生んだ人間中心的な文化——が、それと気づかぬ瞬間にも生命に暴力をふるいつづけていることは、もう明らかになったにちがいない。より公正で生態系中心の世界に近づくための努力は、ことごとく、機械文明の解体に注ぎこむべきだ。ひとつ、またひとつと、ナットをゆるめ、ボルトをはずしていく作業に。

　ソローが『市民の反抗』で宣言したとおり、「諸君の生命を、その機械を止めるためのブレーキにしようではないか」。のちに彼はこうも述べている。「もしもぼくに後悔することがあるとしたら、それはおそらくぼくのお行儀の良さだ」【099】。

　支配者たちは、市民の反抗があたかも当世の脅威であるかのごとき印象を与えたがるが、実際そんなことはないし、いまだかつて脅威であったためしがない。歴史家ハワード・ジンも次のように訴えた。

問題は「市民の服従」にある。問題は、世界各地で多数の人が国家の命令にしたがい戦争に行ったことにあり、この服従のせいで何百万人もが命を落とした。〔中略〕問題は、世界中の人びとが、貧困、飢餓、愚行に直面しようが、戦争、残虐行為に直面しようが、従順であること。問題は、監獄がコソ泥であふれるのをよそに大泥棒が国を動かしているというのに、人びとが従順であること。それこそがわたしたちの問題だ。ナチス・ドイツを見ればわかる。ご存じのとおり、服従したこと、人びとがヒトラーの命令にしたがったことが問題であった。人びとの従順さがまちがっていたのだ。異をとなえ、抵抗すべきだった。あの時代に行けたら、そう教えてやれるのに【100】。

賢明な人なら、文化によって植えつけられた「暴力」「非暴力」の概念に過度にとらわれず、傲慢な人間至上主義の産物から世界のあらゆる美点を守る、効果的なアクションを起こすことだけを考えよう。

その昔、白人至上主義者（同時に人間至上主義者でもある）の存在や考えかたが正常とされ容認されていた時代があったけれど、過去半世紀のあいだにぼくらは、表面的にせよ、いくらか進歩してきた。いつか将来、人間至上主義者――ぼくら全員——についてもそんな語り草になっていたらおもしろいと思う。

さしあたり、人間至上主義の犠牲者を守り、ひいてはわれわれ自身を守る能力を高めるには、あらゆる信条の活動家たちが連帯しなければならない。

神秘主義詩人ルーミーはかつて言った。

「悪行と善行の概念を超えたかなたに野原がある」【101】

この野原でこそ、非暴力の抵抗者と手段を選ばぬ抵抗者とが出会い、互いの意見に耳をかたむけ、互いの使命を尊重するすべを学ぶべきだ。この野原から、機械文明への堂々たる抵抗が本格的にはじまるであろう。

第3章

改良主義は無意味

平和は勝ちとることも買うこともできる。悪に抵抗して勝ちとるか、悪に妥協して買うか。

ジョン・ラスキン

「シールドを下ろし降伏せよ。お前たちの文化はわれわれの一部となる。お前たちを同化する。抵抗は無意味だ」

これは、かの有名な『スタートレック』に登場するボーグのセリフだが、実は産業資本家――地球という惑星に生息し「分離の時代」に名をはせた病原体のような人種――からの盗用だったことを示す証拠が次々と見つかっている。

スタートレックのマニアでもなければクリンゴン語も解さないぼくみたいな人のために説明しておくと、ボーグとは、一部が生体で一部が人造の機械生命体と化した種族の集合体である。他の種族に恐れられつつ、日々、宇宙を渉猟《しょうりょう》してまわっては、他の宇宙船や社会や惑星に、自文化への同化を暴力的に強いている。感情を持った存在を、文化、知識、科学技術ごと取りこんでしまうのだ。「未知の」惑星や宇宙船に遭遇するや力ずくで捕捉し、住民や乗員を——身も心も——「ドローン」に変えて、ボーグ集合体自身の目的遂行の道具とする。かつてボーグの代弁者として同化されていたジャン＝リュック・ピカード艦長によれば、すべては同化される存在の「生活の質の向上」のためにおこなわれるのだという。

妙に聞きおぼえのある話だって？ それもそのはず、スタートレックの悪玉と産業資本家の役まわりは瓜二つだ。支配的文化の艦長たる産業資本家たちは地球上を渉猟してまわり、技術的に「遅れた」小さなコミュニティに、おとなしく自分たちの生活様式を取りいれるよう同化を強いる。

産業資本家が襲撃をくりかえす主目的のひとつは、先住民に土地のあけわたしを強要し、足下の鉱物やエネルギー資源を取りあげて安っぽいガジェットにつくり変え、ついでそれを先住民に買わせることにある。征服対象の貧しい未開人（頑迷で何が自分たちのためになるか理解できぬ人びと）を貧困から救いだし、生活の質を向上させてやる、と称して。

この謀略のはてに、被征服者のごく身近な人間関係にいたるまでが金銭に換算され、生活の知恵や、土地との結びつきや、人どうしの結びつきがおとろえ、ひいては文化全体がすっかり姿を消してしまう。

あまりの徹底ぶりに、征服された側もたちまち生活者の地位を捨てて単なる消費者となり、郷土の侵略者に従属し、その破滅的な生活様式に洗脳されてしまうほどだ。支配的文化はこれを実にたくみに進めてきたため、ワード・チャーチルの挑発的な（だが本質を突いた）言いかたを借りると、今日、米国と呼ばれる場所においては「白人支配がすっかり行きわたったので、アメリカインディアンの子どもまでがカウボーイになりたがる。ユダヤ人の子どもがナチスごっこをしたがるにひとしい」【102】。

抵抗は無意味か

クラウゼヴィッツが『戦争論』で示唆したとおり、侵略者側にとって重要なのは、支配下に置こうとする対象になんとしてでも「抵抗は無意味」と思わせること。孫子も「戦わずして人の兵を屈するは善の善なるものなり」と説いている。決闘やレスリングの勝負と同じく、戦争時にも「敵の抵抗能力を完全にうしなわせる」と同時に「敵の攻撃に対する抵抗能力を維持増強する」ことをめざすのである【103】。

これは、物理的に相手の生存手段を破壊することによっても、心理的に相手が抵抗しおおせる望みを打ちくだくことによっても達成できる。昨今、後者の試みは「衝撃と畏怖」作戦の形をとる場合が多い。抜け目ないプロパガンダのおかげで「イラクの自由作戦」と呼ばれるようになった米軍によるイラク侵略でも、この戦法が使われた（イラク国民の強い抵抗と暴動を受けて十分な効果はあがらなかったが）。

文明の周縁部で滅びゆく諸文化を見ればわかるように、産業資本家らのとる威圧作戦はしばしば成功をおさめる。機械文明によって同化吸収される民族集団が増えれば増えるほど、作戦は成功しやすくなり、盗みとる資源や文化が増えれば増えるほど、資本家は強力になる。これが資本主義の鉄則だ。

体制側が説くのとは裏腹に、抵抗は——暴力的な手法によるにせよ、非暴力的な手法によるにせよ、もしくは両方を組み合わせるにせよ——けっして無意味とは言えない。

まず第一に、最終的な結果がどうあれ抑圧に抵抗すること自体が、真の自尊心、尊厳、そして名誉を保つために重要である（第6章を参照）。人間自身をも含む生物共同体全体を苦しめる大規模破壊を目にしながら、ふさわしい反撃に出ないぼくらには、その感覚が恥ずかしいほど欠けている。

抵抗はまた、共通の侵略者に対して民衆どうしを結びつける原動力ともなる。

ピーター・ゲルダルルースは、一九四三年にワルシャワ・ゲットーで蜂起したユダヤ人の例を引く。「盗んだか、密輸あるいは密造した武器」を手に、ユダヤ人勢力は「数週間にわたり命を賭して戦い、つぶれかけた東部戦線に派遣される数千人のナチの部隊や補給物資を足止めしてのけた。戦わなくても戦っても殺されることはわかっていた。武装蜂起によって、命尽きるまでの数週間を自由と抵抗のうちに生き、ナチの戦争機械を減速させたのである」【104】。

そのうえワルシャワ・ゲットーの闘いは、ドイツ占領下の東欧各地で絶滅収容所やゲットーにおける反乱を呼びさまし、結果的に多数のユダヤ人の命を救った。特にソビボールとトレブリンカの二つの収容所は反乱発生後に完全閉鎖に追いこまれたため、弾圧対象者へのナチスの暴力が大幅に減じた。

奴隷アリの反乱

隷属を強いてくる者にはどんなに勝ち目がなかろうと抵抗する、この生まれつきの衝動は、人間界のみに見られる現象ではない。他の動物も、自分自身の自由を勝ちとる望みがなくても、抑圧者に抵抗することが知られている。

たとえばムネボソアリの一種は、毎年ライバルのアリに巣を襲撃され、さなぎをことごとく強奪される。征服者の巣へ連れ去られたさなぎたちがやがて成虫になると、住み込み奴隷として主人の家族の世話をさせられる。これまた聞きおぼえがないだろうか。

おもしろいのはここからだ。このアリを研究した生物学者が発見した意外な事実を、ワルシャワ・ゲットーの蜂起に加わった者なら即座に理解するにちがいない。学者たちは当初、さらわれたアリは繁殖機会を持たず何をしようと「進化の袋小路」にいたるわけだから、あえて反抗的態度はとらないだろう、と予測する。ところが、実際の観察結果はおどろくべきものだった。

このような体制のもとに生まれついて他の生きかたを知らない奴隷アリが、やがて主人の子(幼虫)の世話をやめ、結果的にその多くを死なせてしまう。しかもそれだけにとどまらない。集団で全面的な反乱を起こし、主人の巣の幼虫を皆殺しにしたりもする。

トバイアス・パミンガーら生物学者チームは頭を悩ませたすえ、一見やぶれかぶれの反乱も、当初思われたほど進化的に不可解ではない、と気づく。ようするにワルシャワのユダヤ人と同じなのだ。「蜂起した奴隷は自分自身を救うことはできないかもしれないが、近隣の同輩を襲う主人の数を減らすことができる」。

パミンガーが抑圧されたアリの観察をとおして明らかにしたとおり、抵抗しても意味がないと考えられるのは、〈皮膚に囲いこまれた自己〉の立場だけを考慮した場合だ。その場合でさえも、あとで述べるように、盗まれつづけてきた尊厳を人生に取りもどせるとすればけっして無意味ではない【105】。

真の勝利は多元的抵抗から

アリの群れとユダヤ人が経験上知っているとおり、歴史的に見て抵抗運動が成功をおさめたのは、抵抗側がいかなる手段も辞さぬと決意したときのみであって、教条的な非暴力主義に固執したときではなかった。

ただし、非暴力原理主義者らはこの事実を受けいれようとしないだろう。なにしろ、最大の勝利――インドの独立運動、アフリカ系米国人の公民権運動など――は平和的手段のみで勝ちとったと主張してきたのだから。これは歴史の危険な歪曲であり、平和主義者と国家によるプロパガンダにほかならない。

事の真相が非暴力の夢物語からかけ離れていたことは、第5章でくわしく述べよう。非暴力的手法もときに、事実上手段を選ばぬ運動の一環として活用され、一定の成功をおさめている（英国に対するインドの闘いなど）。しかし、こうした成功はたいがい、大いなる妥協を意味した。支配者の旗や制服の色が変わっただけで、搾取の構造はそのまま持ちこされたのだ。

暴力的手法が断然優位を占めた事例もある。たとえば、ベトナム人による武力闘争は、ついにアメリカ帝国主義者を国土から追いだした（米国の平和運動はあつかましくも、ベトナム戦争を終わらせたのは、南ベトナム解放民族戦線のねばりづよい武装抵抗や他の政治要因ではなく、自分たちがプラカードをかかげたためだと主張したが）。焼身自殺など、平和主義者による抵抗活動もささやかな役割を果たした。それでも、戦術の多様性を擁護する者は、けっして平和的運動の成果を否定したりしない。過去に成功をおさめた抵抗や変革がすべて自分たちの運動手法からもたらされたと主張するのは、非暴力と平和主義の信奉者だけだ。

真の勝利はつねに、多元的な抵抗をとおしてもたらされてきた。二一世紀初頭の変革運動は非暴力主義者に牛耳られてしまったが、本当に変化を望むならばこの事実を忘れないほうがいい。ワード・チャーチルも指摘する。

平和主義の諸原理にもとづいて革命が実現したことなど、ただの一度もなかった。実のある社会改造にしても同じだ。いかなる場合も、国家を変える過程には暴力が必須であった【106】。

圧政に抵抗する者が手に入れる尊厳はさておき、実際の状況にしても、抑圧する側が思わせたがるほど「抵抗が無意味」で「望みがない」ことはめったにない。古今、多くの抵抗者が（第二次世界大戦時のフランスの抵抗運動《レジスタンス》以前には「抵抗」と呼ばれなかったかもしれないが）強力な軍勢と闘い、抵抗せぬ場合よりもたくましくなった。実のところ、人間として当然の恐怖心、平和主義イデオロギーの支配、真の国際的連帯の欠如からなる、三種混合カクテルに毒されてさえいなかったら、自文化やコミュニティや郷土を抑圧から守りおおせた人たちがもっといたはずだ。かつてテリー・イーグルトンが皮肉ったとおり、「不可避と思われる状況に抵抗しなければ、実際にどれほど不可避なのかわかるわけがない」【107】。

あらゆる戦術を駆使し、不可避と思われた状況もそれほど不可避ではなかったと証明してみせた人びとの存在には、大いに勇気づけられる。マルコス副司令官をはじめとするサパティスタ（メキシコのチアパス州に本拠を置く革命組織）の構成員を見ればわかるとおり、抑圧者に勇敢に立ちむかうほうが、愛するモノや人が略奪され強姦されるのをただひざまずいて眺めているよりもずっといい（第6

章を参照)。エマ・ゴールドマンは「抑圧への抵抗は人として最高の理想」【108】とまで断言した。〈生〉に対する機械文明の抑圧を考えると、尊厳ある人生を送るためにどんな行動が必要かは明らかだろう。しかるべき手段で抵抗するのだ。

ニューエイジ的革命との決別

ぼくらに残された文化的多様性と生物多様性のかけらを保護しようと思ったら、断固抵抗しなければならないのは、世界の物的資本と社会関係資本の何もかもを冷たい現ナマに換算しつくそうと突きすすむ機械文明の歩みである。これから説明するとおり、改良主義的なアクションではこの行進を、よくて一時的に押しとどめるだけ、悪くすれば——耐えがたい結果を耐えうる程度まで改変するがゆえに——助長してしまう。

つまりは単純な話だ。この世界に、そしてぼくらの心のなかに、かろうじて残る美を守りたくば、反旗をひるがえさねばならない。強固で多様な抵抗運動の構築は、いかなる革命にとっても重要な一環である。

革命といっても、一部のカウンターカルチャー運動周辺でもてはやされる、ニューエイジ的な「内なる革命」のことではない。政治的革命の話をしているのだ。ある地域（ひとつの村、地方、または国）の人びとが少数者の手から権力を奪いとり、新しい社会関係形成のための道すじをつける、そういう革命のことだ。

必然的に多様な戦術を伴う政治的な「外側の革命」は、ニューエイジ（あまり好きなことばでないが）とゆるやかにくくられる運動内ではどうも評判が悪い。ここにつらなる人たちはたいてい、必要なのは「進化であって革命ではない」と主張する。そう言いはる人が忘れているのは、革命も進化過程のうちに含まれる、ただ特に激しい時期にすぎないのだということ。進化という大きならせんのなかで回転する小さならせんなのである。

新生児がこの世に自然に生まれてくるには、非常に強烈な一瞬、すなわちオーガズムを必要とする。新しい社会についても同じことが言えよう。革命は、新しい政体をこの世に生みだすオーガズムであって、一般に進化と結びつけられる改良主義的手法と変わらず、やはり進化の一部だ。革命が進化過程の外部にあると考えるなんて、どうかしている。何物も進化過程の外部では存在しえない。

ワンサイズの解決策はない

健全な文化やコミュニティを創出しようと思えば、こうした変革プロセスでただ支配者のネクタイの色を変えるだけではいけないのに、世界各地で起きている概して非暴力的な「カラー革命」【109】の成果は、ほぼそのレベルにとどまってきた。抵抗し反旗をひるがえす者たちは同じ轍《てつ》を踏むことなく、地球規模の産業資本主義を経済体制から除去する長期的プロセスに取りかかり、それぞれの場所ごとにふさわしい暮らしを組みたてはじめたほうがいい。

最終的に何が機械文明に取って代わるのかは、誰にも断言できない。この「ひとつの大きなアイデア」の欠如は批判されがちだけれども、定式化した解決策のない状態こそがかえって、闘いとる価値のある成果なのだ。人間みな似たり寄ったりとばかりに「誰にでも合うワンサイズ」の解決策を世界中の人（およびそれぞれ非常に異なる文化、価値観、風景）に押しつけようとする態度が、そもそもぼくらをこの窮地に追いこんだ大きな一因だった。

ポール・キングスノースが『ひとつのNO！ たくさんのYES！――反グローバリゼーション最前線』（河出書房新社）で明らかにしたとおり、近代史上とられてきたような、標準の政治経済理論を一律に世界中の人にあてはめるやりかたは、解決策とはなりえないし、そうすべきでもない。人間の生態系は、周囲の自然生態系の多様性を反映したものであるべきだ。

突発的な大変動によって（しかしたいていは何世代もかけて醸成されてきたプロセスが頂点に達したにすぎないが）現状が破綻するか、あるいは転覆させられるときには、その真空地帯を無数のあらたな解決策で満たさねばならない。いずれも、それぞれの民族のニーズや周囲の風景に即した解決策で。

過去の帝国の例にもれず、機械文明の帝国もいつか（文明自身の複雑さの重みで、革命家や抵抗者による「工作」【110】のせいで、あるいは諸力があいまって）滅びる。そうなったとき、こうした解決策は、死者の亡骸が分解されて肥えた土壌から有機的に芽ばえてくるだろう。産業資本主義の草木もすでにタネを落としてしまったが、地上に顔を出したのに気づき次第抜きとってやることが、次世代の仕事となる。

そういうわけで本書では、一般的な解決策を模範として押しつけるつもりは一切ない。どうしても傲慢さが鼻につくその手の解決策を、ほとんどのノンフィクション出版社が著者に書かせたがる。ぼくに言えるのはこれだけだ──おのおのが有意義だと思う方法で機械文明に抵抗し、いちばん夢中になれる側面に取りくもう。

それが具体的に何を意味するかは、きみ本人にしかわからない。

マリナレダ村の闘い

ただし、残忍非道な産業主義に対する抵抗のはじめかたについてヒントが欲しければ、マリナレダ村の人びとの経験を参考にするのも悪くない。アルベール・カミュがかつて「反政府運動発祥の地」と評したスペインのアンダルシア地方にある農村共同体だ[111]。

いまやスペイン人だけでなく国際的メディアまでが「共産主義者のユートピア」と呼ぶマリナレダの抵抗運動は、フランコ独裁終結後の一九七〇年代にアンダルシアの極貧状態から生まれ、ファン・マヌエル・サンチェス・ゴルディージョ村長と「もうひとつの世界は可能」と信ずる村びとにみちびかれて四〇年来の(いまなおつづく)闘いとなる。

ゴルディージョが村長に就任した当時、人びとの高い労働意欲にもかかわらず、マリナレダの失業率は六〇パーセントに達していた。代々の小作農だった村民らは、アナキズムの政治理念、および抵抗と闘争の歴史を共有する。それでも一帯の土地は少数の金持ちと有力者の所有下に置かれ、耕作する土地を持たなかった。食べ物にも事欠くほどであったため、一九八〇年に全村民の四分の一が「飢餓撲滅のためのハンガーストライキ」をおこない（残りの四分の三も同じく腹をすかせていた）、世界中の注目を集めた。

しかし、この村が世界の他の場所とちがうのは、避けがたく思われる状況をただ受けいれるのでなく「もうたくさんだ」と言って反撃に出たことだ。

貴族の不在地主にねらいをさだめて領地を没収し、人びとが共同で所有・運営するようにした。抵抗と革命の精神をもってあらたな暮らしをはじめるべく、たとえば通りの名前を「プラサ・デ・フランコ（フランコ広場）」から「プラサ・デ・アジェンデ（アジェンデ広場）」などと変え【112】、競技場の壁にチェ・ゲバラの肖像を描いた。ゲバラは、エミリアーノ・サパタ（メキシコの革命家）と並び、村長が好んで引き合いに出す人物である。村のモットーは「土地は耕す人のもの」。

アンダルシア地方で一日に四〇家族が自宅を抵当に取られていた時期に、住民が自分の手で建てたアパートを共同体の所有物とし、月額わずか十五ユーロ、すなわち一日の賃金の三分の一以下で住むことができる、新しい住宅供給制度をつくりだした。その賃金自体、スペインの最低賃金の二倍にあたる【113】。

共同体では、仕事を機械にまかせて効率化をはかるのでなく、人間の労働力をとりわけ必要とする作物をあえて選んで栽培した。あらゆる面にわたり人びとを苦しめていた失業状態を根絶するためだ。

ゴルディージョ村長みずからスペイン南部を行脚し、他の村長らに、債務を返済しないようたきつけてまわった。飢えに苦しむアンダルシア人民のため、ロビン・フッドさながら、スーパーから食料品を収用し、フードバンクに再配分しさえした。村には交番など置かなかった。トマス・モアが描いた架空の島ユートピアの住人なら理解するはずだが、窃盗は問題にならない。第一、もともと自由に利用できる物を盗んだってしかたないではないか。

ようするにこういうことだ。一見不可避な状況に対する反撃に出て、さしあたり大きな前進をみた。

しかしながらスペインの財政危機以降、人口二七〇〇の小村に認めてきた例外的運用を他の自治体にも許容する余裕は、国家エリートたちにもない。だから、この変革手法が勢いを得てイベリア半島全域に広がりだせば、スペイン政府と国軍は手段を選ばず火消しにかかるにちがいない。そのときこそは、歴史が教えるとおり、このアンダルシア人のような人びとがそれまで懸命に勝ちとってきた暮らしを守るために、あらゆる戦術をとらねばならなくなるだろう。のみならず、万一、ゴルディージョと同志らの抵抗が革命に発展し、制度化した権力構造を攻撃しはじめたなら――国家の財政援助（マリナレダは可能なかぎり利用している）を乞わざるをえない境遇を村民を含む数百万もの人びとに強いた元凶の権力構造には、早晩誰かが手をつけねばならないが――、国家の反応もかなり異なってくるはずだ。

よって、マリナレダや（あとで述べる）チアパスなどの地から、次の教訓が得られよう。文化のすみずみにまで侵略の手をのばす機械文明に対しては、コミュニティのいま現在の事情にふさわしい手段を用いて抵抗すること。と同時に、そもそも抵抗せざるをえない状況に追いこんだ当の政治経済体制を、根底から変えるための基礎づくりにも、忘れず着手すること。さもないと、未来永劫、闘争状態のなかで生きつづけるはめになる。

〈生との戦争〉を食いとめるには

生態系のためにも社会のためにも政治経済的な革命が必要だと論じてきたが、だからといって内なる革命が不要だという意味ではない。むろんそれも必要である。それなしでは、同じあやまちをくりかえすばかり。内なる革命が伴わなければ、これらの身体症状は何度でもぶりかえし、病は再発するだろう。

言わずもがなのことをぼくは指摘しているだけだ。多くの人が経験している内なる革命がどこかの時点で外側の革命に変わらぬかぎり、種の大量絶滅は依然としてやまず、大人になったら事実上の奴隷として一生を送るしかなさそうな世界に子どもらは生まれ、グローバル化した西洋は文化帝国主義で世界中を荒らしつづけるだろう、と。

ゆがみの少ないレンズ越しに未来を見なければ、深みと持続性をそなえた何かの創造に全力を尽くせる望みはない。技術の進歩で死神を食いとめられるなどと、ていよくだまされつづけるのがオチだ。どんな新しい技術も、自然界をくまなく収奪しつくすまで止まらない（止まれない）産業インフラへの従属を深めるのに役だつだけだ、ということは経験から学んだはずなのに。

ぼくらも荷担している機械経済は〈生との戦争〉に総力をあげている。戦争のさなかに、まるっきり無意味なのは改良主義のほうであり、抵抗ではない。

考えてもみたまえ、侵略してくる軍隊を理屈で改心させようとする無益さと狂気を。統計、データ、プレゼン用スライド、理路整然とした議論でもって、何ゆえわが民の征服が不当か、長い目で見て侵略者自身のためにもならないかを説き、それにもとづき平和裏に自国領へ撤退すべしと諭すなんて。

あるいは、地道にひとりひとりを「平和部隊」へと変容させ、当初は同化吸収や絶滅の対象ととらえていた相手の支援にたずさわらせようとするなんていうのも。バカバカしいほど世間知らずな考えだとは思わないかい?

それなのにぼくらは、複雑に織りなされた〈生〉を引き裂いては突きすすむ怪物を、このような改良主義的な手段で食いとめる望みがあるかのごとく、自分をあざむきつづけている。

産業文明は、侵略軍と同じく帝国主義的な目的を持っており、その土地にもともと住んでいた人間や動植物から見れば、侵略軍以外の何物でもない。地球解放戦線(ELF)の元スポークスパーソン、レスリー・J・ピカリングもこの視点に立つ。

環境保護を名のる活動のほとんどが、国家公認の社会変革手段でなされている。だが、まさに抑圧を可能にし奨励している当の体制から、解放への道すじが提供されるなどと期待するのは、はたして理にかなっているだろうか【114】。

わが改良主義の失敗

改良主義的手法の失敗を説明するのに、ぼく自身の過去の活動ほどいい例はない。いまでこそ改良主義を改めつつあるぼくも、長年、表面的な改良に力を注ぎつづけていた。

まったくお金を使わずに暮らした「カネなしの三年間」の前に、「アブラなしの一年」というのをやったことがある。これは地域に根ざして暮らす実験で、プラスチックなど石油由来製品の使用をみずからに禁じたのだ。個人的にも興味ぶかい経験だったし、メディアにもある程度注目されたため、電子メールや対面で寄せられた感想によれば、他の人たちが化石燃料や過剰包装の使用を減らすきっかけも提供できたようだ。

それのどこが悪いのかと思われるだろう。一面ではちっとも問題ない。化石燃料を使わずに生活し、今日のような暮らしの文脈内でもそれが可能だと示すのは、もちろん、多くの人にとって有益な取りくみたりうるし、〈産業主義の時代〉以後の状況に備えた心づもりにもなる。

問題は、ぼくのとったたぐいのアクションが、地球上の生命の暴力的破壊という現実に対して何か実のある変化をもたらすかのごとく、勘ちがいされてしまうところからはじまる。産業主義全体を相手にした、いかなる手段も辞さぬ積極的な抵抗運動の一環として実行するのでなければ、そんなアクションはてんで役にたたない。役だちえないのだ。

数ガロン程度を節約したからといって、石油会社は「見上げた決断だ。同じ量だけ地中から掘りださずに残しておいてやろう」などと考えたりしない。いまの機械文明の圧政下においては、その数ガロンも他の原油も区別なくドリル掘削され、販売される。もっともよごれていて抽出困難な原油さえ、一滴も残さずに。

世界中で石油由来製品を燃やしているスピードを思えば、石油を使わないというわが決断が〈産業主義の時代〉の寿命を一ミリ秒たりともちぢめたか、それとも実は延命したのか、ぼくにはわからない。どっちにしても誰がかまうものか。たかだか一ミリ秒だ。

需要と供給の関係は資本主義の基本だから、たとえ数千人規模で石油を使うのをやめたとしても、現実に起きるのは原油価格の一時的下落くらいだろう。となると、石油を燃やしつづけるのにためらいを感じない人たちは、ますますよけいに使うにちがいない。きみが資源を節約した分、誰かが安く石油を買えるわけだ。どうも本来の意図とずれてしまう。

仮に、石油を一切使わないことに百万人が同意したところで――生態環境に関心の薄い一般人はもちろん、環境保護主義者のあいだでもまずありえない話だが――石油会社は生産をつづけ、地球から最後の一ガロンを抽出しつくすまでやめないだろう。カナダにおけるオイルサンドの例に見るとおり、どんな手を使ってでもすべてを掘りつくそうとする姿勢は強まるばかり。政府にしても、エネルギー会社に掘削を禁じる政策をとったりはせぬから、そんないつわりの望みにも見切りをつけていい。政治家らは政治献金や賄賂《わいろ》や税収に依存しきっていて、そのような政策をとおすことなどできやしない。

カネなし生活は機械を止めたか

マハトマ・ガンディーの「世界に変化を望むなら、みずからがその変化になれ」ということばに大きな感銘を受けたぼくは、石油なし生活実験ののち、世間からさらに極端だと言われたカネなし生活実験へと歩を進める。

人類は地球上に登場して以来、気が遠くなるほど長いあいだ、石油もお金も使わずに生きてきた。また、忘れられがちな事実だが、人間以外の野生生物はいまもそうやって生きている。それを思うと、どちらを使わないのもなぜ極端な暮らしと見られるのかわからないが。

　このときも、ぼくの取りくみがきっかけでお金とのつきあいかたやニーズの満たしかたに疑問を持つようになったと言ってもらえた。同じくお金を使わず——あるいは少なくともお金への依存度を下げて——暮らしはじめる人も増えてきた。

　だが、率直に言おう。命のかがやきと美をカネに換えようとする機械文明の猛攻に対しては、ちがいと言えるほどのちがいをもたらしたか？　まるっきりゼロだ。

　ぼくがカネを使わずに暮らしているあいだじゅう、われわれの政治経済体制はあいもかわらずGDPの引き上げに余念がなく、世界中のすべての政治家、企業経営者、マーケティング専門家、悪徳資本家（と巨万の資金）が非公式のイデオロギー的協力関係を結び、いかなる犠牲を払おうとショーを中断してはならぬとばかり、日夜はたらきつづけていた。

　もちろん、仮に全員が貨幣経済から抜けだせば、ぼくらのつくりあげたこの複雑な金融制度は砂上の楼閣のごとくくずれおち、金融帝国も、生物共同体や人間の（身の丈に合った）コミュニティを破壊する能力をうしなうだろう。

パーマカルチャー考案者のひとりデビッド・ホルムグレンも同様の考えに立ち、家計と地域コミュニティ経済の脱貨幣化だけが唯一の希望であると述べている【115】。ぼくらの美しい世界をなるべく多く救出し、欠けた部分に、よりくつろげて、より有意義で、親類知己とより深くつながった何かを出現させるには、その方向性しかない、と。だが、ここにはいくつか問題がある。

まず、現行の政治経済体制を打倒し、代わりに脱中心的な社会関係を新しく確立していかないかぎり、そのような移行は、一部をのぞくほとんどの人にとって不可能だろう。家賃や住宅ローンの支払いをかかえていれば、産業主義のベルトコンベアに乗っかって職を得る必要がある。現代生活のあくなき金銭的要求を満たそうとするかたわらで、生態系や社会正義（どちらも学校では教わらない）について十分に学ぶ時間など、誰が持てるだろう。ましてや、なんらかの政治的活動に打ちこむ時間などは。

たとえ時間を捻出できたとしても、生態系や社会や個人に関する人類共通の課題に取りくもうというとき、脱貨幣化のような浮世ばなれした筋書きの可能性に、すべての希望を託したいと思えるだろうか。そんなふうに思うのは、頭のおかしいヤツか、ガチガチの改良主義者ぐらいだ。

この世に望む変化にみずからなるのにも限界があって、暴力的な産業主義の終焉《しゅうえん》という大変化を望む場合、「変化になる」のはむずかしそうだ。いったいどうしたら個人レベルで「産業主義の終焉」になれるのか。問題のあらゆる面に多様な手法で取りくむ必要性を自覚した広範な抵抗運動を伴わぬかぎり、単なる個人の選択だけでは無意味だ、と認めざるをえないのに。

だからといって、「変化になる」行動が非建設的だと言いたいのでもなければ、その経験が深遠な影響を当人におよぼし、理屈ではかり知れぬさまざまな理解や人生の目的の変化をもたらすことを、否定したいわけでもない。きみの体現する変化が周囲に何の影響も与えないと言うつもりだってない。ある程度の影響を与えるのは当然だ。真空地帯に生きている人間などいないのだから。

言いたいのは、つまりこう。政治レベルの課題にこのような個人主義的手法で取りくんでも、単独ではまるで十分たりえない(その取りくみ自体、自由主義や〈個人の選択〉という教義のあらわれであり、その奨励者はおもに資本主義を支持し実践する人びとだ。ためしに「資本主義と国家の外側で生きる」と決めたとき、実際にどれだけの選択肢があろうか)。あたかもそれで十分かのように考えるのは、政治的現実から遊離した幻想、錯覚である。〈全体〉と調和した生きかたの創出を願うなら、「変化になる」取りくみは、多元的な抵抗――必要とあらば革命――の一環としなければならない。

クリックティビズム、エコ消費、トランジション・タウン

もちろん、もっとマクロな次元で体制の改良を試みる活動も存在し、多くの人が努力を傾けている。改良主義の一形式である署名活動を例にとると、今日の病弊の比較的軽い症状の緩和や予防に、ときおり小さな成功をおさめてきたのはまちがいない。署名活動の役割はそこにあるのだから、多くのツールのひとつとして、役だつかぎりは使いつづけるべきだ。

問題は、クリックティビズム（クリックとアクティビズムの合成語。オンライン上で気軽にできる社会運動）でぼくらが「社会に対するつとめを果たしている」気になってしまうこと。とともに、いまマウスをクリックしているコンピューターの製造過程で流された血を、都合よく自分の手から洗いながしてしまうことである。

そのような活動形式で危険なのは、病的な文化のふるう暴力を阻止できる可能性を秘めたアクション――マウスをクリックする運動に匹敵するほど、何百万もの参加者を集められたら、の話だが――の代用品とされがちな点だ。

はからずもネット署名は、自己満足を得る便法《べんぽう》と化した。自分たちのコミュ

ニティや土地の収奪に荷担している罪悪感を軽減してくれ、しかも、自分が恩恵を受けている政治経済体制はたいしておびやかさない。

クリックティビズムがはやるのも不思議はなかろう。署名したすべての問題について何かをした気になれる一方で、すべての問題の元凶たる体制から生みだされるテクノロジーを享受しつづけられるのだから。

グリーン・コンシューマリズム――「緑の消費主義」とはそもそも形容矛盾だが――は、特に活動に参加しているという意識を持たぬまま、人びとが進んで体制を改良しようとする、おそらくもっとも一般的なケースである。他の市販品とくらべてより環境にやさしい製品を選んで買う行動をさす。どの程度「環境にやさしい」かは、「よりやさしい」「よりやさしくない」などとつねに相対的に（絶対的ではなく）語られる。

短期的に見れば、機械文明から提供される最悪の製品を買うよりは「エコ」な製品を買うほうがまだ破壊度が小さいが、さほどほめられたことでもない。

長期的に見た場合、経済学と生態学の知識をいくらかでも持ちあわせた人には、明らかにバカげて映る。コンシューマリズム（消費主義）とはモノやサービスを際限なく買いつづけろと奨励するイデオロギーであって、総じて膨大な資源とエネルギー投入を必要とする事実は、いくらリサイクル材を利用しようとも変わりがない。真の持続可能性への道をカネで買おうとするなんて、純潔を性交で手に入れようとするのにおとらず滑稽だ。

おとろえゆく惑星をすこやかに栄える場所へと再生するのにグリーン・コンシューマリズムが役だつと主張する環境保護主義者は、共産主義にいたるもっとも効果的な道は資本主義だと言うマルクス主義者のごとし。

トランジション・タウンのプロジェクトもまた、改良主義的な変革手法の一例だ。化石燃料への依存を減らしつつ外的な衝撃からの復元力《レジリエンス》を高めるよう世界各地の地域コミュニティにはたらきかける、ローカルな構想のグローバルな運動である。「トランジション・ネットワーク」は、世代を問わずコミュニティの持てる力を結集してエコサイドやコミュニサイドの問題にふりむけることができる、近年まれな活動のひとつであり、その点については称賛にあたいする。しかしながら、もっと広範な、政治経済的保守体制の徹底的変革をめざす抵抗運動の文脈内で展開されぬかぎり、状況の耐えがたさをいくらかやわらげてしまう——多くの面で結構な——手腕も、長い目で見るとかえってあだになりかねない。

政治と極力距離を置けば、コミュニティ内で幅ひろい層の住民を社会運動に巻きこむことが可能になるが、一方で、徹底した変革に真剣な関心をいだく多くの人のかぎられた時間とエネルギーを、のちの世代からすればえらく不適切とも言える努力に浪費させてしまう事態は避けられない。

政治経済体制の徹底的見直しを長期目標にかかげる（「資本主義と産業主義は本質的に改良不可能」との認識も共有する）広範な抵抗運動がまず存在したうえで、そこにゆるやかに属する一部分となるなら、トランジションの活動も、きっと地球上の命のために最大限役だってくれよう。さもなくば、むしろありがた迷惑で、抜本的な社会変革を求めてやまぬ人びとを横道にそらしてしまうかもしれない。

地域通貨とオルタナティブ経済

通貨改革提唱者の多くは、貨幣のグローバルな性質と創造過程が問題なのであって、貨幣という概念そのものが悪いのではない、と誤解している。だから代替通貨や地域通貨に期待をかける。ぼくらが生きてはたらいているこの世の中のしくみを、オルタナティブな通貨によって改良できるというのだ。

生態学的視点から見たとき、この変革手法には次のような問題がある。

域内経済交流をうながすための地域通貨も、当該地域の実体経済における地産地消の度合いを超えてはローカル化(地域化)を実現しえない。もちろん、ほぼどこでも生産できる単純な品(生鮮食料品など)に関しては、地域通貨でローカル化を促進可能だが、本来的にグローバルな性質を持つような部品を使用した、複雑な製造過程のローカル化には役だたない。よって、産業規模の欲望に満ちた産業文化のうちにぼくらがとどまり、地球のあちこちから部品を調達せねばならぬテクノロジーを使いつづけるかぎり、多少とも意義ある程度まで貨幣をローカル化するなど夢物語のままだろう。貨幣の規模は、経済のグローバル化の度合いと連動せざるをえないのだから。地球規模の経済体制には地球規模の交換メカニズムが必要となる。その必要度は、ぼくらが真に持続可能である度合いや〈生〉を重んじる度合いに反比例する。

社会正義の視点から見ても問題が存在する。

政治経済的権力の持ち主らが特権的地位を保てるのは、現行の腐敗した貨幣制度が維持されているおかげで毎年計数兆ドルをかせぎだせるからなのだ。これに関しても、ぼくが賭け事好きだったとしても、権力者たちがみずから抜本的な通貨改革に賛同するほうに、五ポンドだって賭ける気にはならない。権力者らはこれまでどおり、現状維持のためにあらゆる手段を尽くしつづけるだろう。

これぞ、通貨改革主義者も無視してとおれない政治的現実である。

だから、同じエネルギーをついやすなら、機械文明――昨今はみずからを回していくための財政的アブラの生産が主目的化したかのような機械――の歯車への抵抗についやすほうがいい。機械がきしんで停止したあかつきには、おのずと必要にせまられて、各種の地域通貨や、「贈与文化」【116】などの代替経済制度が台頭してくるはずだから。部分準備銀行制度だけが悪いのではなく産業文化全体に問題の核心があることを認めたとき、ぼくらはようやく、思想的に芯まで腐って救いようがない金融制度の改良に、貴重な時間とエネルギーをつぎこむのをやめるのだろう。

とはいえ、産業帝国にもいつかはおとずれる滅亡ののちにぼくらがつくりだす経済構造にとって、通貨改革主義者による議論や試みは非常に参考になる可能性がある。ただし何度もくりかえすとおり、より広範な抵抗運動――とりわけ機械化、金銭換算を阻止し、ひいては〈生〉や生きがいの源泉の破壊を阻止することをめざす運動――の文脈内でおこなわれた場合にかぎるが。

専門家によるロビー活動や、環境保護のための新しい法令を制定する試みにも、やはり限界がある。ボリビアで制定された「母なる地球の権利の法律」（129ページを参照）にしても同じだ。

世界中どこの政府であれ、まさにみずからの依拠する慣行を非合法化することなど、できないし、する意志も持たない。世界中どこの裁判所であれ、まさにみずからの依拠する慣行を非合法化することなど、できないし、する意志も持たない。裁判所も議会も概して都市に本拠を置き、膨大な外部資源の移入に全面的に頼りつつ業務を遂行しているのであって、この資源移入は、（通常は）合法ながらも暴力的で、資源産出地の大規模破壊をもたらす。

真に平和的で持続可能な暮らしをつくりだすために終わらせる必要があるのは、こうした合法的慣行だが、現行の支配体制が非合法化しえない――するつもりさえない――のも、これらの合法的慣行なのだ。

自浄作用なきメディア

また別種の改良主義的試みとしては、体制の枠内でおこなわれる教育啓発活動も同様の限界をはらんでいる。主流文化もカウンターカルチャーの領域も非暴力主義と産業主義に牛耳られているため、世の中を変えられるほど急進的・革新的な思想がまともに人目に触れる機会は、めったにない。こうして本書が世に出たのは、出版メディアが自負するほど多様な言説に開かれているからというより、版元の勇気と豪胆さのあかしである。

だから、持続可能な暮らしがマスコミに取りあげられるとしても、ほんの少し環境にやさしくなるヒント（電球の交換やプラスチックのリサイクル）ぐらい。取るに足らない変化しか生まない行為だけど、なんとなくいい気分にさせてくれる。ときに「沈みゆくタイタニック号の上でデッキチェアを並べかえる」と表現されるアプローチだ。

ディープ・エコロジーなどの考えかたを、よほど誠実なメディア以外ではまず見聞きしないわけは、つまるところ、裁判所がかかえる問題と変わらない。みずからの理論的・実際的基盤に対立するような思想を支持し広めること、最終的にみずからが消滅して真の意味で〈生〉にやさしい営為に取って代わられるような方向性を推進することは、一機関にとってむずかしいのだ。

こうしたイデオロギー的制約が存在するため、メディア業界に対し目に見えるほどの改善をほどこせる可能性はまったくない（英国で倫理にもとる新聞報道の規制について提言をまとめた「レベソン委員会」は、わずかな業務改善案さえも、新聞界の顔色をうかがう政治指導者らににぎりつぶされることを世に知らしめた）。イデオロギーの万力のように大衆の心をがっちりつかんでは、意味ある社会変革への深刻かつ手ごわい障壁となる。なにしろメディアは、広告収入源の大企業と、野心的な編集者が親しくつきあう政治家と、ビジネスモデル上依存する軍産複合体と、ひさしく以前から癒着してきた。

いや、メディアと大企業が癒着しているとの言いかたは正確さを欠く。実際は、メディア自体が大企業なのだ。メディアを所有する人物が、客観的に報道すべき対象の企業や団体や現象の株主であったり利害関係者であったりするケースが少なくない。ルパート・マードックなどはわかりやすい例だが、問題は一般に考えられている以上に蔓延しており、しかも目につきにくい。

株主のためのジャーナリズム

ぼくの住むアイルランドで目下取りざたされているのが、水の使用料を国民に課すための水道メーター設置の問題だ。

メーター制導入のおもな理由は、六年前に銀行家が国を破産寸前に追いこんだためで、納税者は国際通貨基金(IMF)などの機関に財政支援を乞わざるをえなくなった。アイルランド政府への融資にあたってIMFの出した条件のひとつが、それまで無料だった家庭用水の料金取りたてを政府が開始すること。条件の裏にはもちろん何か魂胆があるにちがいない。

国民は武器を取って立ちあがり……こそしなかったけれど、庶民の声を届けようと大挙して街路にくりだした。ところが新聞各紙は、政治家と同じく、そうした声を聞くつもりがないらしい。

ある日ゴルウェイの街で売店の前をとおったとき『アイリッシュ・インディペンデント』の見出しが目に入ったが、アイルランド政府による公式発表さながらであった。政府は当時、この水道料金徴収法案を何がなんでも通過させたい非民主的な諸機関からの、強い圧力にさらされていたのだ。国内随一の部数を誇る日刊紙の一面記事は、新規設立された公益企業アイリッシュ・ウォーター社との水道供給契約に同意した場合に受けられるあれこれの特典や、拒否した場合に課せられるあれこれの罰金を並べたてていた。定番の「アメとムチ」方式だ。

過労にあえぐ記者がプレスリリースを引き写しした記事は近ごろ多いけれど、とりわけこれはジャーナリズムも批評精神もまるで欠いているように思われた。新聞記事というより、非常にカネのかかった広告に近い。

そこで帰宅したぼくは、わが国を代表するジャーナリストたちも当然おこなっているはずの基本的調査をしてみたところ、新聞に書かれていない興味ぶかい事実を発見した。『アイリッシュ・インディペンデント』を傘下に置く巨大メディア企業の最大株主であるデニス・オブライエンが、水道メーターの設置契約を勝ちとった業者の株式をも、誰よりも多く所有しているというのだ。でっちあげようとしてでっちあげられる話ではない。

アイルランド国民にとってさらに屈辱的なことに、やはりオブライエンの息のかかった石油会社トパーズが、アイルランド警察の全護送車に燃料を供給する二千万ユーロの契約を受注した。その警察はといえば、水道有料化反対デモで無抵抗の抗議者らに暴行を加え、その様子をビデオがとらえている。当然ながら翌日のメディアは、デモ隊の側の暴力が許容範囲を超えたと非難したが。

どうやら、誰かが水風船――報道によると「水爆弾」――をジョアン・バートン副首相に投げつけたらしい。ジョブズタウン（ジョブの名に反して失業率がひどく高い町）を通過する彼女に二時間足止めを食らわせているあいだ、運転手つきの超高級車を人びとはたたきつづけたのだった。いつものごとく、こうした草の根的な下からのアクションが、翌日のメディアで「テロリズム」「暴力的」のレッテルを貼られる（エンダ・ケニー首相は車の一件を「誘拐」に近いと、ことさらに言いたてた）一方で、首都ダブリンで女性を投げとばして金属柱に激突させた現場をビデオ撮影された警察に関しては、なぜかひとつの記事も出ない【117】。被害者の女性が大ケガをせずにすんでよかった。

アイルランドでは、〈軍－産－メディア〉複合体はさほど複合的でないと見える。基本的に同一人物なのだ。

以上、かいつまんで述べた理由により、改良主義的な努力だけではぼくらの生活様式を実質的に変えることができない。

だがもっと重大なのは、改良主義的手法が単に無意味なだけでなく、長期的には逆効果で、何もしなかったときよりかえって状況を悪くしかねない点である。

そう言われてもピンとこないかもしれない。理不尽な世界でまともなコミュニティを創出しようとする努力が、長期的にせよ短期的にせよ、いったいどうしてぼくらの人生の改悪につながるのか。デモで警官をハグすると、誰がどう不利益をこうむるというのか。

砂糖をまぶしたドクニンジン

暴政者に向かってお手やわらかにと嘆願するがごとき、かずかずの無益な活動に労力を浪費させられる点もさることながら、改良主義の真の危険性は、本来ならば耐えがたいはずの状況をそこそこ耐えられる状況に変えてしまうところにある。

今日の産業社会には、過剰に加工された食品と同様、毒性を持つ添加物がいろいろ入っている。ただ砂糖をまぶしてあるため、産業主義がドクニンジンと同じく人間の命にかかわることを、ぼくらは忘れがちだ。

この観点はローザ・ルクセンブルクも、二〇世紀初頭に著し世の中に多大な影響を与えた小冊子『社会改良か革命か』で論じた。プロレタリアとブルジョアジーのあいだの階級闘争という当時の政治的文脈は変わろうと、彼女の考察はいっこうに古びることなく、現代人が直面するジレンマにもあてはまる。

『社会改良か革命か』は大筋において、〈修正主義〉および〈改良主義〉のイデオロギー——特に同じドイツ社会民主党（**SPD**）**[118]** の党員だった修正主義者エドゥアルト・ベルンシュタイン——に対する反論である。これらのイデオロギーは、第二インターナショナルのマルクス主義者たちのあいだで激しい内部論争のまととなったのち、ヨーロッパで勢力をのばしつつあった。

この小冊子で彼女は、資本主義を改良して社会主義を実現できると信じるベルンシュタイン(のちに「第四インターナショナルの過渡的綱領」を発表したトロツキーにも多少はあてはまるだろう)を、夢想家のユートピア主義者と断じた。さらには、著名な空想的社会主義者シャルル・フーリエになぞらえさえしている。

協同体ファランステールによってすべての海水をおいしいレモネードに変えるというフーリエの計画は、たしかに空想的な考えである。しかし、社会改良主義のレモネード瓶を少しずつ注いで資本主義のにがい海を社会主義の甘美な海に変えようというベルンシュタインの提案も、風味の点でおとるにせよ、空想的であることに変わりはない【119】。

社会改良が産業主義を強化する

改良の余地のない政治構造を改良するのが不可能なことは、自明の理だ。そう考えたのは、ローザ・ルクセンブルクだけではなかった。

「不可能主義《インポッシビリズム》」と呼ばれる一派の主張によれば、社会主義の実現という目的にとり、よくて見当ちがい、悪くすると逆効果になるたぐいの社会改良に、社会主義運動は関与すべきでない。社会主義者たるもの、単に社会の改良を進めるのではなく、革命による社会変革めざして努力すべし、と言うのである。

マルクス自身も、一八五〇年に開かれた共産主義者同盟の中央委員会でこう演説していた。

民主主義的プチブルジョアは労働者の賃上げと生活保障を求め、国家雇用の拡大と福祉政策によってこれを達成しようと望む。ようするに、表面をとりつくろったほどこしで労働者を買収し、耐えられなくもない状況を一時的につくりだして労働者らの変革力をくじきたいのだ。

社会主義と共産主義の代表的思想家を引き合いに出したからといって、二つのモデルのいずれかで現在の危機を解決できると言いたいわけではない。どちらの政治経済体制にしろ、昔もいまも、程度の差はあれ人間中心主義的であり、産業主義にすっかり心をうばわれている点では今日の資本主義とさほど変わらない。ただ、眼前の課題群に応用できる論理を参考に供したいだけだ。

この論理を昨今の文脈と奮闘努力にあてはめて、序章で紹介したローザ・ルクセンブルクのことばをもじると、「環境と社会の改良が進むにつれ、産業主義がひっくりかえるどころか逆に強化される」。

権力者らは、産業主義の覇権を寸分もおびやかさぬ範囲の改良（カーボンオフセットなど）を許すことで、さらに意義ぶかい改良も達成できそうな印象を与え（実際はできないのだが）、みずからの帝国にとって将来痛手となりかねない不満のガス抜きをさせている。

その手の改良はまた、ぼくらが真の民主主義社会に生きているという通俗的神話を補強する。政治判断をくだす際に考慮されるのは国民の利益であって、権力者の友人やイデオロギー上の伴侶――すぐ近所の金融街ではたらき、四年ごとの選挙時には政治資金を提供し、お高いレストランのディナーもおごってくれる人びと――の利益ではない、と思わせてしまうのだ。

関連してもう一点。そのイデオロギーの枠組み内でも小さな改良をある程度まで達成できるというかすかな希望を持たせることによって、産業資本主義は、カフカの寓話「掟の前で」に登場する門番の役を演ずる【120】。門番は、田舎から出てきた男をどうしても掟の門のなかへ入れようとしない。二人がつのらせる敵意は、典型的なクラウゼヴィッツ的対立状態を招じるも、男は結局「いま はだめだとこばみながら、いつか入れるかもしれない可能性をにおわせる、改良主義的な門番の態度に懐柔されてしまう」【121】。

まさしく今日、支配的文化の門番たちがとっている態度にそっくりだ。忍耐の美徳をもうしばらく発揮しつづけてさえいれば、産業資本主義のメカニズムをとおしてでも十分望みのものが手に入るかもしれない、という無益な希望をぼくらにいだかせ、事態に見あった大がかりな行動に走らせぬようにしている。もちろん、いつまでたっても、真の変革のかすかな予感以上の意味ある何かに手が届くことはない。永遠に、あと少しで届きそうなままなのだ。これも〈企業—国家〉連合体による策略のうちで、アナキズムの価値観を奉ずる人びとが「回収」と呼ぶものに似ている。

有毒な代用品を拒絶せよ

国民に奉仕すると言いながら、国民の反発をたえず管理統制せずにはおかない体制側は、アメとムチを使いわける。抑圧がムチだとしたら、回収がアメだ。

回収とは「現行の権力構造からの離反を試みる者たちが、当の権力構造を勢いづけたりさらに強力な構造を生みだしたりするよう誘導されてしまう」過程である。通念に反して、ピーター・ゲルダルースが述べるとおり「民主的社会における闘争は、弾圧よりもむしろ回収によって敗北するケースが多い」【122】。「真の民主主義体制」をもって自任する国家は、社会の平和という幻想を維持し、国が物理力や暴力を行使するのは例外的な場合だと（実際はそれが通常の場合だが）人びとに信じこませる必要がある。そこでカフカの門番のようにふるまうわけだが、いまいい子にしていればあとでおいしいお菓子をもらえるかもしれないと期待させる（ただしいつまでたってもお菓子は与えない）のと同時に、カビがはえかけたパンを即座に与え、これで飢えを満たせばお菓子のことを忘れるだろうとたくらむ。

結局ぼくらが手にするのは、心から欲しいものではなく、有毒な代用品だ。「インド、南アフリカ他、多くの国の解放運動が、植民者と共通の地平を求め、旧政府とたいして変わりない経済事業をおこなうような新政府を樹立すると決めた時点で、［いかに］回収されてしまい」、事実上「国際金融の現地マネージャーになりさがったか」をゲルダルースは指摘し、さらにこう述べる。

コミュニティを破壊する力には勝てなくても、フェイスブックで百人と友だちになれる。子どものとき遊んだ森を伐採から守ることはできなくても、リサイクル活動に取りくめる。先住民が土地を取りもどすことはできなくても、ひとりふたりぐらいの代表を議会に送りこめるかもしれない【123】。

そうした変革アプローチには、まだほかにも問題がある。

改良主義は鎮痛剤同様のはたらきをする。ブルドーザーの車内に小さな消臭剤——操縦者の作業環境を快適にするとはいえ、新鮮な空気の有毒な代用品にすぎない——をつりさげれば森林を組み立て式家具に変えるのを思いとどまるだろうなどと信じこませ、ぼくらに世界の痛みを感じなくさせるのだ。

ブルドーザーは、ブルドーザー自体の製造を可能にする経済制度の象徴であり、まさに自然界を製品につくり変えるために存在する。改良の余地はないし、自発的に死を選ぶこともない。そこで、残念ながら選択肢はかぎられてくる。

デリック・ジェンセンは聴衆からの質問「白熱電球を変えるためにいったい何人の環境運動家が必要なのか」にしばらく考えたのち、持ち前の痛快なほどの正直さで次のように答えた。

一〇人だね。電球に変わってくれるよう嘆願の手紙を書くのに一名。インターネット上で署名を集めるのに四名。変化を要求する訴訟を起こすのに一名。電球に「いつくしみの心」™を送りとどけるのに一名。これは、真の変化は慈愛からのみ生まれると知っている人。それから、ありのままの電球を受けいれてやるのに一名。すなわち、他者の拒絶はみずからをも大きく傷つけることをよくわかっている人。さらには、なぜどのように電球が変わる必要があるかについて本を書くのに一名。最後に、クソ電球をたたき割るのに一名。電球が変わることなどけっしてないと、誰もが知っているのだから【124】。

今日直面している課題の規模にふさわしい対応をとるには、まず地球の痛みを、絶滅の危機に瀕した文化や生物種の痛みを、ぼくら自身も知覚する必要がある。そうした文化や生き物が絶滅のふちに追いやられているのは、ぼくらが多かれ少なかれ依存するようになったガジェットだの生活を快適にする「便利グッズ」だの（それを買うために強いられる退屈きわまりない労働は快適とも言えないが）のせいだ。

土地やそこに住む生き物たちのぱっくり開いた傷口に改良主義の絆創膏を貼

るような不毛な試みはやめて、〈生〉に対するみずからの仕打ちを徹底的に体で感じ、思い知らねばならない。

この暴力の規模を直視し、かくも巨大な暴力と機械文明がいかに不離一体であるかを深く理解したときはじめて、ひざまずいていたぼくらは立ちあがり、あらんかぎりのツールでこの緊急事態に対処する決意を固めることだろう。

多くの場合、その仕事にいちばんよいのは非暴力的なツールだと思う。つねにそれが理想であり、まずめざすべきところだ。しかし、ピカリングが論じるとおり、構造的暴力行為を防ぐためには、ときに他のツールも必要となってくる。

工具箱のなかのツールと同じく、それぞれに特定の用途と特定の結果がある。人は作業に見あったツールを箱から選びだして使う。持ちやすさや見かけのよさだけで選んだりはしない。目的を達するツールを選ぶものだ。自分の手にぴったりなじむツールもあるだろうが、たいていは手にまめができる。だが、いずれにせよ最終目的は作業を完遂することにある。壁を取りこわすときに大ハンマーを避けるのはバカげている[125]。

抵抗は実り多し

抵抗運動は、生まれながらの英雄ではない人たちにも実行可能だし、アメリカが覇権を押しつけようとする結果を憂い現実を嫌悪する人にとっては、義務と言ってもいい。

ノーム・チョムスキー

これほど広くあまねく普及し、日常にくまなく体現された、産業主義と資本主義のイデオロギーに、抵抗する、反旗をひるがえすなど、考えただけでも途方にくれてしまう。〈企業ー国家〉連合体の権力と腐敗はますます大きくなり、経済の一極集中、文化の画一化、生活の監視（路上の監視カメラと各家庭のインターネットを通じた）も日ごとに強まるばかりと感じられる。そのうえ、住宅ローンや光熱費や家賃を支払ったり、家族をやしなったりしなければならず、ささやかな自分の夢だって追求したい。

にもかかわらず世界各地の人びとが、非常な困難と強敵を向こうに回して「もうたくさんだ」と言っている。

富める者と貧しい者のいちじるしい格差の拡大に反対する人もいれば（スペインのマドリード広場や米国ニューヨークのウォール街の占拠《オキュパイ》運動など）、もうけのために国と手を組んで生活や文化を破壊する侵略企業から土地や水源を守る住民もいる（アイルランドのロスポート近郊やナイジェリアのオゴニランドにおけるロイヤル・ダッチ・シェル社への抵抗運動など。後者では非暴力の活動家サロ=ウィワ氏が死刑に処された）。英国のバルカムとバートン・モスの住人は、クアドリーリャ社などのエネルギー企業による水圧破砕から地域を守るため、身の自由を賭してきた。

これらはそれぞれに勇気を与えてくれる事例であり、みずからの土地基盤が〈企業ー国家〉連合体によって数字に変えられていくのを黙って見すごしにはせぬというメッセージを発している。とはいえ、どの運動についても十分な目標達成をさまたげている原因に、独断的で潔癖な、思いちがいとも言えるほどの非暴力への固執がある。ピーター・ゲルダルースは次のように説明する。

人びとははじめて街路にくりだしたのだが、非暴力の道以外は念頭にない。なぜなら、多くの平和主義者の主張に反して現実社会が教えているのが、政府による暴力は許されるけれど、変化を求める底辺の人びとはつねに非暴力的でなければならない、ということだからだ【126】。

実効的手段に訴える権利

自分たちの運動が侵略者に対して無力な戦術に固執したがために、コミュニティと居住地がずたずたにされる――これ以上に暴力的な光景があろうか。

この点についてマンデラが述べたことばは重要なので、もう一度引用しておく。「わたしにとって、非暴力は、倫理的な原則ではなく、戦略のひとつだった。効力のない武器を使っても、倫理的に得るものはない」【127】

この心情と観点は、「目的についてはは達成可能かつコストに見あうかどうかだけを、手段については実際に効果をあげるかどうかだけを」【128】問い、あらんかぎりの選択肢からもっとも非暴力的な手段をまず検討すべきだ、と述べたソウル・アリンスキー〔米国の著名な社会運動家〕とも共通する。

事実、真にラディカルな運動はこの教えを忠実に実践している。改良主義的環境運動の失敗から生みだされ、主流メディアには「過激派」と評されるＥＬＦなどの運動にしても、より非暴力的な手段を優先して選ぶ。

アースファースト！の創設者のひとりハウイー・ウォルケはこう明言した。

「道路建設による国有林破壊を非暴力で阻止できるなら、それがいちばんだ。それが効果をあげないとき、アースファースト！の活動家は戦術を考えなおさなければいけない」【129】

英国の哲学者テッド・ホンデリックはかつて、正当な暴力と不当な暴力を区別する試みにおいて、みずからの提唱する「人道の原理」に照らしたすえ、「占領下の人民には抵抗する権利があり、必要ならば暴力に訴える権利もある」との結論をみちびきだした。

今日、帝国主義的な国に住むぼくらにとっての問題は、抵抗しようにも、あからさまな侵略者がいないことだ。昔のような、王様の騎兵隊があらわれて土地をぶんどり女たちを強姦する、という形態はなりをひそめ、占領はもっと巧妙な行為に変化した。昨今では、雇用（魂を破壊するものにせよ）や電子機器（コミュニティを破壊するものにせよ）やはてしない金銭的経済成長の約束（生命を破壊するものにせよ）などの贈り物をたずさえた不名誉の騎士に扮してやってくる。

今日の兵隊は、まず人心を占領しなければならないと知っている。物理的空間を占領する前に、テレビ、新聞、ノートパソコン、ショッピングセンターをとおして侵略してくるのだ。あまりに手ぎわがよいもので、ぼくらは抵抗するどころか、兵隊とやつらのちらつかせる剣とをもろ手をあげて歓迎する。

ついつい忘れてしまうようだ。われわれの足下からもっともよごれたエネルギーまでを吸いあげる機械をひっさげた現代の騎士は、征服者として来ているのだということを。そして現地住民、つまり侵略される側には、必要なかぎりいかなる手段を用いても抵抗する、不可侵の権利があるのだということを【130】。

アイルランドのメイヨー州の住民がロイヤル・ダッチ・シェル社を旧来型の侵略者――アイルランド人にとっては大英帝国――と同列にとらえ、対峙していたら、ガス精製所やパイプラインの建設から沿岸地域を本当の意味で守ることができていただろうか。先祖たちが手段を選ばず大英帝国の侵略に抵抗し、反撃を加え、大きな成功をおさめてから、まだ百年とたっていない。

バルカムとバートン・モスの抗議者らが非暴力という名誉の記章をはずし、「これは平和的な抗議活動」とくりかえすのをやめ、「いままさにふるわれている暴力を実際に阻止するのに必要なものは何か」と自問してさえいたら、もっと首尾よく目的を達成できていただろうか。

誰かをおとしめるつもりで問うているのではない。なんと言っても、この人たちが現場でくる日もくる日も闘っていたあいだ、ぼくはほとんど本書の執筆にかかりきりだったわけで、「行動を伴わない感情は魂の残骸だ。ひとつの勇敢なおこないは千冊の書物にあたいする」[131]と言ったエドワード・アビーはまことに正しい。

それでもなお、これは重要な問いである。当然、答えは誰にもわからない。

しかしながら、類似の事例を参考にすることはできよう。一般に（まちがって）暴力的と言われる手法も非暴力的と言われる手法も含め、多様な戦術を実際に駆使した抗議活動の例を。

モホークの抵抗

重要なケーススタディのひとつが、ドキュメンタリー映画『カネサタケ――抵抗の二七〇年間（*Kanehsatake: 270 Years of Resistance*）』に描かれたモホーク族の抵抗運動だ。一九九〇年にカナダのケベック州で起きた「オカの危機」。オカ町が九ホールの会員制ゴルフクラブを一八ホールに拡張しようとしたとき、緊張が一気に爆発した。問題は、カネサタケ・モホークが古来の墓地とみなす、先祖たちの神聖な墓石が立っている場所が、拡張建設予定地とされたことにある。

メイヨー州やバートン・モスの住民と同じく、モホークの人びとも抵抗を決意する。

開発の続行と残存する松林の伐採をオカ町長から通告されるや、人びとはバリケードを築いて現地への交通を遮断した。これに対して——町の白人住民がゴルフを楽しむ時間を数時間ばかり延ばすためというよりも、断固たる態度を示さんがために——州警察が緊急出動し、催涙ガス弾と閃光弾でバリケードを攻撃した。

しかしメイヨー州やバートン・モスの住民とのちがいは、モホークたちが政府による暴力の独占を許そうとしなかった点である。

保有している武器を使用すべきか否か、イロコイ連邦憲法にのっとってコミュニティの女たち（土地の世話人とされる）に意見を求めた。自衛目的にかぎり武器を使用すべし、というのが彼女らの一致した意見であった。混乱状態のなかに催涙ガス弾が打ちこまれたとき、モホークは報復として警官に発砲。短い銃撃戦ののち、警察（一名が死亡）はパトカーとブルドーザーの車列とともに退却する。

まれに見る勇敢な抵抗に力づけられ、米国・カナダ両国の先住民ファースト・ネーションたちが連帯の道路封鎖を（今度は非暴力的に）おこなったため、周辺地域の交通は麻痺状態におちいった。

事態収拾に数百万ドルの予算と数千人規模の部隊が投入されたが、解決をみたのは七八日後、ゴルフ場計画の白紙化と松林や墓地の保全を町長が発表したときであった。

モホークの抵抗が暴力だったのか、それとも非暴力だったのかは、判断がつきかねる。どちらでもなかったとも言えるし、両方であったとも言える。ときに応じて異なる戦術を用いたのだから。はたして警官への発砲は、森林（とそこに住む生物）の破壊、人びとの生活様式や尊厳の破壊を許すこと以上に暴力的なのか。次章で問うように、みずからの土地と文化を守ることは、自己防衛の行為なのか。いずれもむずかしい問題で、答えるには、文明に飼いならされた精神にとって想像を絶する繊細さが要求される。

ひとつだけ確かなのは、抵抗運動が成果をあげ、モホーク族の聖地がいまも聖地でありつづけていることだ。

第4章

再統合の時代の自己防衛

生命の織物を織りあげたのは人間ではない。われわれはそのなかの一本の糸にすぎないのだ。生命の織物に対するどのような行為も、われわれ自身に対する行為となる。万物は結ばれあっている。すべてはつながっている。

酋長シアトル

何かひとつのものだけをつまみあげようとするとき、それが森羅万象のすべてとつながりあっていることに気づく。

ジョン・ミューア

何百もの顔がとまどいの表情を浮かべ、一斉にこちらを見つめる。「いまの質問は冗談だったのだろうか」、あるいは「そんなあたりまえのことを、なぜわざわざ聞くのか」と、いぶかしげに。

そこでぼくはもう一度、聴衆に向かってくりかえす。

「脚が自分自身の一部だと思う人は、さあ、手をあげて」

ひとりの男性が陽気に義足を振ってみせ、「おれのはちがうぜ」と叫んだのをのぞけば、ほとんどの手があがった。あげなかった人たちは、そんなひっかけ問題にだまされるものか、と考えたのかもしれない。この時点ではまだ演題との関係もつかめぬだろうが、カネを使わない生きかたとその道を選んだ動機について人前で話すとき、最初に投げかける定番の質問だ。手をあげなかった人には気の毒ながら、ぼくはこう請けあった。われらが義足の友をのぞくみなさんの両脚は、どこからどう見てもご自身の一部である、と。

これから少しずつ、近代的な〈自己〉概念を解体していくとしよう。

「では、腸内にいる細菌に関してはいかがですか。それ自体で独立した生命体だけど、同時にみなさんの消化器官の必須要素でもある。はたして腸内細菌は自分の一部であるのか、そうでないのか」

あごをかく人に、眉根を寄せる人。うーん、むずかしいな。今度は半分しか手があがらない。あげられた手にしても、さっきより遠慮がちだ。

「意見が分かれましたね。では次。小川のほとりに立って、その水を飲もうとしていると想像してください。この水はみなさん自身の一部なのか、そうでないのか」

手をあげる人はますます減ってきた。

「そうは思わない？　では、両手ですくった川の水に唇をつけて、いままさに口のなかに入れようとする瞬間ならば？　自分の一部だと思う人は？」

何人かが手をあげ、何人かがおろし、数えるほどの人数になった。

「川の水が体内に入って吸収されていく瞬間は？　今度は自分の一部だろうか」

突然また多くの手が熱心に振られはじめる。

「そうこなくちゃ。人体の大部分は水でできていて、つねに水分を補給しながら生きているわけだし」

ほぼ全員が小川の水を〈自我中心的な自己〉の一部だとみなすようになったところで、より科学的な根拠にもとづく全体論的《ホリスティック》な自己認識を確立すべく歩を進める。

「ではなぜ、さっきは自分の一部だと思わなかったのでしょう。唇をとおりすぎて、アラン・ワッツの言う「皮膚に囲いこまれた自己」――ふだん自分自身だと思っている血や骨の入った皮袋――のなかに入っていく直前の一瞬については、そう思わなかった。それなのに、開いた口元の見えない境界線を通過したとたん、小川の水が自分になるとはどういうことか。過去に何度も、同じ小川の水を飲んでいるかもしれないのに」

錯覚にすぎぬ境界線

言いたかったのはようするにこう。自己認識の境界線は錯覚にすぎず、長い歳月をかけてじょじょにたどってきた分離の旅の所産なのだ。自分以外の命とひとつにつながりあっているという深い一体感《ワンネス》から離れ、個々人がバラバラに切りはなされた感覚へと向かう旅の。

自分自身のことを皮膚で外界とへだてられた「物体」かのごとく思っているけれど、当の皮膚ですらみずからの帰属する宇宙と原子やエネルギーをたえず交換しつづけているのだから、その見かたは科学的にも実感的にも正しいとは言いがたい。

チャールズ・ダーウィンやアダム・スミスらが「本質的に人間に敵対する」と説いたデカルト的宇宙（その同じ宇宙が、健康な生活を送るのに必要なすべてを無償で与えてくれる事実は、この世界観に影響をおよぼさぬらしい）のなかに、肉体を持つ自我がただバラバラに浮遊しているわけではない。実際のぼくらは、生命——エネルギー、食物、水、ミネラル、放射線など——の流れの一部なのである。こうした生命の多くは、皮膚という境界線などまるで意に介さず、ぼくらの体内をしきりに出たり入ったり、とおりぬけていったりする。

二〇世紀初頭の米国の哲学者ジョン・デューイは次のように述べた。

表皮は、有機体が終わり、環境が始まるところを、極めて表面的に示しているだけである。身体の内部にも異物が存在し、身体の外部にも、事実上はともかく、権利上これに所属する物が存在する。すなわち、生命を維持していくうえで占有せざるをえない物である。【中略】環境が――そして、環境のみが――供給しうるものを通じた充足を要する、切迫した衝動性のなかに示される欲求は、総体としての自己が周囲に依存することの動的な承認なのである【132】。

大海の波のごとく、人間も、境界を持つ物体などではない。波と同じく、多数の物体が通過していく形《フォーム》だ。アラン・ワッツが明快に言いあらわしたとおり、「あなたもわたしもみな、物理的宇宙とひとつづきである。波が海とひとつづきであるように」【133】。

現代文化は、「人間はかがやかしい存在であって、野蛮な自然界とは無関係」とのうそを教えこむ。だけど本当のところ、「人間はかがやかしい存在であって、かがやかしい自然界の不可分な一部」なのだ。堂々たるオークの木やちっぽけなハコベと同様、人間もまた自然そのものだ。したがって、まだ飲む前の湧き水も、肉や血や骨といったわかりやすい構成要素と変わらず、いつなんどきも自己の一部である。

究極の分子レベルで見ればみな同じ。酸素、炭素、窒素など、共通の元素からできており、単に配列が異なるにすぎない。この理解にもとづいて自己認識を拡張し、少なくともみずからの生命が分かちがたく依存する風景――川、泉、木、野生動物、草花、空気――までを、自己のうちに含めるべきではなかろうか。

こうした心情は、アルベルト・アインシュタインの次のことばにも見いだせる。

人間とは、われわれが宇宙と呼ぶ〈全体〉の一部であり、時間と空間によって限定された一部である。自分の体や思考や感情はほかとは切りはなされたもののように感じられるが、これは意識による錯覚なのだ。この錯覚は一種の牢獄で、個人的な欲望や身近な人たちへの愛情にわれわれを縛りつけている。われわれがめざすべきは、この牢獄からみずからを解放することだ。それには、共感の対象を、すべての生き物と自然全体の美しさにまで広げなければならない【134】。

自己認識をゆがめるカネ

大多数の聴衆は話に引きこまれながらも、ぼくがなぜこんなことをしゃべりはじめたのか、さっぱり見当がつかぬ様子。カネなし生活や贈与経済に関するトークを聞きにきたつもりなのに、と。けれども前述のとおり、どのような種類の経済体制をつくりだすかの選択に、自己認識が果たす中心的な役割は、見すごされるべきでない。

人類は地球に登場して以来、きわめて長きにわたり、さまざまな形式の贈与経済によってニーズを満たしてきた。その贈与経済的文化とはあいいれない現行の貨幣経済体制を生みだしたのは、人間の誤った自己認識だ。

ぼくらが分離幻想のベールを脱ぎすて、たえずエネルギーを交換しあっている世界――フランスとドイツの国境と同じく恣意的な皮膚などという境界線には一切とらわれぬ世界――の一部であることを自覚すれば、「ぼく」がこの世界にもたらす贈り物（元来、ぼくにも無償でもたらされた贈り物）に関して「きみ」に支払いを求めるなんて、いともバカらしく思えてくるだろう。木の下で立ち小便をしたとき、おしっこに含まれる窒素の対価を木に請求したり、そのあとで、木が産出してぼくの肺を満たしてくれる酸素の代金を請求されたりするのと、同じくらいバカげている。米国で十年以上お金を使わずに暮らしているダニエル・スエロがかつて指摘したように、かゆいところをかいてやるからと手が顔に対価を要求するにひとしい。

『無銭経済宣言 ― お金を使わずに生きる方法』（紀伊國屋書店）でくわしく論じたとおり、かたよった自己認識とお金とは「ニワトリと卵」の関係にある。

発生当初のお金は、人間とそれ以外の命を切りはなす分離幻想の単なる一症状にすぎなかった（人間の頭のなかにしかない貸し借りの観念も症状のひとつ）が、逆にまたお金も、分離断絶の感覚を持続、肥大させてきた――おもに、ぼくらとぼくらが消費する物とのへだたりを広げることによって。貨幣という技術がなければ、地域経済の枠内で生きざるをえなかったはず。足下の大地および地域社会の人びととの直接かつ密接な関係性をとおして、ニーズを満たす経済だ。

貨幣は、顔を合わせることもない遠方の人間との取引を可能にするものの、そこで利用されるサプライチェーン（供給網）は透明性をうしないがちゆえ、陰惨かつ暴力的な習慣が横行することとなる。その実態や諸影響にじかに接していたら、おそらく耐えられるものではない。

分離の時代の自己認識

こうした新しい非人間的な関係は、地域経済が依拠するような信頼感と友情を欠くため、契約書を必要とし、契約を守らせるのに軍隊や警察や裁判所を必要とする。したがって、インターネット大好きの平和主義者はいたたまれなさをおぼえるだろうが、実際問題として、サーバーや光ファイバーケーブルなどの先端技術を利用するには、自分たちが声高に批判している存在が不可欠なのだ。すなわち、軍隊、監獄、警察。それに、人間の魂のみならず生物圏全体をも損なう地球規模の大量生産システムは言うまでもなく。

強大な発展過剰国の住民から見てこれまた衝撃的なのがオゴニ（223ページを参照）のような人びとの態度で、いくらカネを積まれようと、われわれの飽くなき安っぽい物欲を満たすために郷土を破壊されることを望まない。

運悪く「貴重な」埋蔵資源の上に暮らしてきたオゴニやその他無数の人びとに

とってはあいにくだが、機械文明は、カネで買収できなければ武器で破壊する。どこもかしこも平穏無事ではいられない。『ことばよりも古い言語（*A Language Older Than Words*）』でデリック・ジェンセンが断言したとおり、「世界地図に投げたダーツがどこの領土に命中しても、われわれの文化が犯した残虐行為とジェノサイドの物語を見いだすことになる」**[135]**のだから。

社会制度に組みこまれた分離は、さらに強力な錯覚を生むばかりで、いよいよ事態を深刻化させる。言語、数の概念、農耕、貨幣、産業化、地球規模のテクノロジーが暮らしに入りこむにしたがい、何千年もかけて段階的に形づくられてきた偏狭な自己認識は、ぼくらが地球とそこに住む生き物をどう扱うかに大きく影響する。

自分が人間や人間以外の生き物のコミュニティとつながっている、コミュニティに依存している、と思わなければ、わざわざコミュニティを尊重しようとするだろうか。自分が自然界とつながっている、自然界に依存している——もっと正確に言うと、自然界の一員としてつながり、依存しあっている——と思わなければ、自然界（すなわち自分自身）を機械文明の横暴から保護しようとするだろうか。機械文明も元は自然界から生まれでたのだが、いまや、生体を乗っ取って命をおびやかす、がん細胞のような存在だ。

そうした一体的なつながりと依存関係――〈ワンネス〉――を暗に否定するような自己認識を、産業文明は育成し奨励してきた。その結果が今日ほど明白にあらわれた時代はない。かつては多様だった文化の均質化、完新世における種や言語の大量絶滅、大気・土壌・水質の汚染、がん・ぜんそく・糖尿病・心臓病・肥満・精神疾患・自殺・うつ病の発生率急増、有名人崇拝、肉体美への執着、死への恐怖。これらすべてがあいまって、チャールズ・アイゼンスタインが「分離の時代」[136]と呼ぶいまの世はできている。

偏狭な自己を守る法制度

偏狭な自己認識の悪影響はそれだけにとどまらない。

他者から切りはなされ孤立した自己という観念は、科学的根拠を持たぬまま、われらが法制度の前提と化してひさしく、ひいては、生物圏を守ることのできる手立て、生物圏を形成する風景や人間社会やその他の生物共同体を守ることのできる手立ての前提ともされてきた。

説明しよう。自衛権――自己（皮膚に囲いこまれた精神）をおびやかす暴力、自己の「所有物」をおびやかす暴力、あるいは他の人間の安全をおびやかす暴力への、対抗措置として物理力を行使する権利――の概念は、世界中ほとんどの国や地域の法制度において（解釈・適用に差はあれど）正当と認められている。

エドワード・アビーも次のように説く（ここで示唆されるさらに深い論点については、のちほど掘りさげる）。

知らないやつが斧で家の戸を壊し、殺傷力の高い武器できみや家族を脅し、家を好き放題に略奪しはじめたとしたら、それはどこの誰が見たって、法的にも道義的にも、犯罪だ。そんな状況において家長には、いかなる必要手段を用いても自分と家族と財産を守る権利と義務がある。この権利と義務は、あらゆる文明社会によって普遍的に認められ、正当とみなされ、称賛されさえする。攻撃に対する自己防衛は、人間社会のみならず命そのものの、そして人間の命のみならずすべての命の、基本的な法なのだ【137】。

ごく当然の法ゆえ、非暴力の実践者であってもこれを認めぬ人はまずいない。デリック・ジェンセンが旧友との対話を紹介している。しばらく会わないいうちに友人は筋金入りの平和主義者になっていた。抵抗についての話が出たとき、ジェンセンは友人に問う。誰かがきみの持ち物を欲しがり、手段を選ばず手に入れようとしたら、どうするつもりか、と。念頭にあったのは、北米先住民オグララ族の男レッド・クラウドが植民者について述べた次のことばだ。

やつらは覚えきれないほどの約束をしてみせた。でも守ったのはたったひとつだけ。おれたちの土地を取りあげると約束し、実際に取りあげた。

平和主義者の友人は問いかえす。「だけど、闘う価値のあるものって何だい。ただその場を立ち去ればいいじゃないか」。闘う価値があると感じるものをジェンセンが思いつくままにあげてみると、相当数になった。「身体的な不可侵性(自分と愛する人の)、わが郷土、愛する人びとの命と尊厳」。そして言いそえる。地球が有限であること。闘う価値のない土地から平和主義者たちがのがれていくかたわらで、機械文明による地球上の土地の産業化を次から次へと許していたら、いつの日かどこにも逃げ場がなくなること。しばし考えたすえ、さすがの友人も、ときと場合によっては「反撃せざるをえない」と認めたのだった【138】。

機械文明の防衛に励むぼくら

自己防衛の概念は自然界に深く根ざしており、この見かたにもとづけば、眼前の脅威にふさわしい手段を用いて生命や暮らしを守れるはずだ。だが、ぼくらの命が土地ではなく機械文明に依存すると納得させるのを、産業主義は得意中の得意としてきた。アルド・レオポルドが簡潔に述べたとおり、「人間は、自分たちを支えているのは産業だと思い込み、その産業を支えているものが何なのかを忘れかけている」[139]。

いまや豆は缶から出てくるもので、土からとれるものではない。水は蛇口から、塩素やフッ素とともに出てくるもので、泉や川からくむものではない。家具は量販店で手に入れるもので、近くの森でではない。どこかへ行くとき、いまや星を見て方角を知ることなどなく、GPSを搭載した電子機器を見る。日常の必要を満たすために学ぶのは、ソフトウェアの使いかたであって、かつて身近にあふれていた植物やその性質に関する古来の知識ではない。薬は製薬会社のプラスチック製容器に入っているもので、いまでも一部の先住民族がしているように植物から直接とるものではない。

あまりに長く監獄に入っていたため、すっかり刑務所のサービスに頼りきり、釈放されてもすぐに罪をかさねてしまう囚人のごとくに、ぼくらはなりはてた。獄につながれた状態のほうがふつうになってしまったのだ。

ぼくらは「所有者」に忠節を尽くす奴隷だ。ストックホルム症候群にかかった人質だ。どんな虐待を受けても夫をかばいつづける妻だ。せまいコンクリートの納屋の鉄柵が開いても逃げたがらない――あるいは逃げかたを忘れてしまった――雌牛だ。

地球やそこに住む生き物ではなく機械文明に対してぼくらの誓った忠誠が、さまざまな場面で露見する。デモの際、平和主義者たちがブラックブロックの連中（黒衣・覆面姿でときに「過激」な行動に出る）から企業の窓ガラスを守ってやるのも、よい例だろう。警察官の暴力からブラックブロックを守ることには、さほど熱心でなさそうなのに。

ジェンセンはこう述べる。

食べ物を食料品店から、飲み水を蛇口から得ている人は、それらをもたらしてくれるシステムを必死に守ろうとする。自分の命がかかっているからだ。

ところが、食べ物を大地から、飲み水を川から得ている人は、その大地と川を必死に守ろうとする【140】。

ぼくら自身の健康が〈全体〉の健康にかかっていると理解するまでは、空気と土と川をよごしながら地球のすみずみまで略奪のかぎりを尽くす文化を前に、ろくな抵抗もせずにいるのであろう。しかしあいにく、大地との相互依存関係の理解をはばむ手腕にかけて、産業主義・資本主義・貨幣経済の三つどもえをしのぐ存在はいない。これもまた、ぼくらのおちいった「ニワトリと卵」問題か。

スーパーマーケットに自分の命がかかっているかのようにふるまうほど勘ちがいの激しい人には、いささか観念的で理屈っぽい話と感じられるかもしれない。一方、ブラジルのアマゾンで狩猟採集生活を送る先住民族ピダハンのように、これまで機械文明に抗して〈大いなる生命の織物〉とのつながりに対する深い理解を保ってきた人びとにとっては、人間の健康が大地や空気や河川の健康にかかっているという考えは、理屈で説明するまでもない常識そのものだ。

川に毒物を流せば、文字どおり、みずからに毒を盛ることになる。自分たちの命と複雑な依存関係にある動植物を絶滅に追いやれば、みずからも死に絶えることになる。大気を汚染すれば、みずからの肺を汚染することに、表土を流失させれば、すなわち、みずからの肉体の一部をなすビタミンやミネラルが減少することになる。

土地に根ざした先住民は概してこれを、産業文明によって機械化された生活を送る人たちよりずっと深く理解している（いまでは「理解していた」と過去形にすべきケースも多いが）。だからこそ、機械文明の襲撃を受けた際には、さほど躊躇せず、郷土の防衛に全力を尽くすのだ。文明のでっちあげた根拠のあやしい倫理で自己規制しようとはしない。

相関性という根源的真理の片鱗は、なんとも皮肉なことに、「未開人」や「未発達市場」を目先の利益のために征服せんとするときにもかいま見えてくる。ヨーロッパ人植民者は、ファースト・ネーション民族の暮らしが大地、とりわけバッファローに大きく依存しているものと知っていた。ゆえに植民者らは、それまで生息地内を自由に歩きまわっていた群れをかたっぱしから虐殺し、何千年来の家であった平原に放置し腐らせた。

補助金漬けの食品を海外市場に輸出する理由のひとつは、経済的征服者への依存を深めさせ、現地の食料自給体制にさらなる打撃を与える点にある。こうした寄生的な手口で吸いあげられた民族の富が、起業精神にあふれた侵略的産業資本家らの金庫を満たす。

ぼくらは多文化主義とグローバル化のイデオロギーをセットで喧伝することによって、かつては地域の強いきずなと価値観の共有にもとづくほぼ非金銭的な関係で暮らしを立てていたコミュニティをバラバラに解体し、人びとを世界各地に分散させ、値段のついた財やサービス（好都合にも機械文明が販売し課税する）への依存状態に置く。大昔からある「分断して統治する」戦術の復活だ。ただし当節は、殺菌消毒された戦法、すなわち近代経済学が用いられる。

新時代のホリスティックな自己防衛

自分たちの命のよりどころを破壊したり汚染したりすれば、自分たちも一緒に死ぬ。そんなことは自明の理だというのに、知性の高い（とされる）ぼくら文明人は、適切な防衛措置をとる不可侵の権利を、「われわれが所有する」とみなすものに対してのみ適用したがり、「われわれがそれである」――すなわちそれがわれわれでもある――ものは除外している。

人類がなんとか生きのびたいと願うなら、この当然の権利を〈分離の時代〉から取りだして〈再統合の時代〉にしっかり植えなおしてやらねばならない。自他の明確な区別で自分をだますのをやめる、新しい時代に。「自然の支配や超克をめざすのではなく、自然へのより完全な参加をめざす」【141】レンズをとおして、経済・医療・教育・科学・テクノロジーの制度を再創造できる時代に。

ぼくらは、自分の家を守るときと同じ勇猛さで地球を守る必要がある。なぜなら地球はぼくらの家だから。自分の家族を守るときと同じ熱心さで地球のうえに住む生き物を守る必要がある。なぜならそれらの生き物はぼくらの家族だから。自分の命のよりどころであるかのように自分たちの土地を、コミュニティを、文化を、守る必要がある。なぜなら実際にぼくらの命のよりどころなのだから。

こうしたホリスティックな自己認識は、科学界でも哲学界でも次第に広く受けいれられつつあるが、ぼく自身は実体験をとおしてこの見かたに達した。

お金を使わずに生活する冒険は、政治的には意味をなさなくとも、ぼくに多くを教えてくれた。養分を（遠方のどこかに害を与えないやりかたで）土に返さなければ、いつか自分が食べられなくなること。ガソリンや汚水や化学肥料などの汚染物質を近くの川に投げすてれば、やがて水を飲めなくなること。薪ストーブを一日中つけておくため周囲に生えている木をすべて切りたおしたら、自分の使える木がなくなるうえ、毎朝欠かさずすばらしい歌でぼくを起こしてくれる鳥たちの家がなくなること。

生まれてはじめて、自分も、トネリコの木も、コマドリ、泉、川、ミツバチ、フクロウ、アナグマ、マス、雄鹿も、すべて同じひとつの運命にあると気づかされた。それらが絶滅に追いこまれたり破壊されたりすれば、ぼくを含む人間も長くはないだろう。ちっぽけなわが領域にあてはまる事象は、大きな地球全体にもあてはまる。

こういうとらえかたは、底の浅い昨今の社会ではいかにも「ディープな」世界観に映るかもしれないが、先祖たちの多くや、今日なお周囲の風景と比較的調和して暮らす人びとが、生命に関する基本事項と考えてきたものにすぎない。

ぼくは大地、鮭、ひいらぎの木、ツバメ、ミミズ、鳩、雌鶏、キツネ、ワイルドガーリック、ブルーベルの花だ。コマドリがミミズを食べ、糞を土の上に落とし、その土からぼくが食料を得るとき、それは暴力ではなく、〈生〉がみずからの上にさらなる命を生みだしているのだ。同様に、ぼくが死ぬときは謙虚さ《ヒュミリティ》とともに退場したい（humilityの語源は「土」を意味するhumus）。猛禽につついばまれるか、このあたりでまだ絶滅していなかったならオオカミの群れに食われたかった。それでこそ公平だと思う。

ぼく自身を大地だと考え、その大地の全構成要素だと考えるなら、それらを――〈分離の時代〉に生じたが〈再統合の時代〉にはそぐわない目的のために――冷たい数字に変えようとするやつらから全力で守ろうとするのは、原初的な自己防衛の行為ではなかろうか。

現代人の思いこみに反して、「他者」を守る行為もまた、アイン・ランドやもっと昔にアダム・スミスらが説いた「合理的な自己利益」にもとづく行為の論理と、けっして矛盾しない。唯一のちがいは、自己認識に手直しを加え、より正確かつ首尾一貫した発想を取りいれた点だ。

大地から、その地の空気や河川から、ぼくらがつくられていると理解し、その地の野生生物からぼくらの骨や肉ができていると知ったら、自分自身に加えられる暴力をおとなしく甘受していられようか。病的な斧をふりかざしつつ「この暴行から身を守るのは不道徳で不当で非合法で無益なこと」と臆面もなく諭す者らに、打ちすえられ盗まれるがままでいられようか。

〈自然との戦争〉の激化に伴い、自衛権を行使してホリスティックな自己を守る緊急性も高まってきた。マイク・ライアンによると、断固としたアクション に取りかかるべき時期はとうに過ぎ、いよいよ我慢の限界に達している。

［ロザリー・］バーテルの指摘どおり、ひとえに人間社会の性格が原因で、この地球が死にかけており、結果的に自分たちも種として滅ぶ運命にあるとすれば――、人間の発達させてきたテクノロジーが現に地球を枯渇させ、空気や水を損ね、毎日のように種の絶滅を引きおこし、人類をも絶滅に向かって着実に衰弱させているとすれば――、チェルノブイリのようなできごとが異例の事態ではなく、われわれの日常的な営為が、その正体にとうとう気づける形で投影されたにすぎないとすれば（まったくそのとおりなのだ）――、そのような狂気を終わらせるのに必要な何ごとかを、いや、何もかもを、実行すべき時期が（とっくの昔に）来ているのではないだろうか。実際、そうすることこそが純粋な自己防衛の行為ではないだろうか【142】。

「強盗」を守る警察から「家」を守るには

生態系破壊がかくも進んだ結果、極端な異常気象に見舞われだし、それも遠からず常態化しそうないまこのときに、ぼくらは目をさまさねばならない。どんなに多数の署名や、創意あふれる街頭演劇をもってしても、エクソンモービルら巨大石油企業に化石燃料の採掘を思いとどまらせることはできないのだ、と。

「自己」防衛を〈分離の時代〉から取りだして〈再統合の時代〉にあてはめてやると、ぼくらのとりうる応答の幅が、はるかに力づよく見えてくる。ホリスティックな自己――すべての生き物の家――をふさわしいレベルの力（あるいは暴力）で守る行為を不当だとか倫理に反するだとか思わせる、見当ちがいで一貫性のない道徳観念を、みずからに課さずにすむようになる。

そして、誰かが無断で自宅に立ち入り刃物で襲ってきたときのごとく、われらが〈大いなる家〉を守ることができるようになる。

売り物になる資源であれば、なんでもかんでもしぼり取る意志と能力をもって、ブルドーザーの車列が郷土に侵入してくるのに対し、ぼくらにできるのは、「人間の鎖」をつくっている両手をほどき、もっと生産的な用途にふりむけること。「平和をわれらに《ギブピースアチャンス》」の合唱を中断し、もっと現実的に「命をわれらに《ギブライフアチャンス》」与える効果のあるアクションをとりはじめること。警官に向かって「これは平和的な抗議活動」と連呼するのをやめ、行動をとおして「これは効果的な抗議活動」だと思い知らせることだってできる。

そうしなければ、地球に――そして地球の構成要素すべてに――暴力がふるわれるのを許しているのと同じだ。自分の車に、家に、あるいは肉体にふるわれた暴力なら、ためらわず、適切な手段に訴えて制止するはずなのに。

夜分、きみの家に強盗が押しいり、室内の物をかたっぱしから奪おうとしたら、家族全員の体と玄関ドアを「ロック・オン」【143】する戦術をとり、警官が逮捕に駆けつけるのを待つだろうか。しかも、やってきた警官がつかまえるのは強盗犯ではなく、きみやパートナーや子どもたち。おかげで強盗は暴力におびやかされず、平和裏に仕事をつづけられるというわけ。

もちろんバカげた想像だが、まさしくぼくらが、〈大いなる家〉と〈大いなる家族〉、ひいては自分自身に対する攻撃に際してとっている態度にほかならない。忘れずにおこう。〈企業－国家〉連合体みずからがでっちあげた〈大いなる家〉を略奪する権利を、警察は守ってやる立場にあり、実際にぼくらを逮捕することで、強盗が平和裏に略奪をつづけられるようにしているのだ。

もしも、拡大版のホリスティックな自己認識が重視されるよう各国の法制度を改良できて、自己防衛の権利にもそれが適用されたなら、世界は一変するであろうに。機械文明の装置を破壊したうえ、運転していた人間に「ここより先へは行かせない」ときっぱり告げたところで、今日のように「テロ行為」の烙印を押されることはなくなり、正当な自衛行為とみなされるであろうに。

帝国主義者が領土を侵し、文化や暮らしを破壊するのを、先住民はこれ以上、力なく見ている必要がなくなり、英国の住宅所有者が闖入者に対して行使できるのと同じだけの選択肢を手にするであろうに。

シェールガス採取のための水圧破砕がいかに健康と生活をおびやかすかさえ証明できれば、現地住民はこれ以上、クアドリーリャ社などによる掘削を許さずにすみ、何年も投獄される心配なしに全面的抵抗を展開できるであろうに。

新時代の哲学的・科学的な自己の観念にいまの法制度が追いついていない、という悲しい事実以外のまともな理由もないまま、郷土が侵害され、伝統的な暮らしが消えていく。そんな状況を目のあたりにする屈辱と絶望を、ロスポート（223ページを参照）などの住民はこれ以上、味わわずにすむであろうに。

最大の武器は被抑圧者の心

しかしながら、以上は「もしも」の話にすぎない。エコサイド非合法化運動を主導するポリー・ヒギンズとちがって、ぼくは、自己防衛に関する法律が国家の司法の場でホリスティックに運用される日が来るとは、ほとんど期待していない。ぼくらの政治経済体制がみずからの依拠するエコサイド的慣行を非合法化する見込みも薄いだろう。

が、この点はかならずしも重要でない。各自の持つ正義感のほうが、ぼくらを治めているはずの法律よりも、人の行動をつねに左右してきたし、またそうあるべきだ。

概して人間は、投獄を恐れて人を殺さないわけではない。人を殺さぬ理由は、人命に重きを置くため、殺人が引きおこす痛みと悲しみを知っているため、などである。一般的に言って人間は、罰金刑や禁固刑を食らうかもしれないからと他人の持ち物を盗まないわけではない。盗まぬ理由は、自分がされたくないことを人にしたいとは思わないためである。

それと同じで、まちがっていると感じる法律を、人は守らない。守らずに破る人が多ければ多いほど、ますます多くの人が破る自信をつける。暴動時に起きる略奪もこの現象の一例だ。ただし、貧困層が金持ち企業に対していだく痛切な社会的不公平感も、こうした行為には見てとれるが。

もちろん、「自己」の法的解釈を変えることができたら、抵抗運動にとって形勢が一変するような勝利がおとずれるにちがいない。その意味するところは大きい。抵抗を決意する人が増えるだろう。すでに反撃する意志と能力を持った人が、鉄格子の内側ではなく、存在を必要とされる場所にとどまれるだろう。アクションを起こすのにさほど人目を忍ばなくてもよくなるだろう。

「ホリスティックな自己防衛の権利」が司法の場で議論されたら、さぞすばらしかろう。エコサイド禁止法について英国の最高裁判所でおこなわれたような模擬裁判という手も考えられる。

だが、たとえ偏狭な自己認識を法制度から追いだせない場合でも(さしあたりいまはそう仮定せざるをえないと思う)、せめてぼくらの頭――投獄の脅威よりもプロパガンダにあやつられることが断然多い――から追いだすことくらいはできる。追いださぬかぎり、平和主義や非暴力などの道義的に破綻した思考が脳内につくりだしてきた鎖で、みずからをしばりつけてしまう。この一種の牢獄のなかでは、永続させる価値のある世界を創造できるチャンスが、はじまりさえしないうちから押さえこまれる。というのも、詩人ロバート・フロストがかつて書いたように、長期にわたる権力維持を確実にする、もっとも強大で効果的な力は、支配層が被支配層を管理するあらゆる形の暴力ではない。被支配層が支配に黙従する、あらゆる形の同意である。

この心情は、一九七〇年代に国家警察による拷問のすえ殺された著名な反アパルトヘイト活動家スティーヴ・ビコの、次のひとことに要約できる。
「抑圧者の手中にあるもっとも強力な武器は、抑圧された者たちの心だ」【144】

生まれた瞬間からたえず文化による洗脳を受けてきた頭の声だけに耳をかたむけるのをやめ、心からの行動をはじめよう。ぼくらとその他多くの命が、産業主義の末期《まつご》の苦しみを生きぬくには、ぼくらが生物圏であり、生物圏がぼくらであるという理解を、もう一度取りもどす必要がある。何より重要なのは、心のなかでは真実だとわかっているこの理解にもとづいて行動しはじめること。

地球はぼくらの家かもしれないが、それだけではない。地球はぼくら自身なのである。自分の家とそこに住む家族、自分自身の肉体を守るときと同じ熱意と勇猛さをもって、地球とそこに住む生き物を守らねばならない。

その際、権力者の攻撃からみずからと〈生〉とを守る方法を、権力者に指図される必要はないのだ。

第5章

非暴力――権力者好みの抗議手法

独裁政権は「道義的な力《モラル・フォース》」などにはびくともせぬ。やつらが恐れるのは物理的な力だ。

ジョージ・オーウェル

ある秋の夕方、ロサンゼルスの黒人居住区を巡回中の白人警官リー・ミニカスが、飲酒運転の疑いでマルケット・フライという住民に停車を命じたとき、まさか自分の名を歴史に残すことになろうとは予想もしなかった。よくある警察のいやがらせと人種差別の慣行に端を発したできごとが、六日間におよぶワッツ暴動――アフリカ系米国人の公民権運動史上最大の事件――へと発展する。

米国大統領リンドン・B・ジョンソンが一九六五年投票権法（事実上、投票に関する人種差別を禁じた）に署名してから五日しかたっていなかったが、何世代もかけて準備されてきた暴動の導火線にいったん火がつくと、わずか数日でロサンゼルスの一二〇平方キロ以上に燃えひろがった。戒厳令が敷かれ、一万四千の州兵が約三万五千の住民（および倍の人数の支援者）を鎮圧しようと試みるも、事態収束までに三四名が死亡、逮捕者多数、千棟近い建物が略奪、損傷、破壊をこうむる。なべは吹きこぼれ、料理人たちは煮え湯に悪態をついていた。

この暴動に関し、もっとも注目されず、しかしもっとも興味ぶかい一幕は、ジョンソン大統領が「暴力的手段では価値ある結果を得られないとニグロたちに言ってきかせた」[145]ときではなかろうか。前大統領のことばが正しかったかはともかく（実際はまちがっていた）、そこには、政府というものが暴力に対してとる姿勢にありがちな偽善臭がただよう。なにしろ、この発言がなされた当時、ジョンソン大統領はベトナム戦争の拡大に全力を注いでいたのだから。

自分に向けられた行為にのみ「暴力的」のレッテルを貼って、自分による行為は不問としたり、「みずからも暴力をふるいつつ暴力を非難する」権利を主張したりなど、人間誰しも犯す誤りだが[146]、ぼくらが愚かにも実際の行為より口先のことばに気を取られているあいだに、政治家たちは下からの暴力を糾弾する一方で、上からの暴力を押しつけつづけてきた。

そんな偽善ぶりをマルコムXは、「［米国政府が］和平を望むのなら、まずあちらが平和的態度をとるべきだ」と難じた。のちにノーベル平和賞を受賞するネルソン・マンデラもまた、白人至上主義者を自認する（かつて南アの首相もつとめた）

P・W・ボータから釈放の条件として暴力の放棄を提示されたとき、「暴力を捨てるのはあの男のほうだろう」【147】と応じたことがある。

権力者の助言は疑ってかかるべし

ワッツ暴動の際のジョンソン大統領の発言には、多くの疑問がわいてくる。

第一に、政治指導者の言にたがわず暴力が何の結果も生まないとすれば、なぜ指導者たち自身はしょっちゅう剣をふりかざし、残忍な暴力を行使するのか。答えは単純。実際は結果を生むからだ。銃口を突きつけられて土地を奪われ、産業化を強いられてきた多くの土着の民が、その証拠である。

のちほど見るとおり、そう気づいているのは体制側だけではない。いかなる実効的手段もいとわず自文化や郷土を守りぬく者たちも、上下どちらの方向の暴力も結果を出しうることに気づいている。

第二の疑問。いまの政治経済体制を根本から変えたいと願う人びとが、はたして、逆を望む者たちからの助言を聞きいれて闘いかたを決めるだろうか。サッカーにたとえれば、あるチーム（レアル・マドリードとしよう）の監督が別のチーム（ブリストル・ローヴァーズでもいい）の監督に決勝戦で勝つための戦術を指南し、後者はこのアドバイスにありがたくしたがう、というのにひとしい。考えるのさえバカバカしく、結局誰が優勝杯をかかげることになるか、しろうと目にも明らかだ。

第三の疑問。体制側はなぜ、極度の暴力をのべつ密かにふるいながら、「非暴力だけが唯一、道義にかなった正しい変革手段である」と説くのか。これも答えはおどろくにあたらない。権力者は下々の者に、徹底的な変化を実現する道すじを与えたくないのだ。特に、その道が直接自分たちの役員会議室や首脳部に通じている場合は。

教条的な非暴力のみでは、進んで自滅する気のない軍産複合体に、適切に対抗することなど望むべくもない。非暴力原理主義者たちは本気で信じているのだろうか。購買力さえあればどこの国にも（しばしば購買力がない国にも）大量破壊兵器を売りつけるBAEシステムズなどの企業が、ある日突然、道義的説得の力に屈し、自社製品が毎年おおぜいの人を殺傷している事実にはじめて気づいたかのように、おこないを改めるなんて。

権力者とは制度上、人間とそれ以外の生き物の命をいくら犠牲にしても経済成長と政治的支配をめざすものであり、真に平和的かつ持続可能な暮らしや文化をつくりだすのに必要とされるラディカルな変化を嫌う。したがって、根本的変化の実現が見込まれる戦術を支持するはずがない。それどころかぼくらに、政治的袋小路にいたる細道をひたすら走りつづけるよう奨励するのだ。特権的地位にいる者がラディカルな草の根の変化を望む者に戦術を助言してくるときは、少なくとも懐疑的な態度をとったほうがいい。

改良主義と体制の奇妙な同盟関係

友だちの知り合いは、かずかずの改良主義的運動ではなばなしく活躍した著名な社会活動家だが、世間の評価に反して、自分のこれまでの人生を成功にはほど遠いものだと思っているそうだ。なぜなら「殺すぞと脅迫された経験がないから」。

同様の意味において、アースファースト！創設者のひとりで、殺害予告を何度も受けてきたデイヴ・フォアマンは、自分のアクションが原因で「ＦＢＩによるいやがらせにあうのは光栄だ」【148】と豪語する。

世界最大級の権力の持ち主に自分の命、自由、安寧をおびやかされることを成功の指標とみなす人もめずらしいが、この一見奇異なコメントは重要な点を突いている。つまり、〈企業－国家〉連合体がふるう暴力に抵抗するアクションの効力は、残念ながら、受ける反発の激しさで測れるのかもしれない。

権力者は、わざわざ時間や資源をつぎこんでまで、脅威とも感じぬ活動を妨害したりしない。かえって逆に、そんな無害な活動は、大目に見るばかりか暗に勧奨しさえする。

改良主義者と体制側のあいだには、奇妙な同盟関係がなりたつ。改良主義者（一般的な意味での）は往々にして、産業社会がもたらす無数の病弊をさまざまに嘆いてみせるくせに、産業化なしには存在しえない現代文明の利器にことごとく執着する。かたや体制側は、長期戦略の一環として改良主義者を欲している。民主的な政権と称するからには、批判に対しても耳をかたむけるポーズが必要で、さもないと、みずからの正当性を主張すべく捏造《ねつぞう》した信用が低下してしまう。へたをすれば全面的革命の脅威に直面しかねない。そこで体制側は、煮立ったなべが吹きこぼれぬよう、痛くもかゆくもない譲歩をしてみせるのだ。

改良主義者が国家にこのサービスを提供するには、重要度が低く受けいれられやすい微調整を、腐敗しきった制度にほどこすように要求すればいい。かくして制度の正当化に寄与し、我知らず、国民の利益に最大限配慮するふりをした幻想のリベラル・デモクラシーを、一緒になってつくりだしている。

改良主義はまた、不公正な社会モデルが必然的・潜在的にかかえこむ強大な現状破壊エネルギーの矛先を、より無害な方向へとそらす。無害というのは、体制側の利益を損なわないという意味であり、〈大いなる生命の織物〉の利益を害さないという話ではない。

口先では仰々しく約束しておきながら、機械文明が実際に与えるのは、いつの間にか現状を強化してしまう改良ばかり。女性、黒人、LGBTコミュニティなど従来抑圧されてきた人びとへちょっとずつ小出しに権利を与えたところで、支配体制はびくともしない（どちらかというと強固になる）――この人たちが前よりよくはたらき、税金と住宅ローンを支払い、がらくたを際限なく消費し、社会の基本的前提を疑問視せずにいてくれるかぎりは。

不平が高まると見たとたん、小さなニンジンを取りだして、怒れる者たちをわずかばかりのほうびで懐柔する。そんなものは赤ん坊のおしゃぶりにすぎない。

抑圧された人びとがこれまでに勝ちとってきた成果をおとしめるつもりで言っているのではない。闘ってきた人たち自身にとっては、もちろん非常に有益だった。このような話をするのは、ただ全体的な文脈のなかで考えるため、そして、人間以外の広い世界から見たら人間がみな――男も女も、異性愛者も同性愛者も、白人も黒人も――至上主義思想の持ち主だという、われわれが認めたがらぬ事実を思いおこすためである。

結局のところ、専門職の女性や男性は人種や性的指向にかかわらず、大地との直接的関係のうちに生きる母親や父親よりも、機械経済に貢献してくれるのだ。上位一パーセントの有力者が仮に、人間以外の生き物にいくらかの表面的権利を付与したらもっともうかると判断すれば、そのとおりにするのはまちがいない。しかし、フォアグラ用のガチョウが労働組合に加入して条件闘争をしたり、オオカミがいなくなったからと森が反乱を起こしたりするのはむずかしいため、ガチョウや森が置かれた嘆かわしい状況は悪化の一途をたどるだろう。

機械文明に回収される選挙

〈企業―国家〉連合体は、みずからの構造を真におびやかすような戦術を許容などしない。向こうの身になれば、そんなことを許すわけがない。ワード・チャーチルは「国家政策への『抵抗』の意思表示は、政策施行を具体的にさまたげぬかぎりにおいて許容される」【149】と述べた。エマ・ゴールドマンはさらに踏みこんで、「選挙投票で何かが変わるなら、投票自体を非合法化したはずだ」【150】

と喝破した。

産業規模の民主主義に関する問題は本書では論じきれないが、言うまでもなく、今日のエセ民主主義体制のもとで投票によって変えられるのは、〈生〉を換金する職務の担当者のネクタイの色だけ。誰が当選しようとも、〈軍ー産ーメディア〉複合体の性質上、産業資本主義のたたく太鼓に合わせた行進は続行される。四～五年ごとにぼくらは、今度こそ状況が変わるものと、かなわぬ期待をいだく。暴力性の度合いが少しずつ異なる三～四人から選んで投票できることで、自由で公正な民主的社会に生きていると思わされ、機械文明に回収されてしまう、とすら言える。

ゲルダルースが論じるとおり、その種の民主的政府は、独裁政権の「［政治的］延長線上に位置する」。学者、ジャーナリスト、政治評論家らは、「民主的選挙が『公正で自由』なのに対し、独裁者に執務室を与えるような選挙は操作されている」点で両者は別物だと反論するだろう。だが、ぼくらが投票できる三～四名の候補者にしても、マスコミ（各新聞はひいきの候補に有利な記事を書く）と、茶番劇にカネを出す金融界とによって、念入りに選別されているのは周知の事実である。ゲルダルースはつづけて述べる。

民主的政府は独裁政府と同様、暴力、抑圧、大量殺戮、拷問、投獄の法的権能を持つ。ただし民主的政府には、非暴力運動を許容し、手近に置いておく傾向がある。そうした運動は、権力者にとってこのうえなく便利な存在たりうるからだ【151】。

真に脅威的な戦術については機械文明も、許容しないばかりか恐怖心をむき出しにし、手段を選ばぬ反撃者たちに容赦なくつきまとい襲いかかる。運動が時宜にかなった多様な戦術をとるときこそ、真の意味で現状に異議を突きつけることになるのだ。

エコ狩り

ストップ・ハンティンドン・アニマル・クルエルティ（**SHAC**）の活動が米国で波に乗りつつあった二〇〇二年、ウィル・ポッター（『グリーンは新しいアカ（*Green is the New Red*）』著者）は『シカゴ・トリビューン』紙の記者をつとめており、強姦や殺人のニュースを追いかける日々にうんざりしていた。

彼の弁によると、地域の動物虐待防止団体でボランティアをはじめたのは、人生に少しばかり意義や目的を持たせたかったから。成果主義の方針のもと、初日に仲間と連れだってシカゴ北部へ行き、世界最大級の保険会社マーシュの重役邸付近でビラを配ってまわった。動物の権利《アニマルライツ》活動家がなぜ保険会社を標的とするのか、一見不可解だろう。しかし、マーシュ社が保険契約を結んでいる英国拠点の大手動物実験企業ハンティンドン・ライフサイエンス（HLS）は、業務上、日常的に動物を虐待しており、これに対する怒りの運動が世界規模で広まりつつあったのだ。

近所の家に配られたビラは、ハンティンドン社による動物虐待の概略を知らせ、「同社との取引をやめるよう重役に進言しましょう」と呼びかける内容だった。ポッターが説明するとおり、「ビラには暴力や器物損壊をそそのかす文言もなければ、脅迫もしていなかった」【152】。

ハンティンドン社を単なる一顧客としてかかえた罪なきビジネスマンとおぼしい人物をやり玉にあげ、その隣人にはたらきかける種の行為は、フェアでないと感じられるかもしれない。だが、歴史的な文脈に置きなおすと見えかたが変わってくる。この手の「草の根の経済制裁」こそ、南アフリカの反アパルトヘイト運動で用いられ、効を奏した戦略だった。

肌の色や毛皮のあるなしで倫理的配慮に差をつける者たちに対処する際、草の根の経済制裁は重要な役割を果たす。差別者たちに害の少ない選択をうながすには、倫理以外の価値観に訴えかけるしかない。このケースでは、カネや世間の評判だ。

今回の活動家らは、黒人の権利を勝ちとるためではなく(往時の南アでは黒人への抑圧を多くの国民が文化として容認していた)、構造的な動物虐待をなくすために(動物の残酷な扱いはいまなお世界中で文化として容認されている)、可能なかぎりもっとも効果的と思われる手法を用いて闘っていた。

その日の〈企業ー国家〉連合体の反応から判断して、参加者らの選んだ手法はまちがっていなかった。配りはじめてほどなく、警備員によって警察が呼ばれ、ビラを配っていた人たちは拘束され、手錠をかけられて連行された——容疑内容の説明もなしに(ポッターはその後もFBIに尾行され、さまざまな脅迫を受けた。ビラ配りの代償としては異例である)。

警官が容疑を提示できなかった理由は、当然ながら、触法行為が存在しなかったからだ。単なる事実を述べ、非暴力の行動を起こすよう訴えるだけのビラを、配布したところで犯罪にはならない。

ただしもちろん、その点はどうでもいい。逮捕の目的は、アクションを妨害し、メンバーの個人情報を把握すること。そしてもっと重要なのは、おどしをかけて、今後同じようなおこないをくりかえさせないことである。

しかし米国の法的状況は、二〇〇六年の「動物関連企業テロリズム法（AETA）」などの厳格な法律の制定――運動内部でエコ狩り《グリーンスケア》と呼ばれるようになった動きの一環――とともに変わろうとしていた。

エコ狩りは、赤狩り《レッドスケア》（いわゆるマッカーシズム）をもじったことばである。赤狩りは、一九一七年のボリシェヴィキによるロシア革命直後に起きたほか、第二次世界大戦直後にもさらに激しい例が見られ、米国民のあいだに社会主義・共産主義の思想や革命に対する恐怖をあおりたてるプロパガンダをさす用語だった。ひるがえってエコ狩りとは、ラディカルな環境保護運動や動物の権利運動に対する、米国の〈企業―国家〉連合体による迫害をさす。あいつぐ逮捕、有罪判決、新法制定、大陪審による起訴といった形をとり、また同じく重要な手口として、法律にもとづかぬ脅迫なども用いられる**【153】**。

この弾圧の典型が、連邦捜査局（FBI）や他の政府機関が地球解放戦線（ELF）と動物解放戦線（ALF）のメンバーをおもな標的とした「迎え撃ち作戦《バックファイア》」であった。ELFとALFのしかけた放火攻撃だけでも、すでに、エコサイド企業数社に約八千万ドルの損害を与えていたのだ。

エコタージュ——生態系を守る妨害工作

先述のポッターのビラ配りは、まちがいなく非暴力に徹した活動だったものの、FBIが神経をとがらすほど勢いをのばしつつあった、多様な戦術をとる運動の一角に位置づけられる。運動が盛りあがるきっかけとなったのは、おもに、ELF、ALF、アースファースト！、SHACといった組織の「夜の仕事」だった。これら組織の工具箱には、生態学的《エコロジカル》サボタージュあるいは「エコタージュ」と呼ばれる小道具が入っている。エドワード・アビーによる傑作小説『爆破——モンキーレンチギャング』（築地書館）の登場人物、ジョージ・W・ヘイデュークやボニー・アブズグらの冒険に触発されて使いはじめた道具だ。

サム・ラブとデヴィッド・オブストが著書『エコタージュ！（*Ecotage!*）』で、エコタージュを「生態系を守るためのサボタージュ」と定義したように、この用語は通常、大企業や国家による地球資産の食いつぶしを、妨害・阻止することを目的とした活動をさす。

「モンキーレンチギャング」をはじめとする妨害工作者がおこなう〈大いなる生命の織物〉の保護活動は、すべてエコタージュである。すなわち、立ち木にスパイクをつける（大型製材ノコギリの高価な刃を傷つけるため。あるいはできることなら木材会社に具体的な販売計画を思いとどまらせるため）、鍵を接着剤で固める、放火する、原生地域の測量調査用の杭を抜いて道路建設を妨害する（希少な野生動物が安全に移動できる緑の回廊《コリドー》を維持するため）、自然を大規模破壊するブルドーザーの燃料タンクやオイルタンクに砂を流しこむ、など。

自己防衛（ホリスティックな意味で）の一方法として人気を博すにしたがい、エコタージュは洗練度を増していく。やがて、それぞれに単独行動をとる一匹狼の個人や小規模なゲリラ型集団のネットワークにおける協働手法へと発展した。

各地の匿名の工作者から寄せられた情報にもとづき、アースファースト！のデイヴ・フォアマンらが共同編集した『生態系の防衛：破壊的抗議《モンキーレンチ》活動の実地ガイド（*Ecodefense: A Field Guide to Monkeywrenching*）』は、機械文明による地球の蹂躙《じゅうりん》を阻止する実用的アイデアを集大成したもの。この書籍の大胆不敵な記述を下敷きとした「アクション分類法」【154】が、アリク・マクベイの『ディープグリーンの抵抗（*Deep Green Resistance*）』に掲載されている。

アースファースト！も、自前の『直接行動マニュアル（*Direct Action Manual*）』を公刊し、封鎖、警備、登攀《とうはん》から、警察やメディアへの対処法まで、あらゆる情報を網羅した。

独自の強硬路線（および「場合によっては放火こそが標的を廃業に追いこむもっとも効果的な手段」との信条）を堅持するELFは、『電動時限装置による放火（*Setting Fires with Electrical Timers*）』と題するハンドブックを出版した。

さらにもっと本格志向の人には、ジョゼフ・P・マルティノの『圧政への抵抗（*Resistance to Tyranny*）』がよい入門書となるだろう。爆発物の設置、暗殺、奇襲、暗号化をはじめ多岐にわたる技法を章ごとに解説する。もちろん元空軍大佐の経歴を持つ著者としては、職業上の金銭的恩恵を受けた軍産複合体に盾つく〈生〉の守護者らに、情報やツールを提供する気はさらさらなかったと思うが。

新たな社会を生むサボタージュ

フォアマンは破壊的抗議活動《モンキーレンチ》について「自然の多様性と原生地域を破壊する所業に対する非暴力の抵抗であり［中略］人間やその他の生き物を標的とするこ

とはけっしてなく［中略］命を損ねる無生物の機械や道具類に向けられる」【155】と明言するものの、エコタージュを非暴力とみなす考えがかならずしも万人に共有されているわけではない。

ひとつには、所有物を――とりわけ生計を立てるのに使う物の場合は――人間存在の延長と考える人が多いため。エコタージュはふつう「器物の損壊」を伴うが、これは、従来の辞書的定義や一般的な――ただしまるで一貫性のない――解釈によると暴力の範疇に入る。このことを象徴的に示すのが、世界中の司法が置かれた嘆かわしい状況、つまり、生き物の命を奪うための機械に対する攻撃が法律上の犯罪とみなされる一方で、ブルドーザーによる原生林の大規模破壊は合法であるばかりか経済への貢献とみなされる（だからこそ合法なのだ）状況である。〈企業－国家〉連合体だけではない。権力者との交渉の席からはずされまいとする主流派の大手環境保護団体の多くも、アースファースト！やＥＬＦなどの地下運動がとるような戦術を否定する。地下運動は公然組織の望む種類の成果を現に達成しており、しかも後者の専従職員が使える億単位の予算もなしに達成しているというのに。

エコタージュもサボタージュと同じく、不当に評判が悪い。

サボタージュとは、十五世紀オランダの労働者の行動が生んだ俗語である。機械に仕事を奪われてしまうとのもっともな危機感から、大胆にも、はいていた木靴《サボ》を織機の歯車に投げいれる破壊活動におよんだ。ラッダイト【156】にも影響を与えたこの行動は、以後幾世紀にわたって職工たちの夢たりつづけた。

多くの戦術と同様、サボタージュにもふさわしい場があってしかるべきだ。サボタージュはほぼつねに非合法とされ（国家公認の暴力である戦争の一環として遂行される破壊工作をのぞく）、世論（それ自体がマスコミによって形成される）の非難を受けてきたが、一概に倫理に反するものとは言えない。

ディープ・エコロジストのビル・デヴァルがクリストファー・メインズとのインタビューで、サボタージュは——他のどの戦術もそうだが——賢明なる市民の工具箱のなかで一定の役割を担うものだと語っている。その論拠としてデヴァルは「強制収容所に対するサボタージュを実行しても良心のとがめを感じる人はいなかっただろうが、アウシュヴィッツで起きたことはすべてナチの法律のもとで合法だった」と指摘し、さらに「エコタージュは世俗の法律よりも高次の原則に応えて場を守る」【157】と言いそえる。

もっともか弱き存在がもっとも強き者による虐待から法律で守られないとき、

また人間とそれ以外の生き物の権利が機械文明によって踏みにじられるときこそが、サボタージュの出番だ。アパルトヘイトと闘ったネルソン・マンデラ（サボタージュを認めぬ世界中の政治指導者ですら、彼の勇気と不屈の精神をほめそやす）の考えもこれに近い。みずからの行為について、こう証言している。

破壊工作を計画したことは否定しません。それを計画したのは、向こう見ずな気持ちからでも、暴力が好きだからでもありません。白人が長年にわたって民衆を専制支配し、搾取し、抑圧してきたために生じた政治状況を、冷静に、ありのままに評価した結果として、そういう行動をくわだてたのです【158】。

サボタージュを選んだマンデラには、マルクスも『資本論』で述べたとおり、ときに「新しい社会をはらんだ古い社会にとっては力が産婆となる」【159】との認識があった。

テロリストか、自由の戦士か

フォアマン、メインズをはじめとするディープ・エコロジストたちがエコタージュを「自己防衛の手段」【160】とみなす一方で、そうは考えず、無生物のブルドーザーが生物群系全体よりも神聖だと信じているかのような人もいる。この多数派にとって、エコタージュはつねに犯罪であり、どんなに不当な内容であろうと法律は法律なのだ。それどころか、エコタージュや反アパルトヘイト流の戦術（ハッカー集団アノニマスのDDoS攻撃【161】もその一変種）が既存の秩序をおびやかすものだから、FBIおよび国土安全保障省（DHS）は実行者を国内テロリストとさえ呼びはじめた。FBI幹部のジョン・ルイスは「国内における最大のテロリズムの脅威は、エコテロリズム、動物の権利運動だ」【162】とまで宣言した。

奇妙ではあれど、おどろくことでもない。一面においては理解できる。とかく公的機関は、政府や一般市民を脅迫または威圧してなんらかの活動（原生林の大規模伐採など）をやめさせる行為を、テロリズムと結びつけたがるから。

ある行為が米国で国内テロと分類される必要条件としてFBIがさだめた三項目【163】のうち二つにもとづけば、エコタージュおよびその他の生態系防衛手法がテロリズムに該当する場合もある。もちろん活動家自身はそれらの定義に納得せぬだろうが、ポッターのうがった指摘のとおり「テロリズムとは単に政治目的を達成するための暴力のことではなく、『われわれ』と対立する政治目的を達成するための暴力のこと」であり、「定義主体の集団と無関係に定義されることはけっしてない」。また、「権力者から弱者に対する構造的暴力はテロリズムと呼ばない、という暗黙の前提がある。暴力の矛先が上流に——政府に——向けなおされるときにのみテロリズムと呼ばれる」。

その証拠としてポッターは「ゲリラが火をつけた爆弾で数十人の一般市民が死んだ場合はテロリズムだが、軍用機が落とした爆弾で数万人が死んだ場合は外交政策」【164】と述べる。ようするに、昔からよく言う「ある人にとってのテロリストも、別の人にとっては自由の戦士」なのである。

ルイジアナ・パシフィック、ハンティンドン・ライフサイエンス、BAEシステムズの重役たちから見れば、エコタージュの実行者はつねにテロリストだ。しかしガイア【165】から見れば、つねに自由の戦士だ。どちらの見地に立つかはおもに、権力と〈生〉のどちらに忠誠を誓うかによって決まる。

「エコテロリズム」のレッテル貼り

エコタージュの実行者をマスコミがどうあだ名しようとも、ある行為が米国の法律で公式に国内テロと分類されるには、「連邦法もしくは州法に違反する

［やりかたで］人命をおびやかす」【166】ものでなければならない。テロリズムには強烈な汚名がつきまとうから、ある種の運動に対しテロリズムのレッテルを貼れば、世論を誘導でき、取りしまりがしやすくなる。取りしまる際に政府は、世論の同意をけっして必要とするわけではないけれど、同意がないよりはあったほうがいい。

この条件の文言には、興味ぶかい点がいくつも見られる。

第一に、「連邦法もしくは州法に違反する」場合にのみテロリズムとされる点は、人間と地球に対する国家のテロリズムと言わせないために、政府が張った予防線である。しょせん、国家がみずからの暴力を法で禁止することはまずない。

第二に、多くのディープ・エコロジストは言うだろう。地球を現金化し、〈生〉を株主への配当に変換しようとしているのは、つまり「人命をおびやかす」ようなことをしているのは、企業ではないか。したがって、テロリストは産業資本家のほうであって、その合法的犯罪を防ごうと試みる者たちではない、と。

抽象的な話はさておき、この点においてFBIの言い分はくずれる。米国の治安当局が「ラディカルな活動家による攻撃が人命をおびやかしている」と主張していたのを受けて、ポッターはその真偽のほどをしらみつぶしに調査することにした。手はじめに、活動家に対する「エコテロリスト」のレッテル貼りにもっとも熱心な団体にあたるのがいいだろう。「エコテロリストの犯罪を追跡調査する世界で唯一の集団」を自称する生物医学研究財団は、『動物擁護・エコテロリストによる主要な非合法活動二〇選　一九九六〜二〇〇六年版（*Top 20 List of Illegal Actions by Animal and Eco-Terrorists 1996-2006*）』を発表している。「暴力を無視または矮小化する動機が活動家側にあるように、これ見よがしに強調する動機がこうした団体にはある」【167】とポッターは推測した。

では、『二〇選』の一覧をくまなく調べて何がわかったのか。「運動の最大の敵から入手した主要なエコテロリズム犯罪の一覧に、傷害や死亡の事例は一件も含まれていない」ことである。

マスコミと国家が手を組んだプロパガンダのせいで、エコタージュによる傷害事件としばしば誤って言及されるのは、一九八七年にカリフォルニア州クローバーデールにあるルイジアナ・パシフィック社の製材所作業員に起きた一件である。『サンフランシスコ・クロニクル』紙はこのときを待っていたとばかり一面の見出しで「森林サボタージュで初の犠牲者」と書きたてた。別の新聞の一面では「作業員のケガの責任はアースファースト！に」と報じられ、また「大がかりに開いた記者会見でルイジアナ・パシフィック社のスポークスマン（ママ）は、この事故に関連づけて『アースファースト！など』のラディカルな環境保護グループを非難した」【168】。

結局、これらの非難はすべてエコ狩りの一環にすぎず、ラディカルかつ多様な戦術をとる者たちに否定的な世論（なかんずく主流の環境保護主義者からの反感）を醸成するくわだてであった。その昔、イギリスの帝国主義者がインドやアイルランドにおいて民衆反乱の発生時に使用した「分断して統治する」手口と、なんら変わりがない。

ポッターの調査で示されたとおり、「何年ものちにFBIの記録から判明したところによると、最大の容疑者は活動家ではなく、不満をかかえた一住民で、自分の地所に木材会社が立ち入らぬようスパイクを設置したと供述していた」【169】。政治の世界ではよくある話だが、都合の悪い真相は隠される。

明らかに傷害や死亡の事例がない以上、FBI自身の定義に照らしても、ほとんどのエコタージュ行為には少なくとも「国内テロ」の罪を着せることができない。この矛盾への対応として、FBIは「エコテロリズム」の新語を別途つくりださねばならなかったのだ——エコタージュ実行者がメディアで、どぎついひびきを持つ「テロリスト」として描かれるように。

こうした表現は、大衆に恐怖を植えつけるのにも役だつ。大衆をいったん十分にこわがらせてしまえば、厳重な取りしまりもやむをえないと簡単に受けいれるようになる。

FBIはエコテロリズムを「環境優先主義の国内組織が、環境政治的な動機から人間や資産をねらい、犯罪的暴力を行使または脅迫手段として用いる行為。示威行為として、標的以外の観衆に向けられる場合もある」【170】と定義する。類似の定義に照らせば、ナチの戦争機械や強制収容所で起きたサボタージュもまた、テロリズムと呼ばれていただろう。

エドワード・アビーはこの見かたをとらず、エコタージュとテロリズムのあいだに明確な線引きをする。彼によると、「サボタージュは無生物、つまり機械類や資産に対する暴力」で、「テロリズムは人間に対する暴力をさす。おれはテロリズムには断固反対する。軍隊や国家がおこなうにせよ――たいていはそうだ――、あるいは『資格のない個人』がおこなうにせよ」【171】。

成果をあげるエコタージュ

〈企業ー国家〉連合体非公認の活動にかかわりあうなどと考えただけで、わが身の自由を（当然ながら）重んじる人であれば恐ろしくもなろう。それでもなお、多様な戦術をとる運動がこうむる並々ならぬ反発の大きさは、かえって、平常に耐えかねた人びとにとってのチャンスのありかを教えてくれている。

現在のところ、改良主義的でないアクションに従事する人は、生態系や社会問題に関心が高いと自負する層のほんのひとにぎりにすぎない。にもかかわらず、この少数派のあげた成果からは、非暴力と絶対平和主義の教義を疑い、より多様な戦術を受けいれ、志向性を同じくする他の運動と連帯する人が、もっと割合として増えた場合の潜在力について、貴重な示唆を与えられる。

国土安全保障省（**DHS**）の側もこの潜在力を認めており、他の法執行機関向けの告知文書で「動物の権利過激派やエコテロリストによる企業に対する攻撃は、標的企業にとって高くつくうえ、将来的に経済全般への信頼もゆるがしかねない」**【172】**と警告した。また、標的とされる企業の多くが、多数の大規模プロジェクトからわずかずつの利益をかきあつめて採算をとっている以上、一プロジェクトにかかわる総コスト（保険料、損失、警備費用など）の増大は、しばしば収支が引きあわなくなる結果を意味する。

ＥＬＦのピカリングがずばり指摘するように、「これらの企業は金銭的利益のために存在する。ある日突然、損害が出はじめれば、事業活動を見なおさざるをえなくなる」【173】。フォアマンも同意見だ。

道路のとおっていない地域で一定数の木にスパイクが取りつけられたら、いずれ、木材会社の役員室に巣食う企業ギャングも、森林局の制服を着た収賄者も、希少な原生地域における木材の商売がとてつもなく高くつくようになると認識するだろう。利益がすべてであるから、原生地域を侵犯する前に考えなおすようになるだろう【174】。

そのような手段で毎年どれだけの企業利益がうしなわれているかに関するデータは、まるであてにならない。メインズによれば、「資源会社は、ただでさえ安全上の問題が多い業界において、さらなる保険料値上げの理由を保険会社に与えたくないから」あえて表ざたにしないという。エコタージュの実態究明を森林局から委嘱された専門官ベン・ハルは、調査結果の公表を望まない、「どれほどの混乱を引きおこしているか」【175】をエコタージュ犯自身に知られたくないので、とはっきり述べた。

こうしたデータの制約にもかかわらず、控えめな見積もりでも、一九九六年から二〇〇四年のあいだに起きたエコタージュ六百件による被害総額は約一億ドル、死者数はゼロであった[176]。実際の被害額はその何倍にものぼりかねない。関連業界には悪いニュースだが、〈生〉にとっては吉報だ。業界の大立者から利益を奪いとるのは、サイコパスの手から剣を奪いとるにひとしい。クリックティビズムなどの改良主義的手法ばかり好んでいる人が、全員とは言わずともほどほどの割合で、そんな多様なアプローチに訴えるようになれば、サイコパスらをねじ伏せることぐらいできそうなものだが。

サイコパスが報われる社会で

日ごろ世間の尊敬を集めている産業界の大立者に、サイコパス呼ばわりは厳しすぎると思う読者も、学術雑誌『心理学・犯罪・法』に発表されたある研究を知れば考えが変わるかもしれない。

二〇〇五年に心理学者カタリナ・フリッツォンとベリンダ・ボードは、英国の大企業の経営幹部らに人格テストを実施した。次にその精神測定プロファイルをブロードムア精神病院（英国の悪名高い殺人犯らが収容されている重警備病院）に収監された犯罪者と比較した。その結果、ある種の「人格障害は実際、精神障害を持つ犯罪者よりも企業幹部に多く見られた」【177】ため、この心理学者らは、企業幹部を「成功したサイコパス」、犯罪者を「成功しなかったサイコパス」【178】と呼ぶ。

このおだやかならぬ事実は、ロバート・ヘアとポール・バビアックがおこなった調査によっても裏づけられた。二人の著書『スーツを着た蛇（*Snakes in Suits*）』【179】によると、現代の官僚組織（FBIなど）や企業（銀行など）では構造上、チームプレイの得意な人よりも積極的にリスクをとる人材が重用されるため、サイコパス傾向の強い人間が選ばれ、ほうびを与えられ、出世しやすい。

これを受けてジョージ・モンビオは、「サイコパス傾向のある人が貧乏な家に生まれついた場合は監獄へ行く可能性が高く、サイコパス傾向のある人が裕福な家に生まれついた場合は経営学大学院《ビジネススクール》へ行く可能性が高いってことだね」【180】とコメントしている。コメディアンのラッセル・ブランドが言ったように、われわれは「サイコパスが報われる社会をつくりあげた」【181】。

だが、ぼくらはサイコパスに報い、営利目的の地球の収奪を許すばかりか、愚かにも、法律や文化規範の作成までをその手にゆだねているのだ。そんな法律や規範があるせいで、犯罪者か社会のつまはじきにされる恐れなしにやつらの責任を問えるような手立ては、ずいぶんと限定されてしまう。

ほかならぬこの官僚組織が、他者のために体を張っている活動家にテロリストのレッテルを貼るとは、なんとも皮肉である。サイコパス率いる組織に巨利をもたらしてくれる現体制を、手段を選ばぬ活動家がおびやかすからかもしれない。

ポッターは、DHSが二〇〇八年に作成した報告書『エコテロリズム：米国の環境・動物の権利過激派（*Eco-terrorism: Environmental and Animal Rights Militants in the United States*）』を引いて、〈企業ー国家〉連合体の懸念を要約してみせる。報告書によると、「動物の権利運動と環境保護運動は、文明、近代、資本主義に真っ向から対立する」。これらの運動が成功すれば、「地球環境とそこに生息する生き物に関する社会規範の質を根本的に変えてしまう」だけでなく、「ひいてはまったく新しい、アナーキーで反組織的な統治システムと社会関係をもたらすであろう」**【182】**からだ。

ラディカルな変革運動のウェブサイトやビラに、推薦文としても使えそうなことばではないか。

治安当局がこのような懸念をいだくのも、もっともである。とはいえ、一般に暴力(またはテロ)とみなされかねない行為を伴う活動の成功について語る際は、いくつかの点に留意したい。

まず、工具箱のなかみ全部を活用すべきだと論じる人びとは、けっして、最初から暴力に訴えろと主張しているのではない。むしろ逆で、なにしろ、〈生〉を深く重んじるがゆえにみずからの自由をも賭さずにいられぬような人たちなのだ。だからこそ、その夜陰に乗じたアクションによってひとつの命もうしなわれていなければ、ケガ人も出ていない(この点は、活動家の標的となる組織のふるまいについては残念ながらあてはまらず、そのことがまさに標的とされる理由にほかならない)。手段を選ばぬ活動家はただ、非暴力的な方法が明らかに効力を持たず不適切なときと場合もある、と言っているだけだ。

平和主義者とちがって急進派は、ラディカルな環境保護活動のすべてが成功だったとか、成功した活動がひとえに「暴力的」手段によっていたとは、主張しない。過去に社会関係の質が変化したときはいつも、活動家たちのとる多種多様な手法が功を奏したのだし、ほとんどの抵抗において、さまざまな人がそれぞれに独自の役割を果たしてきた。資産を攻撃された標的企業は、裏の事情が知れわたるのを恐れて事実を伏せるため、どれだけの成功事例があるか、どれだけの攻撃が発生しているかさえ、正確にはわからない。

多様性の強み

しかし、わかっている事実もある。たとえば、非暴力運動の典型とうたわれるインドの独立運動と米国の公民権運動について見ていこう。平和主義者や権力者に都合よく歴史書が書きかえられてきたものの、皮肉なことにこの二つは、あらゆる戦術を駆使した運動の潜在力を示す好例なのだ。

インド独立運動の実像

実際のインド独立運動は、今日流布している歴史から受ける印象よりも、はるかに多様だった。

一般的な理解はこうだろう。インドの人びとはマハトマ・ガンディーの指導のもと、ほぼ非暴力一色の運動をとおして(アムリトサルの虐殺などあまたの辛酸をなめつつも【183】イギリス人から独立を勝ちとった。平和的な「抗議、非協力、経済的ボイコット、具体的にはハンガーストライキや不服従行為」【184】の積みかさねが、イギリスの支配を機能不全におちいらせた。人びとの自己犠牲、思いやり、不屈の意志、「片方の頬を打つ者にはもう一方の頬をも向ける」見上げた才能は、インドの国だけでなく、愛と命と平和主義をも勝利にみちびいた――。

だが、ピーター・ゲルダルースが『非暴力はいかに国家を守るか（*How Nonviolence Protects the State*）』ではっきり説きあかしているように、実態はもっとずっと複雑であった。

まず指摘しておくと、平和主義者や非暴力主義者は、期せずして戦争が大きな役割を果たしたことを認めたがらないようだ。インドに独立が許されたのは、第二次世界大戦およびパレスチナにおけるアラブ人とユダヤ人の対立が原因でイギリス軍の戦力がいちじるしく消耗していた時期であった。インド各地に生まれつつある革命分子が主導権をにぎれば、残りの軍勢で三億ものインド人民を支配下に置くことはできなくなるだろう。イギリスはそう恐れていた【185】。

しかしながら、外的な軍事上の要因だけがはたらいたのではなかった。実のところ、ガンディーの非暴力のもとに一丸となった民衆というイメージは、真相からはほど遠い。イギリスの植民地支配に対する抵抗には武装闘争も多分に含まれており、ガンディー主義的手法は、大衆抵抗の形が複数せめぎあっていたうちのひとつと見るのが正しかろう【186】。

一九二二年、チャウリー・チャウラー事件で村民三名が殺された報復として民衆が巡査の一隊を殺害したのを受け、ガンディーが非協力運動を停止すると、多くの人がこれに失望し、非暴力(およびガンディーの実践するアヒンサーの教え)には主権奪還の力が欠けていると考えた。アヌシラン・サミティ(ならびにそこから分派したジュガンタル)、ガダル党、ヒンドゥスタン社会主義共和制協会などの革命組織が誕生あるいは先鋭化し、シャヒード・バガット・シン、チャンドラ・セカール・アーザード、スバス・チャンドラ・ボースといった重要人物もあらわれた。

とりわけ影響力の大きかったバガット・シンは、その生涯からしてちょっと革命に似ている。短くはじけ、大変革の起爆剤となったのだ。暗殺や爆破に荷担した罪により二四歳で絞首刑に処せられるまでに、ガンディーにおとらぬ人気を集めていた。同時期にアイルランド共和国建国運動を闘った多くの者と同じく、シンも、外国の帝国主義者からの独立のみならず、「外来の資本主義とインド内部の資本主義、双方の打倒」【187】をめざした。資本主義の最悪の結果など想像もつかなかった時代の話である。

一九三一年、一一六日におよぶ獄中ハンガーストライキののちに彼がイギリス人の手で処刑されたできごとは、インドの青年たちの政治意識を大いに高め、独立闘争にふたたび立ちあがらせた。インドの初代首相ジャワハルラール・ネルーでさえも、シンは「みるみるうちに炎に変わる火花のようであった。炎が国中に燃えひろがり、随所で暗やみを払いのけた」、死んだララ・ラジパット・ライのかたきを討ったシンはライの名誉を象徴する存在となり「絶大な人気を博した」、と述べている。だがシンは、単にインド人資本家がイギリス人資本家の代わりをつとめればいいとは考えなかったため、英国が現地に持つ総体的利権にとって、ガンディーよりもはるかに大きな脅威と映った。

一般に受けいれられている歴史観はまた、ゲルダルースが指摘するとおり、「武闘派のスバス・チャンドラ・ボースがインド国民会議派の議長に二度も選ばれた事実を説明できない」（一九三八年と一九三九年）し、会議派の作業委員会内のガンディー派（状況次第では武力でイギリス支配に立ちむかうことも恐れぬボースを嫌った）が彼の追放に策を巡らす必要があった事実も説明できない**【188】**。

考えてみてほしい。インドが非暴力の旗じるしのもとに一致団結していたなら、ボースのような革命主義者がどうやって当時の最大政党の長となれたのか。ようするに、インドは一枚岩でなかったのだ。多様な運動の存在を、インド人誰しもが認めるはずである。

だからといってガンディーを批判したいのではない。ぼくが何物にもいだきえぬほどの信念と勇気を、非暴力に注ぎこんだ人物だ。語ったとおり実行し、いかなる犠牲もいとわなかった。アームチェア革命家による罵倒にも、非暴力主義者によるやみくもな賛美にも、ぼくは与しない。彼は何にもまして真理のために闘った偉大な男であり、真理とはこの場合、インド独立運動においては誰もがおのおのの特性に応じて奮闘努力せねばならなかったことをさす。批判されるとすれば、自分の崇拝する人物が見せたような献身を真理に対して示さぬ者たちこそ、非難されるべきなのだ。

前述の地下組織と個々の人びとによるはたらき、およびガンディーらにより周到に準備された非暴力の活動が寄せあつまって、一種のモザイクを形成した。その共通の目的は、東インド会社とイギリス植民地支配への抵抗と反乱だ。得られた成果に革命政党や革命家が果たした役割は大きい。運動本来の目的の達成に加えて、相対的にガンディーをはるかに穏健な交渉相手だと思わせた効果も注目にあたいする。

ちなみに同様の力学は、原生地域を具体的にどこまで保護するかという重要な交渉の際にもはたらいた。アースファースト！のようなラディカルな環境団体の存在ゆえに、シエラクラブなどの主流派環境団体が理性の声とみなされたのだった。

変わったのは権力者の肌の色

インドの独立運動が、非暴力主義者が主張するような「非暴力の成功例」でないことはひとまず置くとして、もうひとつ言えるのは、それが結果的に見ると、非常にせまい意味での成功にすぎなかったことである。二〇〇〇年代初頭に旧ソ連およびバルカン諸国で起きた「カラー革命」（おもにジーン・シャープの著書『独裁体制から民主主義へ』に示された非暴力的政権打倒手法による）の場合に似て、インドの議会においても、変わったのは権力者の肌の色ぐらいであった。

インドの著名な民族主義者で思想家のシュリ・オーロビンドの次の言も、あながち誇張とは言えない。すなわち、ガンディーのサティヤグラハ運動が、最終的にインドとパキスタンの分離独立を招いた、という主張だ。サティヤグラハ運動は、インド人民がその数十年前までたずさわっていた武力闘争を封じた。ゆえに独立の時期が遅れ、インドの分裂を望む層が政治勢力をのばしてしまった、と。

それればかりか、今日のインドは、産業資本主義が西洋世界のどの国にもおとらぬほど蔓延し、いまや二一世紀を代表する新興市場のひとつと目されている。ガンディーが称揚したスワデーシの理念――真の独立は政治的独立と経済的自立をとおしてのみ達成されるとの考え――とはかけ離れた現状ではないか。

スワデーシの概念はガンディーの発案だと思われがちだが、最初に提起したのはバール・ガンガーダル・ティラクの一派だった。ティラクは、暴力革命主義者らの行為を擁護し即時のスワラージ（自治）を要求しただけで扇動罪に問われ、六年を獄中で過ごした人物である。ガンディーたちの要望を大きく下回る独立条件をインドが飲んだため（ガンディーはひどく落胆した）、闘争の成果は、人びとの暮らしを管理し郷土を破壊する産業資本家の、国籍と肌の色を変える程度にとどまった。インド人はあいかわらず外国勢の支配下にいる。インド政府内の座と交換にインド企業の役員室内の座を手に入れた帝国主義者の管理統制下に。

米国の公民権運動

非暴力の実践者と提唱者は、非暴力運動の美徳と有効性を説く際にマーティン・ルーサー・キング・ジュニア(キング牧師)をいやになるほど引き合いに出すけれど、ストークリー・カーマイケル、マルコムX、ブラックパンサー党(FBI長官J・エドガー・フーバーに「内国安全上最大の脅威」と言わしめた)【189】——いずれも、当時多くのアフリカ系米国人が共鳴していた多様な戦術の擁護者——といった人びとが闘争の成功にともに果たした重要な役割について、公正かつ誠実に語ろうとはまずしない。

とはいえ、この人びとがよく言われるような暴力主義者ではなかったことも忘れずにおきたい。極度の構造的暴力をふるう米国の政体との闘いに身を投じたのは、暴力を愛するゆえではなく、みずからの置かれた政治的現実への実用的措置としてである。マルコムXの立場は、「われわれに暴力をふるわない人びとに対して、われわれは暴力をふるわない」【190】という発言に要約されよう。

そのうえまた、マルコムXに代表される一派とキング牧師に代表される一派とのあいだには、非暴力主義者や国家が思わせたがるよりもはるかに大きな連帯意識が存在した。

活動家のマイク・ライアンは、「マルコムXもキング牧師も同じ長期的目標を共有していた」「同じ大衆行動で両者の姿を見かけることもあった」【191】と指摘している。一九六七年におこなった連続講演でキング牧師は述べた。

「人間尊重の信念を持つ人はみな、各自の信念にもっともふさわしい方式で抗議する決心をしなくてはなりません。しかも、ひとり残らず全員が抗議しなければならないのです」

「しかし、暴力への態度もさまざまな急進派たちのあいだに、何か一致する点はあるのでしょうか。あると思います。ガンディーやフランツ・ファノンの本を読んでいようといまいと、急進派に共通して言えるのは、行動を起こさねばならぬ必要性を認識しているということです。みずからを変容させ、社会構造を変容させる、直接行動の必要性を理解していることです」

一般に流布した人物像に反してマルコムXも、連帯と戦術の多様性とに関する同様の心情を、一九六四年のスピーチで表明している。

「いまここで非暴力主義者を批判するつもりはないのだ。私はだれでもが最良の方法であると確信しているやり方でやればいいと思う。世界の各地で、ありとあらゆる種類の暴力的な行為に直面してなおかつ非暴力であり得る人々に、私は敬意をあらわしたい」

なお、「私が結果を出せるのは、火炎瓶《モロトフ・カクテル》を手にした黒人が背後に立ち、白人のアメリカに影を落としていてこそだ」とキング牧師が語ったとする誤った主張が、しばしば武力革命のプロパガンダに使われるが（彼がそう言った証拠は学者も見つけられなかった）、歴史をあるがままに観察すれば、この虚構のうちにも一片の真実が含まれている。

キング牧師とマルコムXのどちらも、互いの必要性を理解しており、共通の闘いにおいてそれぞれに貴重な役割を担った。

「非暴力の勝利」という歴史修正

インドの場合と同じく、アフリカ系米国人の公民権運動に関しても、非常にかぎられた成果しか得られなかったとの見かたもある。一九六五年投票権法の成立は黒人と非暴力主義者のおさめた大きな勝利と考えられている（前者はそのとおりだが後者については正しくない）ものの、実質的にはほとんど何も変わらずにきた。いまだに白人・黒人双方のボスに一挙手一投足を管理され、一生かけて住宅ローンをおもに白人の銀行家に返済しつづけ、人種を問わぬ産業資本家に自分たちの星を収奪されている。

かさねて言うが、人びとを代表してその尊厳回復に努めたキング牧師を、不当に批判したり過小評価したりするつもりはない。彼ならではの方法で世の中をよくしようと人生をささげた人物であり、他人がそれをどうこう言うことなどできない。ただ、この有名な運動において変化が実際はどのようにもたらされ、どの程度深い（あるいは浅い）成果が得られたのかを、より正確に描きたいだけだ。その試みを通じて、この時代――黒人という人間のみにとどまらず〈大いなる生命の織物〉全体を守るべく、できるかぎりの手立てをただちに講じなければならぬ時代――における前進のしかたが見えてくるかもしれないから。

公民権運動を非暴力の闘いに見せかける歴史修正主義は、歴史書を著し物語を支配する者たちの単なる勘ちがいではない。多くの場合、非暴力主義者も勘ちがいしているわけではない。非暴力主義者のご都合主義的な健忘症を、ワード・チャーチルは非難して言う。米国における運動シーンは「現在、『非暴力の革命指導者』であふれかえり、この指導者らは自説のまぎれもない非実用性を埋めあわせる手段として、史実の書きかえを常習的におこなっている」【192】。これが「現代の米国にも存在しうる革命の可能性を奪ってきた」【193】と彼は考える。

実効的なアクションの成果

多様な応答の成功について語る際に直面するもうひとつの問題は、〈企業－国家〉連合体そのものと渡りあう勇気を持った運動が、これまでほんの少ししか存在しなかったこと。にもかかわらず、あえて身を賭した数少ない運動はたいがい、大手の改良主義的組織が何年もかかって達成したよりも多くの成果を、一夜にしてあげている。

そのような行動の例を、ドキュメンタリー映画『一本の木が倒れたら（*If a Tree Falls*）』で見ることができる。ダニエル・マッガーワン、ジェイク・ファーガソン、スザンヌ・サヴォアらが地球解放戦線（**ELF**）で活動した日々をふりかえった、アカデミー賞候補作品である。

特にくわしく扱われるのが、ＥＬＦのメンバーによるオレゴン州のキャヴェル・ウェスト屠畜場への放火事件で、この施設では国有地から狩りたてた野生馬をかたっぱしから殺していた。度外れた規模で殺戮をくりかえし、おびただしい血液をたれ流したため、町の下水処理場は何度もパンクし、閉鎖を余儀なくされたほどだった。一〇年間にわたり近隣住民が、屠畜場の操業をやめさせようとあらゆる手を尽くしても、効果がなかった。「あらゆる」というのは、つまり、放火をのぞくすべての、という意味だ。公平な視点からＥＬＦの活動を描いた同作品は、この手法の効果のほどを教えてくれる。

一九九七年七月二一日の深夜、ジェイク・ファーガソンおよびその他三名が施設に忍びこみ、火をつけてこれを焼きつくした。以後、同社は再建を果たせず、ＥＬＦにとって放火がひとつのスタイルとなった。長年、手紙を書きピケを張っても達成できなかった目的を、ＥＬＦは一夜で実現してしまったのだ【194】。

同様に成果をあげたエコタージュがハワイでも起きている。二五万ドル相当の木材破砕機に活動家が火炎瓶を投げつけた。希少な熱帯雨林が製糖工場の燃料とされるのを防ぐためである。メインズによれば「破砕機の所有会社は無許可で操業していたので、その後、廃業に追いこまれた」【195】。

こうした攻撃について、一般労働者の生計手段を奪う行為だと評する人が多いかもしれない。だが、この論理のなかにも、極端な人間中心主義の精神構造が透けて見える。でなければ誰が、少数の人間の短期的雇用を、町全域の給水システムの安全や生物群系全体の健康よりも優先するだろうか。

さらには、こういう見かたもできよう。これらのコストを産業界に負わせるのは、単に、〈生〉や納税者などに外部転嫁しようとしたコストの多くを、内部へ引きとらせてやったにすぎない、と。みずから進んでそうする誠実さも必要性も持ちあわせない相手なのだから。

人びとは長年、無数の方法で、さまざまな旗じるしのもとに、機械文明の侵入と闘っては成功をおさめてきた。多くの人が、その刃《やいば》と凶器から自文化や郷土を守ってきた。純粋に非暴力的な戦術に徹していたら果たしえなかったにちがいない。ゲルダルースはこれを次のように総括する。

植民地化に平和裏に抵抗するか、ヨーロッパ人入植者を受けいれようとした先住民族は、皆殺しにされてしまったが、さまざまな戦術に訴え、武力で抵抗した先住民族は、今日まで生きのびた。後者のあいだではまた、解放運動も盛んな傾向にある。マプチェ族、六部族連邦(イロコイ)、ラコタ族、コースト・

セイリッシュ族は、いずれも植民地支配に反旗をひるがえし、いまだ交戦状態にあるとの自覚を持つケースも多い。地球上でもっとも強力な先住民闘争の事例と言えよう【196】。

アイルランド人も似かよった経験をしてきた。この国で過去数百年に起きた政変はいずれも、抑圧に力で対抗したときに事態が改善に向かっている。激しくくりひろげられた土地戦争（一八七九−八二年）において、アイルランド民族土地同盟による武力行使は、他の人びとがとった多くの非暴力的手法とあいまって、ついに英国人に要求を飲ませ、アイルランド人小作農が「アイルランド人のためのアイルランドの土地」を買いもどすことを可能にした。農民らが自身の手で耕し、首が回らないほどの地代を（多くの場合）英国人不在地主に支払いつづけてきた土地であり、そもそもが、地主の先祖にあたる征服者に盗みとられた土地なのである【197】。

抵抗者や革命家は実効的なアクションをとることにより、みずからの生計手段や文化、自分たちと同じ人間を守るだけでなく、人間以外の存在を守ることにも寄与している。器物損壊や「窃盗」といった手法をとおして、動物虐待反対の闘士たちは、数知れない雌鶏、猫、犬、モルモット（およびその他多くの種類の動物）に、第二の生を送る機会を与えてきた。エコタージュ実行者は、広大な面積の原生地域――原生地域がまだ残っている国ぐにの――を内部に眠る「資源」目あての収奪から救い、地球そのものよりももうけを優先する企業を廃業に追いこんできた。他にもおおぜいが、工具箱のなかみ全部を用いて、機械文明にメッセージを送りかえしてきた。われわれに構造的暴力をふるいつづけるならば、法制度――制定者たちに都合よく操作された――の枠内にとどまらぬ結果を招くぞ、と。

非暴力のマントを捨てよ

今日まで、こうした成功も、暴力の被害をいくらか軽減する程度にとどまっている。理由はさまざまだが、一般大衆のほぼ例外なき平和主義志向は、生きるか死ぬかの問題におけるぼくらの応答を、少なからず骨抜きにしてきた。いずれにせよ、〈生〉を擁護する活動のこれら散発的な勝利のうちにひそむ知恵は、教えてくれるにちがいない。ぼくらの家、コミュニティ、土地、周囲の世界との関係性、そしてぼくらの心にまでも侵入してくる機械文明に、いかに抵抗したらよいかを。

これらの勝利が発するメッセージは明白だ。少数の孤立した民族や単独行動をとる個人が、機械文明の侵入から生命を守ることができるのなら、みんなが一斉に非暴力幻想のマントをかなぐりすて、問題の規模に見あったアプローチをとりさえすれば、達成できないことなどはないはずである。

気候変動、かろうじて家賃を払えるだけの退屈な仕事、対処しきれぬ速度で進む暴力的な環境破壊、自然界との断絶、本物のコミュニティの消滅、金銭的・物理的な富のいちじるしい格差、エネルギー資源の過剰な採取と使用、心と体をむしばむ産業病——そのいずれも不動の現実というわけではない。

ぼくらは、これ以上何を欲しくないかを知っており、もっとちがった世界が可能だと知っている。だとしたら、突きつけられる問いは「ぬくぬくした安全地帯を抜けだして、そんな世界を現実のものとする覚悟があるのか」「覚悟があるならば、どうやってそこに到達するのか」だ。

次章以降では、尊厳に満ちた効果的な応答とはどのようなものか、その破壊的側面と創造的側面の両方について考察する。生態学的な意味において、この二つの側面は同じコインの表裏にすぎない。新しいアイデアが芽ぶくには、ときに、古い考えが滅びる必要がある。

もし人類が、まっしぐらに突きすすむ自滅の道から方向転換し、もっと健全な、地球上の生命のためになる関係性を打ちたてたいと望むならば、とにもかくにも機械文明に横やりを入れねばならない。さもないと、生命を維持してくれる生物圏が、あるいは維持する価値のある生きかたが、消えてなくなってしまう。

それ以下の応答ではとうてい不十分だから、困難な選択をせまられるだろう。地球を存続させながら地球を食い物にしうるなどと、おのれをだましつづけることはもうできない。取りくむべき仕事の大きさに圧倒されそうになる。しかし、ローカル化の重要性を語っていた経済学者デイヴィッド・フレミングにならって述べよう。

「抵抗と革命は、よく言っても、実現可能性の限界に瀕している。にもかかわらず、これを選ぶ決定的な根拠がある。ほかには道がないのだ」〔引用元の文の主語「ローカル化」を「抵抗と革命」に置きかえている〕

第6章

尊厳ある人生

反逆者は非業の死をとげる運命にある。それ以外の者は苦痛のない最期を迎えられるだろう。酸素テントのなか、体中の穴という穴に管を挿入されて、昏睡しながら。

エドワード・アビー

アイルランドの西岸地方で育った少年時代、男子校のラ・サール・カレッジに通った。父の若いころは何かと悪評高きクリスチャン・ブラザーズ（キリスト兄弟会）が運営していた中高一貫校である。一世代をへて教師の質はずいぶん向上し、授業に数分遅刻したからといって体罰を与えるのは不適切とされるようになった。とはいえ、カリキュラムにおける産業界志向の強化は、世間一般の風潮と足並みをそろえたものだった。

産業革命以前（農耕開始以前は言うまでもなく）の子どもたちは、食料採集、動物の探しかた、料理、日用道具づくり、家の建築、水の入手方法、自身やコミュニティのための治療法を学んだが、ぼくらの世代が教わるのは、本に書かれた地理、実生活に役だちそうもない数学理論、人間存在のいちばん大事な面を考慮しない経済学、それに、どんな場所か知らず関心もない地で話される外国語。現場の教師は純粋にぼくら生徒のためを願っていたものの、産業経済に適した労働者を育成すべく編まれた指導内容は、結果的に〈生〉に対するいちじるしい構造的暴力を存続させてしまう。その暴力性をゆがみのないレンズで見れば、クリスチャン・ブラザーズなど聖人のごとく思われてこよう。

いじめられっ子の反撃

二一世紀型のいじめは、現実世界での身体的攻撃だけでなく、ソーシャルメディアを使った心理的いやがらせを伴う。それとは種類がちがうけれど、ポスト工業化時代の学校の例にもれず、ぼくの母校にもいじめっ子は存在した。文明全般を反映するかのように、各学級に二〜三人いる乱暴者はたいてい、ぼくと同じく町の中心部在住で、その犠牲になるのはまずまちがいなく農村部の子だった。

一学年上に、特に悪質ないじめっ子が二人いた。ジェームズとガレスとしておこう。格下とみなした者には一切の情けをかけぬ人でなしだ。だいたいいつも標的とされるのが、ぼくと同学年の少年——パディと呼んでおく——で、彼らに数段低い階級の人間と見られていた。いじめを受けやすいあらゆる要素をパディはそなえていた。軽い言語障害があり、背は低く、度胸に欠け、純朴であか抜けないタイプだった。

二人とその子分連中はしょっちゅうパディをいたぶっていた。ほぼ同じ光景を毎週のように目にしたものだ。近くの原っぱまで追いまわし、つかまえた彼をバスケットボールのコートまで引きずりもどしては、「ボール」をたんまり食らわせる。つまり、パディの腕と脚を左右両側からひっつかんで、何度もゴールへ突進するのだ。ポールに激突するたびにパディの睾丸は激しく打ちつけられた。抵抗する彼の様子は、かえって悪ガキどもを喜ばすばかり。

それに飽きたら、やつらはパディを地べたに転がし、ズボンを無理やり足首までおろすと（見物に押しよせた生徒たちのいいなぶりものだ）、肉体の痛みと猛烈な屈辱の念にもだえ苦しむ彼を置き去りにする。

これが毎週くりかえされるのを約二年間、横目で見つづけたぼくは、あいだに割って入り同級生を守ってやる気概はおろか、いじめの事実を先生に告げる勇気すら持たなかった（自分に矛先が向くのがこわかったのだ）。この苦しい経験のあいだずっと感じていた無力さと、行動を起こせない臆病さとが、ぼくは恥ずかしかった。だから、彼の心情はただ想像するしかない。

ある放課後、ぼくはコートのわきにすわって、パディが地面から身をはがし、破れたズボンを引っぱり上げるのを見ていた。そのとき、知り合って以来はじめて、彼のなかで何かが切り替わる感じを受けた。目の色が「もうたくさんだ」と言っているかのように。そばへ行って大丈夫かいと声をかけたが、彼は答えず、ジェームズとガレスの笑いながら去っていくうしろ姿をにらみつけていた。ぼくは深く考えず、宿題をしに家に帰った。

翌週、バスで帰宅しようとパディがかばんを背負ったところへ、また例のごとく、にやにや笑いを浮かべたいじめっ子たちが駆けよってくる。おどろくべきことに入学以来の二年間ではじめて、パディは逃げださなかった。かばんをどさっとおろすと、相手が腕をつかもうとした瞬間にいきなりパンチをくりだしたのだ。彼がそんなことをするなんてもちろん、そんな力があるとさえ思いもよらなかった。ジェームズが倒れて鼻血を出すと、次はガレスのあご下に頭突きを食らわせ、もみ合いになるうちに今度は顔面にひざ蹴りを見舞う。ジェームズとガレスの二人が、すっかり動転しながらもどうにか立ちあがり、やりかえそうとしたそのとき、それまで傍観していた数名が、いまこそパディに加勢してわが恥辱を返上せんと、二人になぐりかかった。ぼこぼこにされ、何が起きたのか理解しかねる表情で地面にうずくまる二人。パディは身を起こす。泥にまみれ、あざをつくり、つねにも増して切り傷だらけだが、今回はひとつ大きなちがいがある。ちゃんとズボンをはいたままだったのだ。

その場に立った彼の背丈はあいかわらず低くても、いまや、目にプライドが感じられる。体も服もぼろぼろなのに、威厳に満ちていた。あの日から、彼は二度といじめられなくなり、当然の報いを受けた者たちはこそこそとおとなしくなった。パディの体の傷が癒えるのに長くはかからず、最近聞いた話では、ダブリン中心部の貧困地区で子どもたち相手の仕事についているという。

道を分かつ尊厳の有無

誰しもこれに類する筋書きを何かしら知っていよう。夫に暴力をふるわれつづけた女性が「もうこれまで」と宣告する。固有の文化を破壊し土地を奪おうとする植民者に対し先住民が反撃に出る。活動家が〈企業―国家〉連合体に立ちむかう。どこの地でも、支配的文化に抵抗する人たちがいる。社会規範への同調圧力を日常的に受けつつも、その文化の暴力的側面に荷担するのをこばむ人たちが。

ぼくらはほかの筋書きも知っている。眼前で不公正がたびたびくりかえされているのに――ぼくがパディをただ見ていたように――苦しい言い訳をかさねるばかりで、立ちむかう勇気を奮いおこさない。

これら二種類の筋書きに見られる決定的なちがいは、尊厳の有無だ。

尊厳とは、具体的にあらわれたときはすぐにそれとわかっても、ことばでは説明しがたい特質である。一般的な文脈では、自尊心や、しかるべき誰かへの敬意が、なんらかの形で感じられるおこないや発言をさす。政治・哲学・倫理・法律を論じる際によく使われ、命あるものには倫理的扱いを受け尊重される生来の権利があることを示す語だが、もっと日常的な用法には、カント哲学で言う「自由意志」の概念がこめられている。この場合、みずからの行為を主体的に選びとれる能力の保有と、尊厳とのあいだには、因果関係がなりたつ。

支配に直面したり自律性を奪われたりした際、尊厳は人それぞれにちがった形であらわれうる。

ガンディーにとっては、ひるむことなく進んで頭に警棒を受ける行為であったのかもしれない。それ自体のみでは実効性を持たずとも、尊厳に満ちた姿勢たりえよう。

マルコムXにはまったく別の形に見えていたと思われる。有名なスピーチ「投票か弾丸か」では聴衆に向かい、「［断固とした態度をとらなければ］あなた方の子供が成長した時、自分の親たちのことを『恥ずかしい』と考えるだろう」【198】と訴えた。彼のレンズで見れば、尊厳とは、受けた殴打（肉体は傷つけても心を傷つけることはできない）を超越できる能力にかかっているのではなく、必要とあらばいかなる手段を用いてもみずからの心と肉体の不可侵性を守りぬくという態度にかかっている。

また、クラウス・フォン・シュタウフェンベルク伯爵のような人もいる。反ナチ抵抗運動《レジスタンス》に加わって殺された彼は生前、「はてしない殺戮を阻止する行動を起こさなかったら、犠牲者たちの妻子に合わせる顔がない」と語っていた。彼にとっての尊厳とは、侵略や攻撃を受けた際に、他人のために立ちあがり、責任の重荷の一端を負うことを意味する。

現在北米と呼ばれる地の先住民、ファースト・ネーションの気概ある人びとにとって尊厳は、多くの場合、あらゆる手段を尽くして植民者の暴力に立ちむかうことでのみ保たれたと言われている。

奴隷制にまつわる多くの物語が証明するように、人間の尊厳をもっとも奪うのは、自分自身の苦境ではなく、愛する人への攻撃を目にしながらなすすべを持たぬ状態である。著名な政治学者ジェームズ・C・スコットは「自分や家族を（母、父、夫、妻として）不当な支配から守ることができない無力さは、みずからの肉体への攻撃であると同時に、みずからの人間性、尊厳への攻撃でもある」【199】と指摘する。そのような悲惨さから生じる無力感で尊厳をなくすのだとすれば、なすすべもなく手をこまねいているのをやめることで、うしなった尊厳を取りもどせるはずだ。

映画『アバター』が描いた抵抗

尊厳がいかなるものにせよ、自分の目で見たり経験したりすればすぐわかる。そして、その機会には事欠かない。構造的抑圧・暴力の大きさをもしのぐ意欲と技量をもって、それを描出し伝達せんとする芸術のおかげである。

現実世界の暴力に対しては一律にいきどおるぼくら（もっとも多く暴力をふるう者たちによって植えつけられた反応）が、映画の世界でフランツ・ファノンの言う「対抗暴力」や抵抗を見聞きしたときは、ちがった態度をとる。

ここでジェームズ・キャメロン監督による映画『アバター』を取りあげよう。ハリウッドの超大作と見せかけながら、実はディープ・エコロジーと抵抗についての映画だ。資源開発公社（RDA）と婉曲に名づけられた組織は、地球上の天然資源を蕩尽したあげく、スペースシャトルに乗りこみ、はるかかなたの星系に属する生命豊かな衛星パンドラへ向かう。目的は希少鉱物アンオブタニウムの獲得。パンドラにはナヴィという先住民がいた。

ナヴィの一部族であるオマティカヤ族は、人びとどうしが、また人と土地とが、深いきずなで結ばれており、文化の心臓部にあたる神聖な「魂の木」と神経回路でつながることで、母なる女神エイワと会話できる。現実の地球上の先住民にはおなじみの筋書きにしたがって、RDAは魂の木の破壊を決定する。ほかでもない、固有の文化の意図的破壊によりナヴィの士気をくじくたくらみだ。

ことここにいたって主人公ジェイク・サリーは「もう、たくさんだ」と心を決め、パンドラの全部族を抵抗運動に結集させた。勇壮な戦闘ののち、大自然の力にも少なからず助けられ、帝国主義者を打ち負かす。こうしてナヴィは、みずからの土地とそこにはぐくまれた独自の文化を破壊から守ったのだ。

もちろんこの映画はフィクションだけれども、描かれている経験は恐ろしいほど現実を彷彿とさせる。「文明人」が非常に長いあいだ、野生界と土着の民（つい最近までぼくら全員にあてはまる呼び名だったはず）に対してしてきたことであり、物語の設定は未来だが、過去の歴史の一解釈とも考えられよう。

興味ぶかいのは、この手の映画を観賞中のぼくらの態度で、資源目あての侵略軍にパンドラの抵抗運動が勝利をおさめる場面に、あるいはルーク・スカイウォーカーがデス・スターを破壊する場面に、はたまたシンバが悪役スカーに立ちむかう場面に、つまりは、勝ち目のなさそうな者が正しい価値観のために立ちあがるといったストーリー展開に、我知らず声援を送っていることだ。

ところが現実の話となると、猛威をふるう機械文明に「暴力的」に反撃する人びとは、非難され、汚名を着せられ、罪人扱いされる。まるで、この人たちの生活や文化は、特大スクリーン上で脚色されたそれらにくらべて守る価値が低いかのように。

みずからの尊厳に何より重きを置く人びとの抵抗は、さいわい、ファンタジーの領域だけのものではない。毎日、世界中の人たちが勇敢にも、自分より力の強い相手に、多様な手法を用いて立ちむかっている。いちばんの好例がメキシコのチアパス州で、人口の多数を占める先住民が、固有の生活様式を破壊し土地を略奪しようとする者たちに抗して闘ってきた。

サパティスタの武装蜂起

一九九四年元日、今年こそ禁煙するだの、はやりのダイエットをはじめるだのと、世界中の人が新年の誓いを立てているころ、はるかに政治的重要度の高い決意が固められていた場は、ラテンアメリカのメキシコであった。

対立しあうイデオロギーの片側では、新自由主義者らがNAFTA（北米自由貿易協定）の発効に祝杯をあげていた。カナダ、米国、メキシコの〈企業－国家〉連合体どうしが結んだこの三者協定は、それまで産業主義と資本主義が欧米ほど浸透していなかった地域にも、これらのイデオロギー――米国の民主党と共和党、双方の中心的信条――を大いに強化・普及させるものと思われた。

同日、イデオロギーの垣根の反対側では、チアパスの先住民族マヤ人が、あらたに結成した武装革命陣営のサパティスタ民族解放軍（EZLN）を通じ、メキシコ政府に宣戦布告する。

メキシコ先住民からの「もう、たくさんだ」

サパティスタとチアパスの先住民らがNAFTAに強く反発したのも無理はない。しょせん、遠く離れたメキシコシティ（より正確には米国の首都ワシントン）のオフィスにいる都会の金持ち役人が決めたこと。NAFTAが実質的に意味したのは、（よくて）メキシコの小作農民《カンペシーノ》の失業であり、とどのつまりは固有の文化の抹殺である。化学肥料使用、補助金漬け、遺伝子組み換え、機械収穫の農作物が北米から流入したら、伝統的農法で大地に敬意を払いつつ耕作してきたチアパスの農民はひとたまりもない。

おまけにメキシコ政府は、歴史的意義を持つ憲法第二七条（二〇世紀初頭にエミリアーノ・サパタが闘った革命の眼目）の無効化にも同意してしまう。この条項はそれまで、農民と先住民の土地を売却や私有化から守っていたため、米国やカナダの大規模農園主が「投資障壁」と感じ変えたがっていたものだ。EZLNのマリオ司令官は、民衆の集合的精神と応答にNAFTAがおよぼした影響をこう説明する。

エミリアーノ・サパタ率いる兵士たちが命と血を賭けて実現させた法律［第

二七条のこと」を、サリナス・デ・ゴルタリ〔当時のメキシコ大統領〕はものの数時間で、農民に相談もなく抹消してしまった。われわれの土地が売られたり取りあげられたりするかもしれないと知り、われわれのための土地がなくなるだろうと聞き、もはやこれまでかと思われた。そのときである、わが兄弟たちが蜂起を望んだのは【200】。

サパティスタのスポークスパーソンであるマルコス副司令官によれば、NAFTAはメキシコ中の先住民共同体に対する「死刑宣告」【201】にひとしかったので、これをきっかけに抵抗運動が起こり、新自由主義に反対するのちの革命家や抵抗者〔一九九九年シアトルの反グローバリズム運動参加者など〕にも刺激を与えることとなるが、サパティスタの応答自体は実に五百年以上の歳月をかけて形成されてきた。NAFTAが数世紀にわたる抑圧の最後の一撃にすぎなかったとの認識は、翌日メキシコ人に向けて発表されたマルコス副司令官の最初の声明〔第一ラカンドン密林宣言〕に明確に示されている。以後、サパティスタ自身の文書および世界中の抵抗運動にこだましつづけるフレーズ「もう、たくさんだ」【202】が、はじめて世にとどろいた歴史的瞬間であった。

尊厳自体に闘いとる価値がある

五百年ものウォームアップ期間があったにもかかわらず――あるいは、だからこそ――サパティスタを組織したあとは一刻も無駄にしなかった。宣戦布告文の完成から数時間たたないうちに、サパティスタの戦闘員約三千人がチアパス中の村や町を掌握し、地域の警察署や兵舎に火を放った。

EZLNはことばを尽くして訴える。武装闘争に身を投じたくはなかったが、平和的な手段で結果が得られぬ以上、ほかに選択肢は残されていなかった、と。しいたげられた民のあいだに、昔もいまもくりかえされてきた経験である。

勝利は犠牲も伴った。メキシコ政府は叛乱者側の死者を一五九名のみと発表したが、サパティスタによれば千人近くが命を落としている。

以来サパティスタは、千姿万態《せんしばんたい》の機械文明に一民族がどう抵抗しうるかのきわめて重要な手本となった。現地の政治的自治はいまだ達成できず、完全勝利への道のりはなお遠くとも、郷土の略奪をたくらむ軍産複合体に屈せぬ文化を創造しえたばかりか、同化圧力をはねのける強固なアイデンティティも維持できている。

一月の蜂起でおおぜいの家族・友人をうしなった悲しみは深いものの、サパティスタによる声明、物語、実話のいずれからも、後悔の念はみじんもうかがえない。思うに、この人びとにしてみれば当時すでに、顔も声も持たない歩く屍《しかばね》だった。反撃に出ることで、それがひっくりかえされた。声を取りもどし、顔を取りもどし、ふたたび完全な人間として生きはじめたのである。

十七歳のサパティスタ兵士でメキシコ政府の捕虜となったラウル・エルナンデスのことばは、同志らの心境をよくあらわしている。「胃薬を買うお金が村になかったために死んでいく父さんを見て、サパティスタに加わることにした。〔中略〕どうせ誰もかれも死んでしまうなら、闘って死のうと思ったんだ」【203】。「生きるために死ぬ」と題した声明でマルコス副司令官は、この心情をさらに詳細に表現した。

過去十年間に十五万人以上の先住民が、治療可能な病気で死んだ。連邦政府も州政府も地方自治体も、その経済政策、社会政策も、われわれの問題の真の解決を考えていない。選挙の時期がめぐってくるたびに慈善をほどこすだけだ。慈善ではその場しのぎにしかならず、死はまたわれわれの家を訪ねてくる。だからわれわれは「もう、たくさんだ」と思う。無駄に死んでいくのはもうやめだ。闘って状況を変えるほうがいい。いま死ぬとしても、恥辱のうちに死ぬのではなく、先祖たちのように尊厳を保って死ぬのだ。必要とあらばあと十五万人の仲間が、死ぬ覚悟を決めている。とらわれてきたいつわりの夢から、われらが民族の目を覚まさせるために【204】。

この文章で特に注意を引く「尊厳」という語は、サパティスタのすべての声明や物語にくりかえし登場する。この点を強調しない書簡や説話を探すほうがむずかしいくらいだ。サパティスタの人びとにとって尊厳は、それ自体が闘いとるにあたいするものであって、苦闘のすえに得られる成果がどれほど甘美であるかは重要でない。自分たちの（あるいは誰かほかの人のでも同じく）生活様式、土地、民族が、現にいま破壊されている以上は、無意味な改良をひざまずいて乞い、苦しみを長びかせてばかりいるよりも、堂々と胸を張って死ぬほうがいいに決まっている。

序章で取りあげた集団レイプ事件の例を思いおこそう。あの場合、何ごともなかったかのごとくその場を立ち去るふるまいが、必要なかぎりのあらゆる手段を用いてレイプ犯を止めに入る行動よりも威厳があって立派だと言えるような筋書きなど、とても考えつかない。相手が何人いようと、どれほど危険な状況だろうと関係なく、見て見ぬふりの態度に尊厳はけっしてありえない。

昔の級友パディがいじめられているのをただ見ていたぼくも、心のなかでそうと知っていた。地球とそこに住まう生き物にふるわれる構造的暴力にしても同じ。ぼくらの文化と土地の大規模破壊をリサイクル活動で止められるふりをすることに、尊厳はない。ハイブリッド車に乗れば魔法のごとく世界を変えられると自分をごまかすことに、名誉はない。

鏡に映った自分を直視できるか

今日ぼくらは、とてつもない規模の生態系・社会・個人の問題——気候変動、生態系のメルトダウン、いちじるしい貧富の差、多発する凶悪犯罪、うつ病、大衆の不幸と不健康さの指標たる産業病、固有の文化やアイデンティティの喪失、分業化がもたらす反復労働の退屈さ、教育の産業化、娯楽の産業化、食の産業化——に直面している。これほど多方面からの猛攻撃にさらされては、とても反撃しきれないと感じたって無理はないし、だから、しばしば難題の途方もない大きさを考えただけで身がすくんでしまう。機械文明を敵に回すなんて何様のつもりだ。その動きを止めることなどできるものか。

この感覚もある程度正しいと言えよう。問題の規模はあまりにふくれあがり、産業社会とその推進勢力はあまりに強くなりすぎたかもしれない。近代の人間の試みは破綻し、すべてがもう手遅れかもしれない。

だが、サパティスタや他の人びとは言う。結果がどうあれ、鏡に映ったみずからの姿を恥じることなく直視できなければいけない、と。そうした尊厳は、失敗するに決まっている形ばかりの抵抗を機械文明に対し示したところで、けっして勝ちとれやしない。根本原因を綿密に分析し、あらんかぎりのツールと手法を駆使した広範な抵抗運動を展開することによってのみ、達成できるのだ。

すべての道すじを踏査し、すべてのツールを活用したときにはじめて、無数の顔を持つ機械文明が、思っていたほど盤石《ばんじゃく》だったかどうかがわかるだろう。そのときにやっと、破壊勢力が実際はどれほど強靭なものだったかがわかるだろう。そのときにやっと、互いに目を見あわせて、できるかぎりのことをしつくしたと思えるだろう。

米国の原生地域保護をめざすあなたの急進的活動がはたして何かの足しにな

るのか、との批判に対するデイヴ・フォアマンの答えには、いま述べたような感情が凝縮されている。

たしかに無駄な努力かもしれない。だが、地球を愛する者としてやらずにはおれないのだ。生物が一種類でも絶滅をまぬがれ、森がひとつでも伐採されずに残り、ダムが一基でもくずれおちるかもしれない。あるいはそうならぬかもしれない。機械の歯車にスパナを投げいれても、動きを止められるとはかぎらない。しかし、動きを遅くし、運転コストを増大させる可能性はある。そうできるだけで満足だ【205】。

〈生〉を守る前向きな行動をとりたい人にとって、コミュニティと土地を引き裂いてはかぎりない利益を追求する機械文明の歯車を解体してやることほど、前向きに感じられる行動があろうか。フォアマンの友人ハウイー・ウォルケもこれに近い、率直で現実的な考えの持ち主だ。

今日おこなわれている部分的な原生地域保護と、生態系の許容範囲内で生きる社会の創出とのあいだには、明らかな溝があり、熟慮型の急進主義を含めたどんな運動も、その二地点を橋わたしできるかどうか疑わしい。〔中略〕それでも推測するに、熟慮型の急進主義運動は、短期的にはいくぶんかの生物多様性を保護するであろうし、長期的にはさらに多くの保護と復旧を可能にするのではないか。であれば、〔産業社会が〕ついにめでたく、みずからの山なす排泄物をのどに詰まらせるとき、少なくともいくぶんかは残っていた原生自然が苗床となり、地球全体の回復を助けるだろう**[206]**。

正直言って、ここまで事態が進行してしまった以上、機械文明自体の複雑さの重みでつぶれるよりほかに、この文明を倒す方法があるかなんて、ぼくにはとてもわからない。過去のすべての帝国の例にもれず、いつかは自壊するだろうが、いつになるかは誰にもわからない。ぼくにわかるのはこれだけ。少なくとも、その崩壊に手を貸すことはできそうだ、と。そうすれば、産業社会がついに不可避の終焉を迎えたあかつきに野生が根を張り生いしげることができる程度には、〈大いなる生命の織物〉のなかのつながりを残せるかもしれない。

そんな地球の再野生化について、そしてその過程におけるぼくら自身とぼくら流の運動との再野生化については、最終章で検討しよう。

尊厳ある態度は伝染する

もうひとつわかっているのは、圧制者への徹底的抵抗を誓い、敢然と立ちむかい、一歩も引きさがらなければ、見るからにうしなわれてしまった尊厳をいくらか取りもどせるかもしれない、という点。今日ぼくらがからめとられている醜悪な構造的暴力にあらがうため、あるいは阻止するために、持てる力のかぎりを尽くすこと、それ自体が目的であっていい。そこから先は、運命の女神の手のうちにある。ただし経験が教えるとおり運命の女神は、〈全体〉のためにみずからのすべてをささげる者に、必要なすべてを与えてくれる傾向を持つ。

パディがいじめっ子に正面から立ちむかったとき、誰かに加勢してもらえる見込みなど、これっぽっちもなかった。それでも彼はそうした。ひとりの小さく名もなき者が、一見望みのなさそうな、しかし正当な大義のため、強者に抗して立ちあがる。そんな姿を、尊厳を忘れぬ人たちが目にしたとき、不思議な現象が起きうる。ひとりの勇敢な人間が多くの人を動かし、すべきだとわかっていたことを実行に移させる力を、けっしてあなどってはいけない。ローザ・

パークスが白人にバスの座席をゆずらなかった（人種分離法違反による彼女の逮捕をきっかけに公民権運動が本格化した）のも、その一例と言えよう。

尊厳ある態度はどうやら、尊厳ある態度を呼びさますようだ。

闘う勇気をもらいたくば、自然界に目を向けるだけでよい。実質的に命にかかわる脅威に対するわれわれの応答のふがいなさを考えるとき、ジェンセンの心に浮かぶのは

つい一週間ほど前にわたしに向かってきた母グマで、わたしが子グマに手を出すものと思ったのだ。これまでわたしに攻撃をしかけたことのある、馬・牛・犬・猫・タカ・ワシ・ニワトリ・ガチョウ・ネズミの母親たちの姿を思いだす。いずれもわが子に危害がおよぶのを警戒していた。母ネズミが八千倍の体の大きさを持つ相手にも向かっていくとしたら、われわれがそうして悪いはずがあろうか**[207]**。

ぼくも、愛犬ベンジーがなわばりを守ろうと、車がとおりかかるたびにえらい勢いで追いかける様子には、いつも感心させられる。二度はねられた経験も

あるというのに。「いいかげんやめてくれ。殺されちまうよ！」と思いもする。でも、たいていは「ぼくもお前のように豪胆だったらなあ」とつぶやいてしまう。車が進路をそれるか速度を上げるかして、いつベンジーの命を奪うか知れないのに、通過する車をいちいち威嚇しに出ていく。〈生〉と機械文明との闘いに加わるにはちっぽけすぎるとしりごみしている人にとって、そんなベンジーの姿は、何にもまさる勇気の源泉になりはしないだろうか。

〈生〉に奉仕するすべての人との連帯を

マクベイが述べたとおり、「われわれは反撃しなければならない。ただ勝つためだけではなく、自分たちが生きてあり、その生にあたいする存在であると示すために」【208】。

反撃イコール暴力ではない。実力行使以外に適切で実効的な手立てがない場合、暴力と（現行のまちがった解釈のもとでは）みなされる行為を伴うかもしれないが、反撃の方法はごまんとあって、その大半はまぎれもなく平和的なものだ。

抵抗運動には、食料を生産し食の主権を回復できる人が必要となる。食料採集者、手仕事の職人、合意にもとづく意思決定方法に明るい人、地域社会の医療保健面を支える人が必要だ。真の精神的指針を与えられる人、かならずや起きてくるいさかいを調停できる人も必要だ。司法の場で企業と争う覚悟のある人、地下闘争的手段に訴えて企業の攻撃から弱点を力のかぎり守る覚悟のある人も必要だ。若者のエネルギーも年配者の知恵も必要だ。機械文明への忠誠を断ちきり、各人独自の才能を結集して〈生〉に奉仕する人びとの群れが必要だ。〈生〉にこそ将来の忠誠を誓うべきなのだから。

抵抗運動には、ぼくら全員の才能と情熱を、物語と資質を、笑いと怒りを、それぞれに持ちよることが求められる。参加するのに正しい道もまちがった道もない。ほかの帝国同様、機械文明も変革運動を分断したがる。ぼくらのエネルギーの矛先を、機械文明に向けるのでなく、互いどうしに向けさせたいのだ。けれどもぼくらはこれにあらがい、人生を意義と喜びで満たす何もかもを破壊しかねぬ力に対抗して、連帯しなければいけない。それには平和主義者も革命家も、各自のすべてをささげる必要がある。それぞれがみずからの使命にしたがい、ほかの人がその人なりの使命にしたがうのも支えることだ。

公民権運動の指導者ハワード・サーマンは、かつてこう言った。

世の中が何を必要としているかなどと考えなくてもよい。自分が生き生きと活気づくようなことをおやりなさい。世の中に必要なのは、生き生きとした人間なのだから**【209】**。

もっとも生き生きしているとき、すなわち〈生〉に奉仕しているとき、人はもっとも尊厳にかがやく。

わずかに残る地球上の命をひたすらカネに換算しつづけ、数値化できぬものの数値化に余念のない政治経済体制——そんなシステムの主導者らによって形づくられてきた文明人の倫理に、むやみにしたがうのもやめよう。〈大いなる生命の織物〉を守るために必要な行動をとろうではないか。

尊厳を感じられるしかたで必要な行動をとるのは、人間にできるもっとも愛情ぶかきことだから。

第7章

免疫抗体

いまこそ、大地よりあらわれ出でたる戦士社会が破壊勢力の前に身を投じ、
この美しく尊い惑星を荒らす人間という病魔の免疫抗体となるときだ。
デイヴ・フォアマン

夕映えにかがやくオークやトネリコやシダレヤナギの木々に守られ、野の花が咲きほこる草地に寝そべって、息をのむ速さで飛び交いたわむれるツバメの群れをながめる――。地上にあってかくも至福を味わえるひとときは少ない。しかしこのご時世、喜悦が身をあらわし日常にひそむ神性をかいま見せてくれるところ、かならずやもの悲しさがつきまとう。鳥たちの遊ぶ姿に接し、多くの人間の渇望する自由がいともたやすく体現されているさまを見るにつけ、わが胸中にわきおこるのは、あきらめの入りまじった羨望の念と、根源的な喪失感だ。それもそのはず、こうした感懐《かんかい》にはもっともな理由がある。

夏のあいだは荒涼としたアイルランド西岸部でひなを産み育て、冬になればもっと暖かな地へ旅立っていく、地球の自然なリズムにそって生きる鳥たちの

そんな習性のみが、ぼくの感情をかきたてるのではない。あるいは、ひと目でわかるツバメの自由さ——住宅ローンや家賃、賃金奴隷労働、アイドル歌手のゴシップ、上司、請求書の束、大量消費文化がつくりだす複合的圧力、産業中毒とその結果たる心身の病から、一切自由なツバメの姿——に由来する心理ともかぎらない（これらからの解放自体はいずれも闘いとる価値を有するが）。

鳥たちを見て何よりうらやましく思うのは、すべての野生動物の例にもれず、抽象的な道徳観念にしばられない点だ。ぼくら文明人は道徳の鎖をこしらえ、自分たちの首に巻きつけておかざるをえない。不自然な密集生活を送りながらも、欲求不満にまかせて身近な存在に危害を加えずにすむように。

過密が招く「行動の沈下」

極度の人口過密は、商工業の中心地に労働者と消費者を効率よく集中させる必要上、機械文明が強いた耐えがたい災厄だが、今日、あまりにも軽視されている問題だ。多くの著名な環境保護主義者ですら、人間を城壁内にとどめおくようにと——城外の地を人間の影響から守ろうとの善意で——主張する。まるで、そうやって〈大いなる生命の織物〉から人間を無理やり切りはなしても、自然界に何の弊害もおよばないと思っているかのごとく。

実際、弊害は少なからず出ている。自然界のみならず、人類にも。

動物行動学者のジョン・B・カルホーンは、ネズミの過密飼育に関する興味ぶかい実験をおこない、過密状態が引きおこす退廃行動を「行動の沈下」と名づけた。人間社会の崩壊を示唆する動物モデルとなった研究である。

彼の実験手法と観察結果をかいつまんで述べよう。

ネズミには欲しがるだけえさを与え、自由に繁殖させたが、飼育空間の面積は最初から最後まで変えなかった。必然的に個体数が増えて狭苦しくなるにつれ、それまで見られなかった行動を示すようになる。ボスの座にある雄は、じきに他のネズミを攻撃しはじめた。群れ全体のなかで発生する暴力も激増した。雌・雄の双方に対する強姦、特に同性間の強姦が多発するようになった。雌のあいだで流産および妊娠中の死亡件数が増え、えさが十分足りているにもかかわらず生まれた仔を食べてしまう母親や、育児や巣づくりを放棄する母親もあらわれた。新しい状況に適応できない多くのネズミがうつ病の徴候を示し、周囲とかかわらなくなっていく。

カール・セーガンは、いくぶん皮肉まじりにこの実験を評す。

ネズミとヒトに大差がないとしたら、他の条件は現在のままにしてヒトをさらに都会に詰め込めば、次のような現象が目立ってくるのではないかと予想される。街中での喧嘩や家庭内暴力、児童虐待や遺棄、母子の死亡率の急上昇、強姦、精神異常、同性愛や過剰性欲、同性愛者への迫害、疎外、生きる目標や基盤の喪失……。その中で、本来なら簡単にできるはずの作業が、だんだんとできなくなっていく。こうしたことは、確かに十分ありそうだ。しかし、ヒトはネズミではない【210】。

倫理則のいらない野生動物

ネズミなどの野生動物は、みずから進んですし詰めの環境を選んだりしないから、複雑な倫理体系を構築する必要がない。

たとえば、毎日ぼくが菜園の世話をしていると、かならず寄ってくるコマドリがいる。「ぼくの」土地から貴重なミミズをちゃっかり盗みとるこいつは、私有財産やら窃盗やらの概念を一切持たず、ましてや虫の命を奪うのが悪いことだなどと観念的に考えもしない。「人からしてほしいことを人にもほどこせ」

との戒律もなければ、「どんな生き物も傷つけてはならぬ」と教えさとす神や導師もいない。「暴力的な手段を使うか、非暴力に徹するか」といった哲学的議論にかかずらうことなく、巣となわばりを果敢に守ろうとする。スーパーで好みの食品を、オーガニックにするか、フェアトレードにするか、地場産か、あるいは協同組合方式か等々、しばしば競合する価値をうたう五〇種類のなかから、わざわざ選ぶ必要もない。

コマドリは簡素を自由への道とした。自分の生を飼いならさないので、おのずと、〈全体〉にとってもっとも健全な手立てで欲求を満たしている。倫理を構築するどころか、倫理について考える必要すら生じない。

と同時にコマドリは、環境保護論者がごくたまに森でウンコしたからといって得意がるような、うぬぼれの念をいだいたためしもないだろう。おそらく、自分が地域に根ざした環境負荷の小さいライフスタイルを送る感心な鳥かどうか、なんて気にかけやしないのではないか。コマドリはただ存在し、みずからの不屈の習性にしたがって生きるだけ。

野生のままの、道徳も不道徳もない生きかた——文明がもたらす倫理の重荷を背負わされることなく、昔ながらに本能的欲求の充足が〈全体〉の繁栄に寄与する生きかた――をとおしてコマドリは、逆説的ながら、はるかに環境調和型の自由で平和かつ持続可能な生を送っている。つながりをうしなった都会生活でいまや必需品と化した倫理の檻に閉じこめられたぼくらより、残忍さも暴力性も低い生を。

「土地倫理」が広げる共同体の枠

むろん、二足歩行の現代人には、不健全な生きかたの悪影響をやわらげる倫理規範が必要だ。さもないと、この人口過密社会がいま以上に不愉快な場所になってしまう。倫理がなかったら、同じ短期間にもっと大きな生態系破壊を引きおこしかねない（そんな芸当が可能であれば）。「テクノロジーによる生の拡張はわたしたち人間に、自然界を支配する力を与えるが、もはやその力を行使する余地は残されていない」ため、ジョージ・モンビオにならってぼくも、「制限を課す必要性、抑制と昇華の人生の必要性」[211]をしぶしぶ受けいれた。

ただし、こういう頭で考えた規制は往々にして多大な喪失感をもたらすので、それを埋めあわせるために人は、洗濯機、電球、その他の時間節約用ガジェットにカネを出し、節約した時間で、テレビドラマを見たり、非実用的な趣味を楽しんだり、あれこれの中毒を充足させたりする。

しかしながら、自己家畜化の悪弊に対する当座の解決策として倫理を利用することには、多くの問題が伴う。そのひとつが、産業社会に生きる人間がこの倫理意識を人間界（特にその主流派層）のみに向け、残りの生物共同体にはたいして配慮しない傾向——またしても人間中心主義だ。この問題の改善にアルド・レオポルドは人生の大半をささげ、「土地倫理」【212】を提唱した。

しかるべき常識にのっとり、彼はこう述べた。

「これまでの倫理則はすべて、ただひとつの前提条件の上に成り立っていた。つまり、個人とは、相互に依存しあう諸部分から成る共同体の一員であるということである。［中略］土地倫理《ランド・エシック》とは、要するに、この共同体という概念の枠を、土壌、水、植物、動物、つまりはこれらを総称した「土地」にまで拡大した場合の倫理をさす」

そのような世界観を採用すれば、既存の社会契約を一変させられるかもしれない。〈大いなる生命の織物〉のなかで人間が占めるべき地位と、相互に依存しあう万物の関係性についての、もっと深い認識にもとづく社会契約を、現行の人間中心的な道徳律の代わりとする可能性も生まれてこよう。

土地倫理の育成は、周囲の世界とより健全な関係を結んで生きていく助けとなるだろうが、一般的な倫理観念はやはり、そもそも倫理をつくって治すつもりだった症状を、かえってこじらせてしまう。人間の編みだす倫理則の多くは、短期的に見れば重要な適応メカニズムとして機能し、過密状況下でもできるだけ快適に（基本的欲求を昔ながらの調和のとれた方法で満たしえない文化のなかでも可能なかぎり）生きられるようにしてくれる一方で、長期的には、避けがたい苦しみを長びかせることしかできない。

文明をそこそこ耐えられるものにしようと人為的に倫理規範をこしらえるとき、結局は、飼いならされた持続不可能な領域を堅固にするばかりで、ぼくらの風景のなかの、そしてぼくら自身のなかの、野生的で本質的な何もかもを損ねているのだ。

家畜人間がでっちあげた倫理の弊害

ヒトという種は、地球上の生物のうちでもごく少数の、飼いならしやすい部類に属する。そんな生き物がみずからつくりだしてきた生活様式において、基本的欲求はもはや、自然で〈全体〉にとって健全と言えるような充足の手立てを持たない。モンビオが提起したとおり、人間の抑えきれぬ買物癖は「採集本能の［有害な］あらわれ」であり、「スポーツの世界で限界に挑戦しつづけるのは、危険な野生動物の不在に対する反動」[213]なのかもしれない。彼はまた、「［周囲の風景における］モンスターの不在が、昇華と転化を、冒険と挑戦の発明を、生態系の退屈さからの逃避を、わたしたちに強いる」[214]と述べている。

みずからの天性にそぐわぬ生きかたをつくりだしたヒトは、複雑でときに矛盾しあう規則や倫理や道徳や法律を乱造して、抑圧された欲求を満たそうとする破壊的なふるまいに規制をかけねばならなかった。その規則・倫理・道徳・法律がまぎれもない人間中心主義のレンズをとおしてつくられていた場合、人間以外の世界に弊害が出る。人間は人間で、こうした必要な制約をつくっては心理的・情緒的・精神的な鎖でがんじがらめになり、何が正しくて何がまちがっているかを延々と思案したり、自分の行動や本能が道徳と食いちがえば、避けがたい罪悪感、恥辱、良心の呵責にさいなまれたりする。

悪魔に聖人を装わせる点のほかにも、倫理にまつわる問題は多い。ひとつには、飼いならされた家畜人間がでっちあげた、創造と破壊に関する倫理観念。「創造は善、破壊は悪」を普遍的なお題目か何かのように、見さかいなくとなえている。

雇用の創出は、それによる工業的産物がいかに生命全体に危害をおよぼそうと、仕事自体がどれほど単調であろうと、一般に善とみなされ、だからこそ選挙の時期になれば政治家たちがこぞって喧伝《けんでん》する。これに対し、天文学的レベルの損失を生態系と社会と個人にもたらさずにおかない経営方針をかかげた企業の本社を（たとえば放火により）破壊する行為は、おかしなことに、誰からも悪とみなされる。悪と見ないのは、「エコテロリスト」と（構造的暴力の片棒をまんまとかつがされているぼくら消費者テロリストから）都合よく呼ばれている人びとだけだ。

「ゆりかごからゆりかごへ」の野生界

この創造と破壊の二元論が生じた一因は、ぼくらが進化の途上でひどく見当ちがいな方向転換を——言語、数の体系、農耕、私有財産、貨幣、産業主義などのテクノロジーやテクニックを介して——やらかし、生命とは円環的過程ではなく直線的なものだと誤解してしまった事実に帰せられる。

直線イデオロギーにもとづいてつくられた宗教は、人間は死んでも魂が天国に向かって直線的な道すじを進みつづけると説くが、一方で魂の抜けがらとなった肉体はひつぎに納められ、〈全体〉に還っていくことができない。

経済体制も同じ概念にもとづいており、そこから止めどなく量産される電子機器類は、「ゆりかごから墓場へ」と婉曲に表現される工業的なライフサイクル（墓場とはふつう巨大なゴミ埋立地）をたどる。生態学的素養の持ち主なら迷わず採用する「ゆりかごからゆりかごへ」のライフサイクルではない。遠方のどこかで鉱物やエネルギー資源を採掘し、地球の反対側にある工場へ輸送しては、それらを組み合わせて製品をつくる。ひとたび壊れたり時代遅れになったりしても、簡単には（あるいは健全な方法で）〈全体〉に再統合できないような製品だ。

こうした地球規模のプロセスは、消費者をすべての物の生産過程からすっかり切りはなしてしまうため、直線幻想を強化し、創造と破壊の二元論的概念を補強して、創造と破壊を別々のプロセスに見せかける。そのすべては「進歩」の名のもとにおこなわれる。進歩自体もまた直線的な構成概念で、永遠にたどりつけぬ経済的完成地点へと向かうまっすぐな軌道であるのだが。この軌道上では、いかなる屈辱も残虐行為も耐えしのんで、満足を追いもとめる。得ようと努力したとたんに手に入らなくなると決まっている満足を。

まったく対照的に、野生界のすべての存在は「ゆりかごからゆりかごへ」のサイクルで動いている。そこでは創造と破壊が同じコインの表裏にすぎず、〈生〉

が生を産み、その豊かさと多様さを高める。生物群系《バイオーム》は本来的に循環の輪が閉じた世界であり、栄養素や物質が原則として産出元の風景に還元され、〈大いなる生命の織物〉のみごとな複雑性を支えている。

野生界においては、創造が善でもなければ破壊が悪でもない。それどころか、この二者に区別をつけることなどできない。はてしなくつづくひとつのプロセスをさす、二つの呼び名なのだ。生と死の関係、衰退と成長の関係のごとく、一方なしに他方は起きえない。一頭の動物の亡骸が、別の動物の骨肉となる。植物は糞になり、土になり、また植物になり、それを食べた草食動物の糞が、植物の栄養になる。とぎれることなく循環がくりかえされていく。

野生の革命家の再導入を

人間界のあらゆる例にもれず変革運動までが、こぎれいな緑地も同然におとなしくなってしまった。

だが、地球上の生命が帝国主義機械の侵略に耐えぬく可能性に賭けるならば、飼いならされた人間の二元論的愚かさではなく、野生界の円環的な世界観で、環境運動・社会運動に活力を取りもどさねばならない。地理的風景を再野生化しようとするなら――人間と人間以外の生物の持続可能な居住環境の再生にはそれが必須だと信じるが――まず先に、政治的風景の再野生化に着手する必要がある。

いまこそ、珍種の活動家とも言うべき「野生の革命家《ワイルド・レボリューショナリー》」を政治の地平に再導入すべきときだ。鹿を殺して生態系と調和する個体数に調節するオオカミが、山地や渓谷に生命を復活させうるのと同じく、野生の革命家にも、機械文明という名の獣にブレーキをかけて、人間界に調和を取りもどす一助となる可能性がある。そのようにして、この希少種の活動家がいわば政治版の栄養カスケードを始動させることができれば、文化的・社会的・経済的地勢の多様性が劇的に向上するかもしれない【215】。

その結果、自由を奪われたきゅうくつな世界ではなく、心を奪われる魅惑的な世界が生まれるだろう。そんな世界における倫理とは、複雑なものではなく、直観的に真実だとわかる生得の知にすぎぬはずだ。すなわち、かつてアルド・レオポルドが述べたとおり、「物事は、生物共同体の統合性、安定性、美しさを保つものであれば妥当だし、そうでない場合は間違っている」【216】のである。

ここで言う「物事」は、ときと場合により、文明人が創造行為とみなすものであったり、破壊行為とみなすものであったりする。とすれば、風景の再野生化も、地域コミュニティのためのパーマカルチャー菜園の設置も、はたまた、地球の壮麗さを金銭や有害な製品に換えることに病的に熱心な企業に対する焼き討ちも、生物共同体の統合性、安定性、美しさを保つ助けとなるなら妥当な行為だと言えよう。逆に、直線的プロセスのなかで起きる破壊(〈生〉をノートパソコンや自動車やインターネット・サーバーや旅客機や化学肥料につくり変えるなど)、すなわち生物共同体の力と多様性を損なう行為は、妥当とは言えなくなるだろう。

こうした、より野生的で、より思想的に一貫した観点に立つと、カナダのオイルサンドなどの環境荒廃地で掘削機や運搬トラックを破壊するサボタージュ行為が、意外にも(非暴力的な選択肢がいずれも効力を持たないとわかっている場合には)妥当と考えられ、見て見ぬふりをして立ち去るほうがまちがっている。これらは観念的な道徳律ではなく、周囲の生物共同体と調和共存したいと願う人びとにとって当然の基本原則であり、健康と長寿を望むすべての人間社会に欠かせない前提だ。

建築家だけで家は建たない

だが、現状にうんざりしている人びとのあいだにも、思いこみは蔓延している。社会運動の内部においてさえ、破壊的な（野生の視点からすれば創造的な）傾向は「ネガティブ」とされ、見つかり次第、平和主義者や非暴力の実践者によって取りのぞかれてしまう。その一方で、もっと「ポジティブ」な手法をとる者たちは、活動家からも〈企業―国家〉連合体からもほめそやされる。〈企業―国家〉連合体の引きおこす病魔と闘う活動家としては、懸念すべき事態である。

「既存の現実と闘っても、ものごとは変えられない。何かを変えるには、既存のモデルを時代遅れにする新しいモデルを構築せよ」というバックミンスター・フラーのエセ金言などに乗せられ、ぼくらは、既存の現実に対する意図的破壊行為を、創造過程に伴う当然の一部と見ず、何か悪いものと（フラーに言わせれば無益なものとさえ）見るようになった。

問題は、フラーが基本的に発明家であって政治活動家でなかった点にある。技術革新の世界でならば先ほどの引用句は理にかなっており、各種テクノロジーがどのように「進歩」するかを正確に描写している。しかし、政治と社会変革の世界にはまるであてはまらない。単に政治経済的関係の新しいモデルをつくっただけで、人びとが古いモデルを捨ててそれを取りいれるだろうと期待するなんて、世間知らずにもほどがある。

多くの偉大な思想家が、現行の方式よりはるかに人類のためになりそうな新しい政治経済構造の理論を構築してきたが、立ちはだかる既存秩序を前にして、実現への足がかりすらつかめていない。体制側は、軍隊、警察力、商業メディア、教育制度（カリキュラムを管理する）、プロパガンダ装置、国民の税金などを最大限活用して、現状へのオルタナティブが存在することさえ大衆に知らせまいとする。ましてや、そんなオルタナティブの採用を人びとが考える段階に達するまで、放っておくわけがない。

だから、旧式のモデルに代わる新しい何かの創造は、その使命を帯びた人が担うべき重要な仕事だが、新しい考えや枠組みが実を結ぶには、既存の現実とも闘い、どうにかしてこれを打破せねばならない。

政治の風景は、金持ちと権力者による巧妙なカルテルが幅をきかせ、都市の風景のごとくすきまがない状態だ。ごみごみした都会のまんなかにアパートを建てるには、まず、既存の建物を取りこわす必要がある。野生のレンズ越しに見れば、それは破壊行為ではなく、創造という大いなる車輪が、もうひとめぐり回転するだけのこと。フラーをもじって言うと、既存の建物を時代遅れにするような美しい建物の設計図を描くのは、当然ながら、都市風景をよりよく変えるのに欠かせない一部である。それでも、プロジェクト全体のなかで建築家の担う役割が無視できぬ一方で、解体作業班もきわめて重要な役割を持つ。

ところが、非暴力原理主義に完全に洗脳されているぼくらは、建築家と施工者のみが建設業界に必要だとの不合理きわまりない結論にいたり、解体屋には汚名を着せて仕事を与えない。その結果、建築家はくる日もくる日も机に向かって想をめぐらし、グランドデザインを描いているばかりで、いざ建設予定地へ出向いてみると、前からある建物の取りこわしに誰ひとり着手していないのだ。こうした考えは、建設業界だけでなく政治の世界に置きかえてもバカげている。建築家と解体班が互いの役割を認めあい、双方を創造のサイクルの美しき一員とみなして連帯しないかぎり、どんなに努力したところで、「機会逸失」のラベルを貼った棚で政治文書がほこりをかぶっているにひとしい。

機械文明に対する、尊厳に満ちた効果的な抵抗と反乱に、建設的行為と破壊的行為の両方(つまり創造の二つの側面)が必要だとして、これらはどのような形をとるべきだろうか。毎度ながら、立ちはだかる難局に対しては何万通りもの応答が考えられる。応答の多様さは当然であり、必要であり、活力のあらわれでもある。ただし、ヒントが欲しいときはやはり、自然界を手本と仰げばいい。

眼前の生態系・社会・個人の危機にどう応答しうるかに関して、役だつヒントをくれそうなのが、マクロとミクロ、それぞれの次元で、非常に長きにわたって〈全体〉の健康バランスを維持するはたらきをしてきた二つのキーストーン種、すなわち免疫抗体とオオカミだ。

地球の免疫系

機械文明——その物理的あらわれと背後にひかえる力——の侵略から、自分自身を、人びとを、文化を、土地を守ると想像しただけで、相当の猛者《もさ》でさえ身がすくむことだろう。ましてや、どこかよその地の生命の破壊に歯止めをかけるために機械文明に闘いをいどむなど、ますます気乗りのせぬ話だ。だからぼくらは往々にして、中途半端な改良主義的対応に逃げこんでしまう。そんな対応は結局無益だと、内心ではわかっていながらも。なにしろ産業文明は工場のベルトコンベアを持ち、そこから吐きだされる製品の売り上げで、活力の源、すなわちカネを得ているのである。

　このカネが、喜んで主人に仕える武力陣営、つまり警察や軍隊、それらが保有する無数の銃器、核兵器、無人飛行機、裁判所、刑務所の資金となる。圧倒的なその兵力を、さらに一般市民の労働と税金が支えているのだから、向かうところ敵なしと見える。

　あらゆる街角に監視カメラが設置されているだけでなく、米国国家安全保障局（NSA）の機密漏洩であかるみに出たように、ウェブカメラやマイクのついたコンピューターが置かれたすべての寝室にまで監視の手は入りこんでいる。電子メールやインターネット検索や電話の会話を傍受するシステムをも組みあわせた結果、過剰なほどの監視態勢がつくりだされ、いまや、現状に反対するたくらみを話しあうのに唯一安全な場所といえば、声の届く範囲にモバイル装置が一切ない原野ぐらいしか残されていない。

　世界中の資源をほぼ総動員して防御にも攻撃にも利用できる、機械文明のとてつもない強みは遍在性だ。ぼくらの生活のすみずみに行きわたり、油じみたその精神はあらゆるものにしみこんでいる。

しかし、最大の強みが、その性質上、最大の弱点にもなりうることを、ぼくは人生から学んだ。

たとえば男女は、相手が何かに情熱を燃やす姿にひかれあうものだが、いったんつきあいはじめると、まさにそのいちばん好きだと思う部分が、いちばんつきあいにくい部分でもあることに、気づかされる場合が多い。押しの強い性格は仕事上の目標を達成できても、家庭ではいさかいを生むかもしれない。逆に、何ごとにもゆったり構える態度は同居相手には理想的だろうが、職場の同僚としてはいらいらさせられそうだ。

遍在する機械文明の弱点は

機械文明についても同じことがあてはまる。

本書執筆前に何年もかけ、産業主義やその破壊的派生物にいかに立ちむかうかを左右する問題についてずいぶん調べた。が、トールキンの『指輪物語』に登場するフロド・バギンズとちがって、ぼくには指輪を見つけられなかったし、「滅びの山」の場所さえ突きとめられず、退治すべき悪い怪物も特定できなかった。

機械文明の強みは、それが広く散在している事実にある。商店に、家庭に、職場に、日常習慣に、とにかくあらゆる場所に遍在するのだ。それを支える思考様式は、人びとの心中にまで巣食っている。

ぼくにとっての突破口は、軍事戦略家が声をそろえるとおり、相手の強みをただ強みととらえるのをやめて弱みとも考えたとたんに開けた。遍在性が強みであるならば、同時にそこが無防備な点となるかもしれない。

すでに先進各国のすみずみまでを侵犯した機械文明は、つねにあらたな領域へと侵略軍を送りこみつづけているため、すべての入植地、すべての資産や資源を、同時並行で守ることは不可能である。できるかぎりの防御に努めてはいても、少数の最重要都市以外の場所は、攻撃を受けたらひとたまりもない。ついでに言うと、デモや抗議行動の日時と場所を事前に届けでるよう警察が求めるのも、文明のプロパガンダ装置が非暴力イデオロギーをぼくらに植えつけてきたのも、ここに一因があるのだ。軍産複合体はみずからの内なる弱点を承知しており、人びとがあらゆる戦術を駆使して一斉蜂起すれば対応しきれなくなるとわかっている。

機械文明の手先は数多いものの、それぞれが完全に孤立し、まず武装などの備えもしていない。つまり、機動性の高い抵抗運動から戦略的に弱点を突くようなゲリラ攻撃をしかけられれば、大半が無防備の状態にある。

その規模や範囲や散在性がアキレス腱となるか否かは、生態系破壊と社会的不公正にいきどおる人たちの態度いかんによる。こうした弱点を念頭に置いて効果的な戦略と戦術を立案実行する覚悟があるか、それとも、何も考えず企業や国家おすみつきの応答をつづけて産業界を利する結果を招くのか。

もし活動家が社会に望む変化をつくりだしたいと心の底から願い、自分にできるかぎりの行動をとる覚悟を決めたなら、軍の高官らも（あいにく）よく知るとおり、敵の弱点を見いだして強打せねばならない。機械文明の代弁者に教えられるがまま、その利益となるように動くなんて、この文明が描く成功の青写真たる極度の構造的虐待にうんざりした人びとにとって、もはや選択肢とも言えないだろう。

機械文明のもうひとつの強みとして、自分たちに都合のよい法律をつくれる点があげられる。このため、文明自身はある程度、少なくとも表面上は、法律を順守するふりをせざるをえない。対して文明の掘りくずしを試みる者は、戦略的に有利だと判断した場合をのぞき、そのような制約をみずからに課さずともよい。

法律を制定し施行する権能は、活動家らが追認しているかぎりは強みだが、急進的な運動がそこをねらった戦略と戦術を工夫すれば弱みと化す。〈生〉の敵がさだめたルールにのっとって戦うなど、軍事的に見て滑稽このうえない。

「今日の経済は人類を含む地球上の多くの生命体と戦争状態にある」【217】というナオミ・クラインのことばに照らしても、この点はよくよく覚えておくべきだ。どっちつかずの態度に安住する者たちは——オメラスから歩み去った人びとと同様に——戦争をやめさせることもせず、ただ、自分ひとりだけの道徳的純潔の錯覚に酔っているにすぎない。

猛獣の性質——その天文学的規模、監視の範囲、散在性——を考え、それに見あった目標と多様な戦略・戦術を描くこと。徹底した変化を求める人たちにとって、機械文明の生んだあまたの醜状に対抗できる望みは、唯一そこにある。

対戦相手の強みを生かす試合運びや、相手に有利なフォーメーションの組みかたに、進んで同意するサッカーチームはあるまい。戦術に長けた監督なら、敵方の弱点を突こうとするだろう。攻撃を受けた国家が、侵略者の出す条件で戦うことに合意するなど考えられない。やはり、みずからの抵抗力と防衛力を高める戦法を模索するはずだ。

だのに、産業主義の無数の恐るべき帰結に抗して世界中で孤軍奮闘する社会運動（ただしどの運動も、産業主義とそれが前提とする神話――分離、人間の優越性など――を原因として名ざしはしないが）は、まさしくそのありえない作戦にしたがっている。闘いかたを自分で決め、応答方法の決定力を取りもどさぬかぎり、たいした結果は望めない。しっかり目を見ひらけばその耐えがたさのわかるシステムに、わずかな表面的改良をほどこすのが関の山だ。

免疫抗体としての活動家

調和のとれた社会関係と活力に満ちた生態系にいたる長い道のりに運動が踏みだす一方法は、みずからを「治療薬」とみなすのをやめること。薬による治療は、表面的症状を緩和するのが目的であって、根本原因を考えない。薬ではなく「免疫抗体」とみなすのだ。地球とそれを構成する人間や人間以外の生き物を防御するために、地球がおのずとつくりだす抗体であり、〈大いなる生命の織物〉において〈全体〉の健康を保護し維持する役割を担う存在である。

抗体とは何か。人体にとって抗体は、放っておくと体調不良や病気や死をもたらす生命体の攻撃から身を守るゲリラ戦士だ。ポール・ホーケンの指摘するとおり、抗体が存在しなければ「フルーツの切れ端が数日経てば数十億のウィルス、細菌、菌類、寄生虫の餌食になって腐るように、私たちの身体も死んでしまうことだろう。考えてみれば、私たちはウィルスたちにとって、ジーンズとTシャツに包まれたジューシーなランチというわけだ」【218】。

生物学的に言うと、抗体は、免疫系に属するタンパク質の分子で、異物（細菌、ウイルス、化学物質など）を検知して無力化する。その強硬姿勢はきわめて暴力的に感じられるかもしれないけれど、生命にとって、また全身の健康バランスにとって、欠かせない分子である。ひとりの人間の体のなかを、およそ十億〜二十億もの抗体が日夜巡回しつづけ、宿主内の感染や病気と闘える態勢をつねに保っている。どこから見ても献身的な連中だ。

抗体は、異物のなかの抗原と呼ばれる部分を認識するや、これと結合することによって攻撃、無力化をおこなう。どの抗体も全体構造は似たり寄ったりだが、タンパク質の先端にある小さな領域の構造、つまり抗原との結合部のみが少しずつ異なるため、何百万もの種類が存在する。抗体の高い多様性のおかげで、免疫系としても幅ひろい種類の抗原を認識し無力化できる。

たとえば、抗毒素と呼ばれる抗体は、毒物と結合してその化学構造を変化させ、無毒化する。また、帝国主義的な微生物に取りついて動きを止め、宿主の体細胞への侵入を阻止する抗体もいる。侵入してくる微生物を無力化しないまでも、免疫系の他の部分（侵入者を食べてしまうスカベンジャー細胞など）に信号を送るマーカー作用を持つ抗体もいる。

しかし、本書は人間生物学の本ではない。

科学者ジェームズ・ラブロックが提起し、かなりの程度まで証明してみせた「ガイア仮説」では、地球を、動物の体と同じように機能し自己調節する有機体とみなす。ラブロックによれば、地球上のすべての生物が統合的にこの自己調節のシステムを形成している。「ガイア」の身体にとって生物共同体全体は、人体にとっての抗体、タンパク質、細菌、ウイルス、分子、その他のありとあらゆる細胞に相当する。

こうしたレンズをとおすと、水はガイアの血液、河川は血管、森は肺臓で、二酸化炭素と酸素の交換をおこなう樹木の一本一本は、いわば逆方向の肺胞と見ることができる。

ガイアの身体の細胞たち

もちろん、すべての人間が抗体で機械文明がウイルスだなどとは言わない。それどころか、いまこの時代においては産業文化がヒトに感染し、天然痘のような存在に変えてしまったらしい。あるいは、宿主を食いつくしたら自分も生きていけなくなるのに、かまわずむさぼりつづけようとする寄生虫に。

だが、たとえ産業文明のなかで生きる多くの人が寄生虫の仮面をつけているように見えようと、それが地球上におけるぼくらの役割であると決まったわけでもない。ヒトは抗体にも寄生虫にもウイルスにもなりうる。他の種──おもに他の家畜や栽培作物、もしくは本来の生息地を人為的に追われた生物──にしてもしかり。

生物圏の気候さえもが（IPCC〔気候変動に関する政府間パネル〕による予測がいくらかでも的中すれば）免疫抗体の役割を果たすという、さらに議論を呼びそうな主張も出てこよう。温暖化による海面上昇で、沿岸都市に集住する産業文明人が、地表からごっそり流し去られるというのだ。

本来の生息地で天性にさからわず生きているとき、ぼくらは、健康な体に生まれつきそなわった各種の細胞——血小板、神経細胞、白血球など——のいずれかでいられる。機械文明の毒素などの異物によって〈全体〉の健康が損なわれると、ぼくらは、ガイアの身体を害するがん細胞などに突然変異するかもしれないし、あるいは健康回復を助ける免疫抗体としてはたらくかもしれない。

人類は現在も今後も、ウイルスと抗体のどちらでもありつづけるはずで、そうでないふりをするのは、夜と昼のどちらもが存在する事実を否定するのにひとしい。どの程度ウイルスになり、どの程度抗体になるかは、ガイアの多くの細胞の一種たるヒトの、そのまた一個人が、産業文明の抗原をはじめとする有害物質にどの程度侵食されてしまったかにも左右される。

ぼくら自身にもほかの生物にも不運なことに、支配的文化は多くの人間に寄生的な生活様式を強要してきた。それが人間自身を傷つけ、搾取対象の生き物をも傷つけてきた。

しかし、ニュートンの第三法則にこうある。「作用があれば反作用が生じ、その大きさはひとしく、方向は反対である」。悲嘆、喪失感、不公平感が一触即発の域にまで高まれば、必然的にガイアの反作用が起きて、それまで無意識に寄生虫の役割を演じていた多くの人間もこれを機にストを打ち、地球の免疫抗体の役割を引きうけるようになるかもしれない。ニュートンが述べたとおり、力は一対ではたらくのだから。

よって、ぼくらに——自己決定権があるかぎり——できるのは唯一、自分の人生をどのように形づくりたいかを選択することだ。抗体になりたいのか、ウイルスか、寄生虫か、それとも、巨大な腸のなかに住むただの健康な細菌か。

地球を自己調節機能をそなえた有機体とみなすラブロック説に賛成のぼくは、免疫抗体のたとえも生態学的に正鵠を射たものだと思う。抑圧され疎外され隷属状態に置かれ腹にすえかねた大衆が、機械文明によるはなはだしい構造的搾取と凌辱に反応して決起する様態を、的確に言いあらわしている。のみならず、大衆どうしが有機的につながり連絡をとりあう方法の比喩、急進的な手法に向いた者と戦闘色の薄い手法に向いた者との連携の比喩としても、しっくりこよう。

自覚の有無はともあれ、結局、多くの人間の望むことに、さほどちがいはない。レイプも、生態系破壊も、動物虐待も、すべて同質の「症状」と考えられ、根本原因は〈全体〉からの断絶という錯覚にある。抗体の特性を知り、ぼくら自身の才能《ギフト》を地球とそこに住む生き物にどう役だてるのが最善かを理解すると、それまで接点がないと思われていた社会運動どうしも結集して——ただし各個の使命にしたがって――〈全体〉の、そして〈全体〉と相互に依存しあう人間の共同体・身体・心・魂の、健康と活力を取りもどす長期プロセスに着手できるようになるのだ。

人体にそなわった数百万の抗体を世界中の数百万の活動家やNPOだと想像できれば、また免疫系をあらゆる社会運動の総体の比喩と考えられれば、あるいはまた異物を生物共同体の「統合性、安定性、美しさ」を損なうものと見ることができれば、突如として、ガイアが自己防衛するさまが、異物の攻撃を受けた人体の反応と同じように見えてくる。

本書の核には次のような理解がある。つまり、ガイアの活力がようやく回復しはじめるのは、これらの抗体人間がガイアからの招集に応じて、抗原（産業主義、人間至上主義、家父長制など）への抵抗（無力化）に立ちあがったときだ。その際、他の抗体もそれぞれの能力と性質に見あった他の抗原を無力化する使命を帯びている、という事実を尊重しなければならない。特定の抗原を無力化する抗体だけが正しいわけではない。闘うべき抗原は何百万種と存在し、おそらく今後も存在しつづける。ぼくらに課せられた任務は、おのれを知り、この世でどの分子になるべく生まれついたかを知り、みずからの天性のかぎりを尽くし、その分子として生きることである。

メディアを用いた「抗体」間通信

寄生的な機械の侵略にいかに抵抗し反逆できるかという点から見て、抗体の比喩は、抵抗運動、革命運動が模倣しうる組織形態（あるいは組織の不在）にも、個々の細胞間の通信方法にも、ふさわしく思われる。

遍在的な監視態勢を考えると、機械文明への反撃をもくろむ地下運動には隠密行動が求められ、それぞれの細胞どうしの関係は極力、追跡されぬようにしたほうがいい。たとえ細胞どうしが互いに知り合いで、連帯して共通の敵と闘うにせよ、監視の目にさらされる危険を冒して接触するのは、賢明でないし、堅実な戦略でもないだろう。なにせ相手は活動家に、ガイアを苦しめるウイルスと闘うよりも、裁判で闘う日々を送らせたがっているのだから。

さまざまな抗体人間がマーカーとして機能することで、互いに直接連絡をとりあうリスクを冒さずに免疫系のあちこちに信号を送れる方法がある。そのひとつが、みずからのアクションとその理由をつづった匿名の声明を（「抗体人《アンチボディ》」と名乗ってもいい）メディアに送りつけること。メディアも慎重に扱えば、ふだんジャーナリストが自由に報道できない種類の政治思想を世に知らしめる、安全で匿名性の高い情報拡散ツールとなってくれる。

テッド・カジンスキー、通称ユナボマーは、独特の切り口でこの方法を実行し、『ニューヨーク・タイムズ』と『ワシントン・ポスト』の両新聞に三万五千語におよぶ声明文「産業社会とその未来」【219】を掲載させた。掲載すれば「爆弾テロをやめる」と匿名で要求したのだ。

人間中心的な世界観の枠内でとはいえ、各自が真っ当と感じる仕事をし、税を納めている――そんな人びとを標的としたカジンスキーの犯行を大目に見ようと言うつもりは、もちろんない。ただ、情報拡散に効を奏した戦略の例としてあげたまでである（ただし警告しておくと、この声明文の掲載が結局カジンスキーの逮捕につながった。特徴的な文体に感づいた弟のデイヴィッドがＦＢＩに通報したのだ）。

奇《く》しくも抵抗運動が各種メディアと持ちつ持たれつの協力関係を築き、特ダネを提供する見返りに声明の全文を掲載してもらえば、地下活動家どうしがより安全に――人体中の抗体とよく似たしかたで――連絡をとりあえ、また一般大衆にも意思を伝達できてしまう。こうしたアクションを多少の不正確さや歪曲をまじえて報道するメディアも、期せずして、抗体人間が免疫系の他の部分に信号を送る手助けをしているやもしれぬ。

ウィキリークスやエドワード・スノーデンなど、セキュリティに細心の注意を払う活動家らはこのモデルを活用し、『ガーディアン』(英)、『ニューヨーク・タイムズ』(米)、『シュピーゲル』(独)などに数多くのプレスリリースや特ダネを提供してきた。これらの新聞は、情報を半独占できる関係を維持したければそれ相応に公平な報道姿勢が必要だと理解していた。そこで、世界規模のキャンペーンに乗りだし、オンラインとモバイル機器のプライバシーに懸念をいだきつつもアクションを起こすきっかけを持たなかった活動家らを集結させた。賢明なメディア戦略を通じて抗体人間は、セキュリティ上の危険を最小限に抑えながら、免疫系の他の部分にマーカーを送り、別種の病に関係した抗原の攻撃から身を守るよう他者に呼びかけることができる。

荒っぽい抗体が〈全体〉を守る

活動家と抗体のあいだの類似に関連して、もう一点述べておきたい。

野生動物と同じく抗体も、暴力や非暴力の概念を気にかけたりはしない。〈全体〉の健康と活力を損なうものを攻撃するよう、あらかじめプログラムされている（「本能づけられている」と言ったほうが正確かもしれない）。万が一、体内でつくられる抗体と白血球が平和主義者に転向するような事態が起きれば、ぼくらはみな死んでしまう。あるいはまた、必要とあればいかなる反撃手段も辞さぬ者を、安楽な書斎から知識人が批判するのは、抗原を攻撃する抗体を神経細胞が批判するようなもの。感謝されざる守護者（抗体）がいなかったら、神経細胞はまちがいなく消滅してしまうというのに。

自身も革命運動に従事した作家ジョージ・オーウェルは、これをひとことで言いあらわした。

「夜、自分のベッドで安らかに眠れるのは、荒くれ者らがみなに代わって、いつでも暴力を行使できる構えをとっているからだ」

生まれながらに治療者の素質を持つ人――医師、薬草医、シャーマン――も、暴力（と自分がみなす）行為を犯す者を、そのようなやりかたがそもそも世の中の傷を増やしているのだ、と批判したがる。そう言うとき、この血小板人間とも呼ぶべき人びと――健全な社会と抵抗運動に不可欠な存在でもある――はどうも、無謀な攻撃と正当な実力行使とを区別できていないようだ。神経細胞や血小板が天賦の才を世界のために役だてられるのも、荒っぽい抗体がいて、ぼくら全員が依存する〈全体〉の健康を守る構えをとっていればこそである。

頭優先の、心が非科学的で愚かなものとみなされる時代において、神経細胞ばかりが偏重されている。「抗体人《アンチボディ》」が立ちあがるべきときは、とっくに過ぎてしまった。「抗体人」が持てる力を最大限発揮するには、果たす任務に対する敬意と支持を獲得する必要がある。この任務は名声も財産ももたらさないのに、おそらくは巨大なリスク、自由をうしなう可能性、マスメディアや大衆からの中傷（場合によっては友人や家族からも）を伴う。ぼくらのほとんどが恐れをなして、自分でやろうとはまず思わない仕事だ。神経細胞や血小板の重要性が低いと言っているのではない。それらも抗体と同じく重要な存在にちがいない。すべての細胞に、〈大いなる生命の織物〉のうちで果たす役割がある、と言いたいのだ。

これは、トールキンが『指輪物語』（評論社）の登場人物アラゴルン二世に託した思いでもあった。第一巻の冒頭で、ブリー郷とホビット庄の素朴な民に馳夫《はせお》と呼ばれていたキャラクターである。粗野な服装で歩きまわる彼と仲間を見くだす人びとは、自分たちの命を日々守ってくれる存在であることに、まるで気づいていない。ある場面でのアラゴルンの語りはオーウェルを想起させる。

われらは、それに対してあなた方よりも感謝されることが少ない。旅人たちはわれらを見て顔をしかめ、里人たちはわれらを軽蔑の名で呼ぶ。ある肥った男からみれば、わたしは「馳夫《はせお》」なのだ。その男は、敵が一日もかからないで歩いてこられる所に住んでいるというのに。もしわれらによって絶えず守られているのでなければ敵はその男の心の臓まで凍らし、その小さな町を廃墟と化してしまうだろう。しかしわれらが、そうはさせないだろう。素朴な者たちは心配や恐怖を知らなければ、素朴なままでいられるのだ。そのためにわれらは隠れていなければならぬ。われら一族はこれを任務としてきた。その間に年月は移り変わり、草は伸びた。

（瀬田貞二、田中明子訳）

今日、産業文明の抗原はガイアに猛烈な攻撃をしかけている。問題の規模や根ぶかさを考えるほどに、悲嘆と、絶望と、すべてに荷担していることへの認めがたい自責の念とを禁じえない。

しかしそれはまた、ぼくらが刺激的なときを生きていることも意味する。そもそもこの生態系・社会・文化の窮地へと人類を追いこんだ思考回路にとらわれぬ、あらたな解決策に満ちた新時代が、いま切実に求められている。これは世界中の女たち男たちにとって、人生の新しい目的を見いだす機会となろう。ある者は大地よりあらわれ出でて問題を論評し（神経細胞）、またある者は産業主義のあまたの傷を癒やす長期作業にとりかかる（血小板）、それと並行して、異なる資質の持ち主が、異物の攻撃から有機体全体を守りつづける（抗体）、というぐあいに。

トールキンも熟知していたように、ぼくらの社会と大地を癒やすにあたっては、万人に持ち場がある。指輪の仲間――産業資本家サウロンを滅ぼす任務を負った者たち――には、精神性の高いエルフもいれば、ホビット庄に住む素朴なホビット、ゴンドールやローハンから来た戦士、年とった賢明な魔法使いもいた。また同じく重要な存在が、エントによって代表される自然界だ。そのような野性と多様性に富んだ変革手法のうちにのみ、〈再統合の時代〉への第一歩はあるはずだ。

さいわい、現実の世界のホビットやエントやエルフたちは、ついに機械文明の毒素に反応を示しつつある。ポール・ホーケンは言う。

「数十万もの非営利組織で行われている活動は、政治腐敗、経済的困窮、環境悪化という『外部からやってくる毒』への免疫反応として見ることが可能だ」

ぼくらのかかえた問題の深刻さを直視すれば、奇跡でも起こす必要がありそうだが、さらにさいわいなことに、その手の奇跡は実際に起きている。日々、人の体のなかで起きているのだ。過剰な化学物質やストレスや感染にさらされ機能不全におちいった「免疫ネットワーク」【220】が、生物学者にさえ理由はわからねど、瀕死の人間の体内で不意に力を取りもどし、とうとう攻撃者に打ち勝って身体を治癒・再生させた例も少なくない【221】。

だとしたら、ぼくらの使命は(それを引きうける覚悟があるならだが)、各自にふさわしいすべて——文字どおりすべて——を行動に移し、またひとつ奇跡を生みだすあらゆる口実を〈生〉に与えてやることだ。

第8章

オオカミの復活

当時は、オオカミを殺すチャンスがありながらみすみす見逃すなどという話は、聞いたためしがなかった。次の瞬間、ぼくらは銃に鉛の弾丸をこめていたが、興奮のあまり正確さはややおろそかになった。もっとも、傾斜のきつい坂で下向きに撃つのは、やりにくくて当たり前である。ぼくらがライフル銃の弾丸を撃ちつくしたときになって、母オオカミが倒れ、子どもが一頭、越えられるはずもない崩れた岩場のほうへと、脚を引きずりながら逃げていった。

母オオカミのそばに近寄ってみると、凶暴な緑色の炎が、両の目からちょうど消えかけたところだった。そのときにぼくが悟り、以後もずっと忘れられないことがある。それは、あの目のなかには、ぼくにはまったく新しいもの、あのオオカミと山にしか分からないものが宿っているということだ。当時ぼくは若くて、やたらと引き金を引きたくて、うずうずしていた。オオカミの数が減ればそれだけシカの数が増えるはずだから、オオカミが全滅すればそれこそハンターの天国になるぞ、と思っていた。しかし、あの緑色の炎が消えたのを見て以来ぼくは、こんな考え方にはオオカミも山も賛成しないことを悟った。

アルド・レオポルド

二足歩行の人間は、進歩というものが必然的にもたらす心の痛みをよく知っている。しばらくぶりでふるさとに帰ったとき、目にする風景に深い悲しみをおぼえた経験は、誰にでもあるのではないか。子どものころ遊んだ小さな森がすっかり様変わりして、スーパーの駐車場になっていたり、殺風景な道路――ここではないどこかに人びとを結びつける道――が貫通していたり。

たとえ十年以上も足を踏みいれなかった場所であっても、そんなときの喪失感は大きい。かずかずの枝を打ちはらい、文字化されぬ森の物語を切りきざんだ刃物が、ついでにぼくらの自己意識のかけらをも傷つけていったかのようだ。

だから、海洋生物学者ダニエル・ポーリーが名づけた「シフティング・ベースライン（基準推移）症候群」【222】を人が発症しやすい傾向は、短期的に考えたらありがたい。次に説明するとおり、そうでもなければおそらく「傷だらけの世界」【223】が眼前に開け、人工物ずくめで精彩を欠く生活空間にとても耐えられなくなることだろう。

生態学的健忘症

ジョージ・モンビオは著書『野生（*Feral*）』で、シフティング・ベースライン症候群を一種の生態学的健忘症と表現している。

「どの世代の人も、幼少期に接した生態系を正常な状態ととらえてしまう」

このため、生態学者、環境保護専門家、活動家といった善意の人びとが、自分の子ども時代にあたりまえだった海や野山の風景とくらべて生物がいなくなるか激減したと見るや、たいてい、幼き日の記憶にある状態、つまり当人にとっての生態系の基準にまで回復させようとする【224】。

よって、カササギやアナグマの代わりに油圧ハンマーやダンプカーが生息する採石場を見たぼくらは、子どものころ羊を追いかけまわした緑の丘がうしなわれたと嘆く。

さかのぼって両親たちの時代には、かつてその丘一面に広がっていた麦畑の消滅を悲しんだのかもしれない。コミュニティを破壊するグローバル化の圧力が、地場産業としての穀物生産を立ちゆかなくさせ、息の根を止めてしまうまでは、各地でオート麦が栽培されていたものだ。

さらに前の世代は、同じ丘をおおっていた木々があるとき伐採され、苔むす森で暮らしていた野生動物が追いたてられるのを、目のあたりにした可能性もある。森林伐採の理由は、産業化で急速にふくらんだ人口をやしなうための穀物増産だ。そんな世代の目には、ひ孫たちがうしなって嘆く羊だらけの緑の丘など、もともと冗談のように映っていたのではないか。

ひょっとしたら、もっと昔の先祖たちは、黙想のひとときに、かつての野生の風景からオオカミが一掃されたことを悔やんだかもしれない。とはいえ、そのような心境に達した人でも、敵としか見ていなかった種の駆除を賢明な措置と考えてきた期間が長かったと思われるが。

同様の図式は社会観にもあてはまりそうだ。

人類学者が「贈与の文化」と呼ぶ非貨幣経済モデルのみによって生きていた人びとの末裔が、いまや電動ドリルの貸し借りを共同体意識の基準値と考えるようになった。また、米国の首都ワシントンあたりで、おはようのあいさつも交わされなくなったとの嘆きを聞く。かつてそこに住んでいた部族たちは、コミュニティの誰かひとりでも病気ならコミュニティ全体が病気だと考えるほどの相互依存感覚と結束を有していたというのに。

深い喪失に直面するとき

たちの悪いそんな生態学的・社会的健忘症も手伝って、ぼくらの喪失感は情緒的に忍従可能なレベルに抑えこまれがちだが、幾世代もかけて積もり積もった悲劇の総体は、いずれ、最大級の防衛心理と潜在意識の適応メカニズムをも突破してしまう。

文芸作品や科学者の本で読んだ覚えもあるだろう。その昔、川にはチョウザメや鮭があふれかえり、カヌーから簡単な釣り針をたらすだけで一日に六〇〇匹も釣れた。群れなして飛ぶ渡り鳥は、ときに太陽の光をさえぎるほどであった。国土が広く原生林でおおわれていたため、アカリスが一度も地上に降りずに木々をつたって、一方の海岸線から反対側の海岸線まで横断することができた。大地との結びつきが強い先住民族のなかには、地面をたがやす行為を暴力的と感じ、鋭利な刃物を母親の頭皮にすべらせるにひとしいとさえみなす人たちがいた。

二一世紀初頭の生態環境がひどく荒廃したせいで、たかが一世紀やそこら前の話なのに、まるで別世界のようではないか。

生態系破壊と文化的喪失の深さを、文献をとおしてよりも強く思い知らされるのは、実体験によってである。肌で感じとった喪失の念はしばしば、幾重にも張りめぐらした保護膜をも突きやぶる。

わが幼少期がかならずしも、すこやかなる生態系の黄金時代ではなかった――そう気づくのは、希少な野生の風景に旅先で出会った折かもしれない。人間の野望に侵されていない風景に身を置くと、自分の基準とする生態系がひどく凡庸に感じられ、かつて手中にあったことすら忘れていた何かを実は奪いとられてきたのだ、と思いいたる。

あるいは、死んだ雌鹿に出くわしたときに「遺伝子の記憶」がよみがえるかもしれない。どうやってかつぎあげたらよいかを本能が教えてくれるばかりか、鹿の体が人間の首や背中の形に合わせてつくられているかのようにしっくりくるのだ【225】。

祖先たちの暮らしへの強い関心から、なんらかの幻覚体験にいざなわれる人も、少数ながらいる。それまで気づかずにいた領域へ旅をして、意識的次元ではあえて遠ざけてきた、時代を超越した自己の一面と出会う体験に。

たいてい誰の人生にも一度は、未知の世界と遭遇する機会がおとずれるので、その気になりさえすれば、いま述べたような根源的喪失に伴う深い悲しみを経験するだろう。

希望よりも絶望を

きっかけは何にせよ、分離幻想のベールがはがれ落ち、ぼろきれのごとく傷ついた世界と自分とが相互依存関係にあるのだと悟ったあかつきに、度しがたい世間知らずとならずにすむ応答は、ただひとつ、絶望することしかない。ところが、どんなに根拠のない希望も希望というだけで――それ自体の無能さと必然的に生じてくる冷笑や疲弊との悪循環で崩壊寸前だろうと――もてはやされつづける一方で、どういうわけか絶望はつねに評判が悪い。希望は前向きとされ、絶望はうしろ向きなのだ。

従来の処世訓とは裏腹に、今日のぼくらが急いで感じなければいけないのは、希望ではなく絶望なのではないか。改良主義に似て希望も、忍びがたき状況を期せずして忍びやすく変えてしまいかねない。なにせ、希望を捨てぬかぎりいかなる苦難にも耐えられるなどと教えこまれると、希望は、暗黒時代を生きぬくよすがであるかのように見えてくる。だが、この謎めいた感情の必要性を誰もが言いたてる一方で、実のところ、これを欲しがるというのも妙な話だ。

希望とは、いわば無力さを認めることであって、はからずも、行動を起こさぬ原因となりやすい。

あるときデリック・ジェンセンの講演を聞いた人が、希望をどう定義するかと質問した。あらかじめ答えを持ちあわせなかったジェンセンは、みなで一緒に考えようと提案した。討議のすえに達した結論によれば、「希望とは、自分が行為主体となれない将来の状況に対する、あこがれの念である」。彼はこう説明を加える。

考えてみてほしい。たとえば、わたしはあす何かを食べようと希望する、なんてわざわざ言いやしない。黙ってただ食べるだろう。いますぐ息を吸おうとも希望しなければ、この一文を書きおえようとも希望しない。ただそうするだけだ。けれども、次回乗る飛行機が墜落しないようにとは希望する。なんらかの結果を「希望する」からには、その結果について主体的なはたらきかけができないことを意味する。「支配的文化が世界の破壊をやめるよう希望する」と言う人は実に多いが、そう述べることによって、破壊行為の（少なくとも短期的な）継続を請けあい、相手にありもしない力を与えてきた。さらには、自分の持てる力からも歩み去ってきたのだ【226】。

希望の必要性はもちろん理解できる。先々きっとよいことが起きると、誰だって思いたい——さまざまな理由で、実現のための行動をとる気にはならなくても。そもそも、絶望をめざして奮闘努力する人などいないし、危ういほどのうぬぼれ屋でもないかぎり、世界中で起きている問題に自分ひとりの力でたちうちできるとは考えないだろう。

出版業界にはびこるお粗末な希望

ぼくがジェンセンの考えとほんの少しだけちがうとすれば、次のように信じている点だ。〈全体〉をとらえてはなさぬ産業主義の魔の手を、どうにかしてゆるめるための努力を尽くすことは、希望を持ちつづけながらでも可能だ、と。そうした行動も効果をあげる、個人の主体的なはたらきかけもまったく無力なわけではない、との人間らしい希望は捨てなくていいと思う。

とはいえ、努力を惜しまぬ人がいだく(称賛にあたいする)希望も、あいにく、みずからが守ろうとしている当の絶滅危惧種の仲間入りを果たしつつある。他方、行動の代用品に落ちぶれた（有害な）希望は、侵略的な外来種のごとく、政治の地平――かつては活動家らが苦労をいとわなかった場――にはびこっている。

この後者に属するお粗末な希望に対する欲求は、出版業界にも強く作用しており、さらには「ニワトリと卵」の伝で、代償のいらない希望を欲する大衆からの需要に業界は応えようとする。売れ行き重視の編集方針をとる出版社は、社会変革を扱った書籍でポジティブかつ楽観的な論調で締めくくられぬものなど、まず刊行したがらない。

出版社が好んで読者に提供するのは、むしろ、まるで非現実的で無根拠な、けれども人びとの傷つきやすい感性には心地よくひびく、将来像や解決策だ。xとyとzを実行しさえすれば、すべてがうまく行きますよ、と。xもyもzも、生態系や社会や政治や経済の現実を踏まえていないのに。「われわれはこんなことができる」とこぶしを突きあげて、読者を勇気づけ高揚させる書きかたが、著者には求められる。あたかも、その本を読むだけでラディカルな変化を起こせるかのごとく。

非現実的でお手軽な希望をよしとせず、困難ではあれど現実を見すえた行動を呼びかける、そんな本書がこうして世に出た事実は、ひとえに版元の勇気のあかしであって、〈大いなる生命の織物〉が直面する脅威の客観的描出——正直さゆえに、眼前の課題への備えとしてすぐれていると思われるアプローチ——に業界をあげて真摯に取りくんでいるわけではない。

希望は、ペーパーバックの売り上げをのばすことにかけてJ・K・ローリング（『ハリー・ポッター』シリーズ著者）にまさる実績を誇るものの、現実ばなれした希望に満ちた結論は、多くのノンフィクション作家が目標とかかげる社会変革の実現には、どちらかというと逆効果である。書物が個人と集団におよぼす影響力を考えると、正直さに欠けるこの姿勢は問題が多い。

ここで読者のみなさんに、「これかあれを実行すれば将来は明るい」と言ってあげられたらいいのだけれど、ぼくにはできない。少なくとも、ほとんどの人が「明るい」と思うような意味では。

人間の試みはひどく道を誤ってきた。あまりにも長い歳月、あまりにも多くの面倒を起こしてきた、われらが文化の複雑かつ苛烈きわまる破壊性を、消費と浪費の習慣をちょっとばかり手直ししたり、都会のちっぽけな菜園でいくばくかの豆やハーブを栽培したりして相殺できるなんて、考えるのも滑稽だ。〈軍ー産ーメディア〉複合体に対して小さな改良（大きな改良でも同じことだが）

をほどこすのみで事足りると説く文筆家は、産業社会の難問の重大さと正直に向きあっていないか、よほどまちがった情報に惑わされているか、でなければ、自分の本をたくさん売りたいだけ。

虚構の「平和をわれらに」

政治経済的現実を踏まえぬ虚構の希望に乗っかった、過度に楽観的なアプローチは、その信奉者の役にたたないばかりでなく、ひとたび現実の厳しさにぶつかれば例外なく絶望や冷笑を招き、社会運動は機械文明に回収されかねない。

一九六〇年代がその証拠である。声を合わせて歌い、ヒナギクの花輪をつくり、手をつないで平和を祈った人たちは、そうすればどんな戦争も止められると言うジョン・レノンらを信じたのだが、結局、自分たちのアクションがさっぱり効果をあげぬことに幻滅しきって産業界に取りこまれてしまい、そのビジネスモデルと製品群によって〈生との戦争〉に駆りたてられた。

ジョン・レノンが「平和をわれらに」の代わりに「全面的抵抗と蜂起をわれらに」という曲をつくっていたら、あれほどまで大規模な運動から本物の構造的変化が生まれていたかもしれない。いや、あいにくそういう真っ正直さはやりそうにないし、注目も集めないので、ヒットチャートの首位にのぼりつめることはなかっただろう。そして、平和的抗議（平和的というのは、構造的暴力の行使者に対してであり、実効性のない抗議活動の犠牲者に対してではない）のみで体制をゆるがしうると考えていたらしき非暴力グループによって歌われることも。

そうは言っても、未来は明るい。ただし、いまはまだ、人類のほとんどに見分けのつかない明るさだ。

希望はある。ただ、ぼくらが慣れ親しんできたのとは別種の希望だ。

まず希望に見切りをつけ、絶望を受けいれること。皮肉ながら、そこにこそ希望は存在する。そんな正直な姿勢からこそ、ふさわしい応答の可能性が生まれるのだから。

この低い地点に立てば、自分たちがうしなってしまったものの豊かさを、喪失を引きおこした力への反発──「大きさがひとしく方向が反対」の反作用──が生じるレベルまで実感できる。絶望は、いわば跳躍板《スプリングボード》となって、ぼくらに決意を固めさせてくれよう。人生を管理してくる制度や文化に、現状に見あった方法で対処する決意を。

往々にしてアルコールやその他の依存症患者は、大切な存在──伴侶、子ども、仕事、家、車――の一切をうしなった事態をとことん理解せぬかぎり、健全な生活様式を取りもどす長旅に踏みだせない。ぼくはこれを、ボールのはねあがり効果と呼ぶ。はねかえって元の高さに戻ってくるには、たいてい、どん底にぶつかる必要があるのだ。希望は、いくら善意にもとづくものであれ、クッションとなって着地の衝撃をやわらげ、はねかえるのに必要な勢いをそいでしまう。

絶望に寄りそって相応の時間を過ごしたあとには、現実の状況に対処する準備がととのって前に進むことができる。著名な組織行動学専門家のマーガレット・ウィートリーが言うとおり、「絶望に対する特効薬は希望ではありません。心を曇らせている問題に自分はいったいどんなふうに取り組みたいのか、それを見つけたときに絶望は癒やされるのです」【227】。

再野生化がもたらす奇跡

行動を伴わぬ希望にすべてを託すのはやめて、ぼくらがベストを尽くせると信じるアイデアや戦略を実行に移したほうが賢い。さらなる金銭化と機械化を進めんとする制度の力から、コミュニティと大地を守る行動に出るのだ。

地球生態系の健康を回復し、そこに生きる人間とそれ以外の生物のコミュニティを復興しうる成算のひとつは、オオカミを復活させることにあると思う。文字どおり、そして象徴的、比喩的な意味でも。

文字どおりの意味においてオオカミの復活は、生態系の多様性と健康を取りもどす長旅に踏みだすうえで、絶対に欠かせない。ここでオオカミというのはあらゆるキーストーン種の象徴である。人間は野生全般に対する不合理な恐怖にもとづき、自分たちの管理下のモノカルチャー(同質)的風景から、これらの生き物を根絶してきた。キーストーン種とは、生息個体数のわりに甚大な影響を周辺環境に与え、特定の生物群系の健全性と構造を維持するのにきわめて重要な役割を担う動植物などをさす。

米国のイエローストーン国立公園では、絶滅したキーストーン種のハイイロオオカミを七〇年後にあらためて導入した結果、公園内に劇的な変化が起きたことを、生態学者らが確認している。

一九九五年にはじめてハイイロオオカミの再導入に踏みきったとき、「川辺の植生は、増えすぎたワピチ(アメリカアカシカ)にほぼ食いつくされていた」。しかしオオカミの帰還とともに、状況が変化しはじめる。オオカミは、ワピチの個体数を健全なレベルに抑制しただけでなく、「獲物たちのふるまいを変えた」のだ。

生態学者らがまもなく気づいたように、「ワピチは、敵に襲われやすい場所、特に谷間に寄りつかなくなった」。

こうしてワピチの食害をまぬがれた木々がふたたび川岸に生長しはじめ、木陰をつくって冷涼な生息環境を提供したため、やがて魚やその他の種も川に戻ってきた。ビーバーが帰ってきて、さらにビーバーの習性がととのえた条件のおかげで、カワウソ、マスクラット、爬虫類、その他多数の生物も見られるようになる。

「丸裸だった谷に、ヤマナラシ、ヤナギ、ハコヤナギの森が再生しはじめ」、新しい健全な環境にひかれてバイソンが戻ってきた。ワピチにおびやかされることなく木々が育つにつれ、浸食の度合いがやわらいだため、川岸が安定し、またもうひとつのドミノ効果として「水たまりや浅瀬の生物多様性が高まった」。コヨーテを狩るオオカミのおかげで、「ウサギやネズミなどの小型哺乳類の数が増え、タカ、イタチ、キツネ、アナグマの獲物となった」。一方で「ワシやワタリガラスは、オオカミが食べ残したワピチの死肉をついばんだ」【228】。

あいつぐ変化に伴って、生物多様性と土地の健康は劇的に向上した。

以上を念頭に置いて、イングランドなど産業国の裸地化したモノカルチャー的風景を考えるとき、オオカミのような捕食者の不在のほうがオオカミ自体よりもずっと恐ろしいことがわかってくるだろう。アルド・レオポルドはかつてこう言った。

今さらながら思うのだが、シカの群れがオオカミに戦々恐々としながら生活しているのと同様に、山はシカの群れに戦々恐々としながら生きているのではなかろうか。いや、おそらく山のほうがもっと大変だ。というのも、牝ジカが一頭オオカミに倒されても、二、三年もすれば元どおりになるのに、増えすぎたシカに荒らされた山域が元どおりになるのは何十年がかりでも怪しいからである。〔中略〕だから、旱魃地域とか、未来を海へ洗い流す川ばかりが次々と増えてゆくのである【229】。

世界中どこで実施された再野生化の試みもイエローストーン国立公園と似た経過をたどっており、いずれの事例も同じ教訓を与えてくれる。すなわち、大型動物と頂点捕食者に対するいわれなき恐怖を、ぼくらは克服すべきなのだ。かつて地上を闊歩《かっぽ》していたこれらの動物たちは、荘厳な〈全体〉を織りなす一翼を担いもし、この織物をどうしたわけか疵《きず》ひとつなく保つ役割も担っていた。恐れるとしたら、人間の思いあがりこそを恐れるべきだ。傲慢という不幸な特性をかかえた科学の徒は、〈大いなる生命の織物〉の底知れぬ複雑さを把握し数量化できると信じるばかりか、囲い柵や合成殺虫剤や政府の十年計画で管理できるとさえ思いこむ。

偏狭な自己にも野生が必要

原生自然を守り、あるがままにしておく、そのこと自体に価値がある。地球上のどんな生物種も、ヒト同様、天性にしたがって生きる権利を有するのだから。しかし、何千年もかけてぼくらを洗脳してきた〈人間中心主義〉のうそが、仮に本当だったとしても、ゆえに人間の命は他の生物の命より神聖であり、自然界の価値は人類にとっての価値でのみ測定可能であったとしても、こう言えよう。この世界に野生を取りもどすことは、狭量で利己的な見地から考えても最重要事項である、と。

ヒトは、大小さまざまな生物がおのおの適所にひしめく健全な生態系に依存して、肉体的な命を維持し栄えている。人間にはまず、〈生〉に満ちあふれた風景が必要だ。地図のうえだけでなく心のなかでも権勢をふるう不毛な都市をのがれ、いくばくかの正気らしさを保つため、そして原始的な自己が無意識に切望する「出口」を残しておくために。

〈生〉との精神的結びつきをもっと深めないかぎり、それを使用制限のないガソリンスタンドかのごとく扱うのをやめて自分の肉体の一部のごとく扱うようになる見込みは持てない。そういったことを頭だけでなく心で理解しないうちは、自分の身を守るときの意気込みと勇猛さをもって〈生〉を守ろうとはしないだろう。

人間にとっての野生の価値は、それだけにとどまらない。

野生動物は、〈生〉や周辺環境の持つリズムとぼくらとをつなぐ接点になってくれる。オオカミなどの捕食者がいる地域で生きるには、その足あとを見つける目、臭いをかぎわける鼻、それに季節と時刻の正しい理解が求められる。いつ子を守ろうと攻撃的になるか、いつどこで獲物を探すかを知るためだ。皮肉にも、死の脅威はときに、人を生き生きと活気づかせる。

この脅威がなくなれば、真っ昼間に田園の散歩に出かけたところで、みずからの健康を左右する健全な生態系を形づくる、あまたの生物種の特性や暮らしに気づきもしなくなってしまう。周囲で生きて呼吸している世界の驚くべき細部に目を向けなければ、その大半を殺そうが屁とも思わぬにちがいない。

さらに悪いことに、現在、可もなく不可もない毎日を送るにいたったぼくらは、命にかかわるやもしれぬ「生態系の退屈さ」[230]に悩まされ、抗うつ剤、有名人のゴシップ、うさ晴らしの買い物でどうにか持ちこたえているありさま。

〈野生の平和〉を政治の地平に

環境的・社会的公正の運動にたずさわる人たちが反対すべき事象は世にいくらでもあれど、地球の再野生化の大義には、誰もが賛成の立場で一致団結できるはずだ。ひとたび〈生〉が人間による束縛を解かれ、野生に返って自由にふるまうことを許されたら、社会・生態系・個人の健康を取りもどす長旅が本格的にはじまりうるのだから。

必要なのはただ、死と破壊にまみれた仕事に注いでいたエネルギーを、各自に与えられた才能を生かした、大いなる治癒・修復の道へとふりむけること。それを実現するには、闇の力の持ち主たる政治経済体制を、粉砕せねばならない。知力と技能を駆使して生態学的・文化的共有物《コモンズ》を数値に変換しつづけるよう、盛んにぼくらをそそのかし、あるいは強要してくるシステムを。

オオカミ（とオオカミが象徴する多くのキーストーン種）の復活は、文字どおりの意味で〈生〉の未来のために不可欠だが、比喩的な意味でも政治・社会運動の地平において重要である。

今日の社会運動の風景はイングランドやアイルランドの森に似て、鹿が増えすぎてしまった。ぼくは雌鹿が大好きだし、この動物が象徴し身にまとう柔和さと気品が好きだ。〈全体〉のなかで果たす役割は、他のすべての生き物におとらず神聖である。しかし、われらがモノカルチャー的政治土壌には、モノカルチャー的森林におけるのと同じく、どう猛な捕食者が切実に必要とされている。

政治経済的土壌から日々頭をもたげるはかなげな新芽は、これから根をのばし、木となり、この惑星に生気を取りもどそうとの意欲にあふれているのに、周囲に影響らしい影響を与えられるほど生長する前に食いつくされ、枯れてしまう。

これは、〈企業―国家〉連合体が反体制派をかたっぱしから排除するせいではない（新自由主義体制が外見上は言論の自由――行動の自由ではなく――を必要としている点を思いだそう）。原生自然に対する仕打ち同様、〈企業―国家〉連合体とそのイデオロギー上の伴侶らは、キーストーン種である野生の革命家のみの撲滅をはかり、その一方で選りすぐりの家畜――改良主義者、平和主義者など――には、慎重に境界をさだめた囲い柵の内側で草を食《は》むことを許している。原因はむしろそこにあるのだ。

　生態系と政治の地平からオオカミを根絶して安心したがる人種は、今後もけっしていなくならないだろう。だから、身を挺してもオオカミの存在を維持しようとする人びとがつねに求められる。先住者に敬意を払わず域内に立ち入ってくる人間を、物陰にひそむオオカミがたえず待ちかまえていられるように。

　イエローストーン国立公園の再野生化を手がけた生態学者と環境保護専門家は、過去に生息していた全生物種をいちいちノアの箱舟から引きずりおろして、自分たちの手で再導入する必要などなかった。必要なのはただ、少しばかりの謙虚さと、簡単な真理を理解する能力だけ。その真理とは、複雑な〈生〉がおのずから調和のとれた平衡を見いだすのを恐れるよりも、〈生〉の複雑さをミクロの次元で管理しようとする態度のほうをよっぽど恐れるべし、というものだ。

　イエローストーンで生物多様性と健康な生態系の回復に要したのは、たった一種類の肉食獣の導入であった。政治情勢という国立公園に関しても同じことが言える。オオカミのどう猛さは、雌鹿の柔和さ、ビーバーの冒険心、鮭の不屈の意志、鷺《さぎ》の優雅さ、キツネの狡猾さ、オシドリの雄の美しさと並んで、固

[redacted]

有の役割を果たす。どの動物も、みずからの天性にかなう生きかたを許されたとき、互いに抑制しあいつつ、〈全体〉の統合性を維持し補強していくのだ。奇妙ながら、オオカミが鹿を必要とするのと同じく鹿はオオカミを必要とし、人間はひとり残らず、オオカミと鹿の両方を必要としている。

どう猛さと柔和さのどちらにも、〈生〉を守る闘いにおいてふさわしいときと場合がある。そうぼくらが認めて受けいれる日が来れば、唯一無二の真の平和、すなわち〈野生の平和〉を経験する機会を、もう一度手にできるかもしれない。

（了）

訳者あとがき　与えられた「物語」との決別を

《あらゆる生命に苛烈な暴力をふるう機械文明《ザ・マシン》のなかに、ぼくらは生きている。もはや誰ひとり、ピースフルな善人を気取ることなどできない。この時代に問わねばならないのは「暴力に荷担すべきか否か」ではなく「何に対して暴力的になるべきか」だ――》無銭経済《フリーエコノミー》の提唱者マーク・ボイルが文明社会の暴力性を真正面から論じた本書は、グローバル資本主義にどっぷりつかり「飼いならされた」わたしたちに、非暴力と平和をめぐる神話との決別をせまります。

著者ボイルは、アイルランド北西部のドニゴール州で一九七九年に生まれました。大学でビジネスや経済学を学んだのち、渡英し、有機食品業界で約六年はたらきます。この仕事を通じた人との出会いにより、食料廃棄、工場式畜産、児童労働、資源枯渇など、種々の社会問題への理解を深めていったようです。

イングランドの港町ブリストルに住んでいた二八歳のとき、現代の危機の根底に〈お金〉の存在があると考え、スキルや物や空間を無償で分かちあう「フリーエコノミー・コミュニティ」のプロジェクトを立ちあげました。分断の道具たるお金を介在させない〈ローカルな贈与経済〉をつくりだす試みです。翌年には、お金をまったく使わずに（少なくとも）一年暮らしてみる実験に乗りだします。彼の決断を後押ししたのが、学生時代に伝記を読んで感銘を受けたマハトマ・ガンディーのことば「世界に変化を望むなら、みずからがその変化になれ」でした。

お金を手ばなすまでの経緯と実験開始からの一年をつづった初の著書『ぼくはお金を使わずに生きることにした』は、国内外で大きな反響を呼びました。都合三年近くつづけた「豊かな」カネなし生活で体得した無銭の哲学とノウハウを、第二作『無銭経済宣言――お金を使わずに生きる方法』に集大成しています（ともに紀伊國屋書店刊）。

二〇一三年には、確かな土地基盤のうえでフリーエコノミーの理念を実践するため、アイルランド西部のゴールウェイ州へ仲間と移住します。パーマカルチャー（永続可能な農的暮らし）の設計原理にもとづく農園の整備、居住空間の新改築に汗を流すのと並行して、本書は執筆され、二〇一五年に英国と米国で出版されました。

一から自分たちで建てた小屋が完成した二〇一六年の末以来、彼は「複雑なテクノロジー」をすっかり手ばなし、電話やパソコンはもちろん、電気・ガス・水道も使わない日常を送っています。二〇一九年に発表した第四作『*The Way Home: Tales from a life without technology*』の原稿も、紙に鉛筆で書いたそうです（邦訳は紀伊國屋書店より刊行予定）。

そういうボイルが今回なぜ、前二作とは異質にも見えるテーマを選んだのか、不思議に思う人は多いでしょう。けれども、「頭（思考）と心（感情）と手（行動）」の矛盾を好まない彼が、お金について考えてきたすえに、暴力についての本を書かずにいられなくなったのは、自然ななりゆきと言えるかもしれません。お金の問題も、暴力の問題も、もとを正せば同じ錯覚――分離の幻想――に端を発しているからです。万物が相互依存的に存在する事実を忘れた偏狭な自己認識と、この幻想にもとづいて築かれた産業文明が、今日、人類自身の生存さえ危うくするほどの窮状をもたらしているのです。

機械文明の抑圧にあらがい(resist)、反旗をひるがえし(revolt)、野生を取りもどす(rewild)。ボイルの提起した3Rを具体的にどう実践するかは、人それぞれに異なり、ひとつの正解などありえません。穏健な変革運動を担う平和主義者と、実力行使も辞さぬ希少な〈野生の革命家〉が、互いの使命を尊重しあい、連帯して構造的暴力に対抗する重要性を、著者は強く訴えます。

「悪の枝葉に切りかかる者が千人いれば、その根っこを打ちすえる者はせいぜい一人」というヘンリー・ソローの言が、序章で引用されています。いまの日本社会にあてはめると、たとえば、民意に反して暴走する政権トップの首をすげ替えても、あるいは、パンデミックを引きおこしているウイルスを工業的医療の力で制圧しても、そのような存在を生みだす(「枝葉」を繁茂させる)原因である政治経済システム――ひいてはわたしたちの文明総体――という「根っこ」を打ちすえないかぎり、何度でも同様の「症状」がぶりかえすのではないでしょうか。

示唆に富む暴力論/社会運動論としての側面に加えて、機能不全におちいった人間社会を徹底的に問いなおす現代文明批判の書としても、わたしたちが今後の生きかたを考える際のあらたな視点や手がかりを、少なからず提供してくれるにちがいない。そんな確信めいた期待をいだきつつ、本書の訳出に取りくんできました。

誰かから与えられた「物語」に唯々諾々《いいだくだく》としたがうのをやめて、自分の頭で考え、自分の心で感じ、自分の手で行動に移さなければ、真に意味ある変化ははじまらないでしょう。お金の神話、分離断絶の神話、人間中心主義の神話、科学技術万能の神話、創造と破壊の神話、暴力と非暴力の神話、その他さまざまな神話に別れを告げるための勇気やきっかけを、この本に見いだしてもらえるよう願っています。

なお、日本語版作成にあたっては読みやすさを考慮して、編集部と相談のうえ、原文にない小見出しを追加し、改行を増やしました。また、おもに序章について、大意を損なわぬ範囲で冗長な部分を削りました。

最後に、本作を「市民運動という航海における北極星のような存在となりうる書」と高く評価し、多くの読者のもとへ届けるべく尽力くださった、ころからのみなさまに、あつくお礼申しあげます。そして、いささか身の丈を超える仕事を「使命と引きうけ」てしまった私を、さまざまに支えてくれた夫と友人たちにも、心からの感謝を。

二〇二〇年五月　ホトトギスの鳴きだすころに　　吉田奈緒子

【215】*How Wolves Change Rivers*（http://youtu.be/ysa5OBhXz-Q）および*How Whales Change Climate*（http://youtu.be/M18HxXve3CM）を参照［日本語字幕あり］。
【216】Leopold, Aldo (1968). *A Sand County Almanac and Sketches Here and There*. OUP USA; Enlarged edition. p.262. →【029】『野生のうたが聞こえる』
【217】Klein, Naomi (2014). *This Changes Everything: Capitalism vs. the Climate*. Allen Lane. ナオミ・クライン著、幾島幸子ほか訳『これがすべてを変える』岩波書店
【218】Hawken, Paul (2008). *Blessed Unrest: How the Largest Social Movement in History Is Restoring Grace, Justice, and Beauty to the World*. Penguin. p.142. →【087】『祝福を受けた不安』
【219】Kaczynski, Theodore (2010). *Technological Slavery: The Collected Writings of Theodore J. Kaczynski, a.k.a. "The Unabomber"*. Feral House.
【220】Capra, Fritjof (1997). *The Web of Life: A New Synthesis of Mind and Matter*. Flamingo. p.279.
【221】Hawken, Paul (2008). *Blessed Unrest: How the Largest Social Movement in History Is Restoring Grace, Justice, and Beauty to the World*. Penguin. pp.141-142. →【087】『祝福を受けた不安』
【222】Pauly, Daniel (1995). 'Anecdotes and the Shifting Baseline Syndrome of Fisheries'. *Trends in Ecology and Evolution*, Vol.10, no.10, doi:10.1016/So169-5347(00)89171-5.
【223】Leopold, Aldo (1968). *A Sand County Almanac and Sketches Here and There*. OUP USA; Enlarged edition. →【029】『野生のうたが聞こえる』
【224】Monbiot, George (2013). *Feral: Searching for Enchantment on the Frontiers of Rewilding*. Allen Lane. p.69.
【225】Monbiot, George (2013). *Feral: Searching for Enchantment on the Frontiers of Rewilding*. Allen Lane. p.35.
【226】Jensen, Derrick (2006). *Endgame Volume 1: The Problem of Civilisation*. Seven Stories Press.
【227】Wheatley, Margaret (2002). *Turning to One Another: Simple Conversations to Restore Hope to the Future*. Berrett-Koehler. p.19. マーガレット・J・ウィートリー著、浦谷計子訳『「対話」がはじまるとき』英治出版
【228】Monbiot, George (2013). *Feral: Searching for Enchantment on the Frontiers of Rewilding*. Allen Lane. pp.84-86.
【229】Leopold, Aldo (1968). *A Sand County Almanac and Sketches Here and There*. OUP USA; Enlarged edition. →【029】『野生のうたが聞こえる』
【230】Monbiot, George (2013). *Feral: Searching for Enchantment on the Frontiers of Rewilding*. Allen Lane.

【190】X, Malcolm (1963). *Message to the Grassroots. 10th November, King Solomon Baptist Church, Detroit, Michigan.*
【191】Ryan, Mike (2007). 'On Ward Churchill's "Pacifism as Pathology": Toward a Revolutionary Practice'. In Churchill, Ward and Ryan, Mike, *Pacifism as Pathology: Reflections on the Role of Armed Struggle in North America.* AK Press. p.141.
【192】Churchill, Ward and Ryan, Mike (2007). *Pacifism as Pathology: Reflections on the Role of Armed Struggle in North America.* AK Press. p.46.
【193】Churchill, Ward and Ryan, Mike (2007). *Pacifism as Pathology: Reflections on the Role of Armed Struggle in North America.* AK Press. p.61
【194】映画*If A Tree Falls: A Story of the Earth Liberation Front*（マーシャル・カレー監督）中のインタビューより。Dogwoof, 2012. DVD.
【195】Manes, Christopher (1990). *Green Rage: Radical Environmentalism and the Unmaking of Civilisation.* Little, Brown. p.9.
【196】Gelderloos, Peter (2013). *The Failure of Nonviolence: From the Arab Spring to Occupy.* Left Bank Books. pp.191-192.
【197】Dorney, John (2013). *Peace After the Final Battle: The Story of the Irish Revolution 1912-1924.* New Island Books. pp.22-24.
【198】X, Malcolm (1964). *The Ballot or the Bullet.* 3rd April, Cory Methodist Church, Cleveland, Ohio. 「投票か弾丸か」、マルコムX著、長田衛訳『マルコムXスピークス』所収、第三書館
【199】Scott, James C. (1990). *Domination and the Arts of Resistance: Hidden Transcripts.* Yale University Press.
【200】Marcos, Subcomandante Insurgente (2001). *Our Word is Our Weapon: Selected Writings.* Seven Stories Press. p.418.
【201】Marcos, Subcomandante Insurgente (2004). *Ya Basta! Ten Years of the Zapatista Uprising.* AK Press.
【202】Marcos, Subcomandante Insurgente (2001). *Our Word is Our Weapon: Selected Writings.* Seven Stories Press.
【203】Marcos, Subcomandante Insurgente (2001). *Our Word is Our Weapon: Selected Writings.* Seven Stories Press. p.420.
【204】Marcos, Subcomandante Insurgente (2001). *Our Word is Our Weapon: Selected Writings.* Seven Stories Press. p.17.
【205】Foreman, Dave (1991). *Confessions of an Eco-warrior.* Crown Trade Paperbacks. p.23.
【206】Manes, Christopher (1990). *Green Rage: Radical Environmentalism and the Unmaking of Civilisation.* Little, Brown. p.187.
【207】Jensen, Derrick (2007). Preface to Churchill, Ward and Ryan, Mike, *Pacifism as Pathology: Reflections on the Role of Armed Struggle in North America.* AK Press. p.13.
【208】McBay, Aric (2011). *Deep Green Resistance: Strategy to Save the Planet.* Seven Stories Press. p.244.
【209】Bailie, Gil (1996). *Violence Unveiled: Humanity at the Crossroads.* Crossroad Publishing. p.xv.
【210】Sagan, Carl (1992). *Shadows of Forgotten Ancestors: A Search for Who We Are.* Random House Inc. カール・セーガン、アン・ドルーヤン著、柏原精一ほか訳『はるかな記憶』朝日新聞出版
【211】Monbiot, George (2013). *Feral: Searching for Enchantment on the Frontiers of Rewilding.* Allen Lane. p.7.
【212】Leopold, Aldo (1968). *A Sand County Almanac and Sketches Here and There.* OUP USA; Enlarged edition. →【029】『野生のうたが聞こえる』
【213】Monbiot, George (2013). *Feral: Searching for Enchantment on the Frontiers of Rewilding.* Allen Lane. p.48.
【214】Monbiot, George (2013). *Feral: Searching for Enchantment on the Frontiers of Rewilding.* Allen Lane. p.139.

【163】米国においてある行為が「国内テロ」とみなされるためには、以下の条件を満たす必要がある。(a)連邦法もしくは州法に違反する行為で人命をおびやかす;(b)次のいずれかの意図がうかがえる(i)一般市民に対する脅迫または威圧、(ii)脅迫または威圧により政策に影響を与えること、(iii)大規模破壊、暗殺、あるいは誘拐により政府の行動に影響を与えること;(c)おもに米国の管轄領域内で発生する(www.fbi.gov/about-us/investigate/terrorism/terrorism-definitionを参照)。

【164】Potter, Will (2011). *Green is the New Red: An Insider's Account of a Social Movement Under Siege*. City Lights Books. pp.41-43.

【165】科学者ジェームズ・ラブロックが提唱したガイア理論は、ギリシア神話の大地女神にちなんで命名された。地球上のあらゆる生物とそれを取りまく無機物とが、自己調節機能を持つひとつのシステムを形成している、との説。

【166】www.fbi.gov/about-us/investigate/terrorism/terrorism-definition

【167】Potter, Will (2011). *Green is the New Red: An Insider's Account of a Social Movement Under Siege*. City Lights Books. p.48.

【168】Manes, Christopher (1990). *Green Rage: Radical Environmentalism and the Unmaking of Civilisation*. Little, Brown. p.11.

【169】Potter, Will (2011). *Green is the New Red: An Insider's Account of a Social Movement Under Siege*. City Lights Books. p.50.

【170】www.fbi.gov/news/testimony/the-threat-of-eco-terrorism

【171】Dowie, Mark (1996). *Losing Ground: American Environmentalism at the Close of the Twentieth Century*. MIT Press.

【172】www.greenisthenewred.com/blog/wp-content/Images/Other/DHSflyermemo1.htm

【173】映画*If A Tree Falls: A Story of the Earth Liberation Front*(マーシャル・カレー監督)中のインタビューより。Dogwoof, 2012. DVD.

【174】Foreman, Dave (1991). *Confessions of an Eco-warrior*. Crown Trade Paperbacks.

【175】Manes, Christopher (1990). *Green Rage: Radical Environmentalism and the Unmaking of Civilisation*. Little, Brown. pp.9-10.

【176】www.academia.edu/238985/Bitter_Green_The_Strategy_of_Ecotage

【177】http://personalityspirituality.net/2010/08/19/successful-psychopaths/

【178】Board, Belinda Jane and Frizon, Katarina (2005). 'Disordered Personalities at Work'. *Psychology, Crime & Law*, Volume 11, Issue 1. pp.17-32.

【179】Babiak, Paul and Hare, Robert D. (2007). *Snakes in Suits: When Psychopaths Go to Work*. Harper Business.

【180】www.monbiot.com/2011/11/07/the-self-attribution-fallacy/

【181】Brand, Russell (2014). *Do Rich People Deserve To Be Rich?* The Trews (E223): http://youtu.be/z-_Mei4-uhI

【182】Potter, Will (2011). *Green is the New Red: An Insider's Account of a Social Movement Under Siege*. City Lights Books. p.245.

【183】シーク教の聖地アムリトサルで祭日に起きたジャリアンワーラー庭園事件では、数百人の罪なき市民が英国軍兵士によって殺された。

【184】Gelderloos, Peter (2007). *How Nonviolence Protects the State*. South End Press. p.7.

【185】Gelderloos, Peter (2007). *How Nonviolence Protects the State*. South End Press. pp.7-9.

【186】Gelderloos, Peter (2007). *How Nonviolence Protects the State*. South End Press. pp.7-9.

【187】www.tribuneindia.com/2001/20010321/edit.htm#6

【188】Gelderloos, Peter (2007). *How Nonviolence Protects the State*. South End Press. pp.7-9.

【189】www.pbs.org/hueypnewton/people/people_hoover.html

【139】Leopold, Aldo (1968). *A Sand County Almanac and Sketches Here and There.* OUP USA; Enlarged edition. →【029】『野生のうたが聞こえる』
【140】Jensen, Derrick (2006). *Endgame Volume 1: The Problem of Civilisation.* Seven Stories Press.
【141】Eisenstein, Charles (2007). *The Ascent of Humanity.* Panenthea.
【142】Ryan, Mike (2007). 'On Ward Churchill's "Pacifism as Pathology": Toward a Revolutionary Practice'. In Churchill, Ward and Ryan, Mike, *Pacifism as Pathology: Reflections on the Role of Armed Struggle in North America.* AK Press. p.148.
【143】機械文明の進行を一時的にはばむために活動家が用いる戦術。通常、ひとりまたは複数の抗議者の体を二輪車用の鍵などで不動物に固定し、警官や治安部隊に容易に排除されぬようにする。
【144】Biko, Steve (1987). *I Write What I Like: A Selection of Writings.* Heinemann.
【145】Garver, Newton (1968). 'What Violence Is'. In Vittorio Bufacchi (ed), *Violence: A Philosophical Anthology.* Palgrave Macmillan. p.170.
【146】Garver, Newton (1968). 'What Violence Is'. In Vittorio Bufacchi (ed), *Violence: A Philosophical Anthology.* Palgrave Macmillan. p.170.
【147】https://www.thedailybeast.com/nelson-mandela-demanded-justice-before-forgiving-white-south-africans
【148】Ongerth, Steve (2010). *Redwood Uprising.* www.judibari.info/book
【149】Churchill, Ward and Ryan, Mike (2007). *Pacifism as Pathology: Reflections on the Role of Armed Struggle in North America.* AK Press. p.71.
【150】Goldman, Emma (1911). *Anarchism and Other Essays.* Mother Earth Publishing Association.
【151】Gelderloos, Peter (2007). *How Nonviolence Protects the State.* South End Press. pp.108-117.
【152】Potter, Will (2011). *Green is the New Red: An Insider's Account of a Social Movement Under Siege.* City Lights Books. p.41.
【153】www.greenisthenewred.com/blog/green-scare/#1397295287948l&action=collapse_widget&id=3021786
【154】McBay, Aric (2011). *Deep Green Resistance: Strategy to Save the Planet.* Seven Stories Press. p.243.
【155】Foreman, Dave & Haywood, Bill (2002). *Ecodefense: A Field Guide to Monkeywrenching.* Abbzug Press. p.9.
【156】ラッダイトとは、機械による「省力化」で自分たちの生計手段と手わざと居場所がうしなわれるという、もっともな危機感をいだいた労働者階級の職工たちによる運動。
【157】Manes, Christopher (1990). Interview with Bill Devall, Grand Canyon, Ariz., July 10, 1987. In *Green Rage: Radical Environmentalism and the Unmaking of Civilisation.* Little, Brown. p.176.
【158】www.historyplace.com/speeches/mandela.htm
【159】Marx, Karl (1990). *Capital: Critique of Political Economy v.1.* Penguin Classics. マルクス著『資本論』岩波文庫ほか
【160】Manes, Christopher (1990). Interview with Bill Devall, Grand Canyon, Ariz., July 10, 1987. In *Green Rage: Radical Environmentalism and the Unmaking of Civilisation.* Little, Brown. p.176.
【161】分散型サービス拒否(DDoS)攻撃とは、複数のコンピュータからデータを際限なく送りつけることにより、標的のマシンやネットワーク(通常、インターネットに接続されたホスト)へのユーザーアクセスを妨害する手法。
【162】Potter, Will (2011). *Green is the New Red: An Insider's Account of a Social Movement Under Siege.* City Lights Books. p.45.

革命)からチュニジアのジャスミン革命まで、さまざまな事例を含む。
[110] Farnish, Keith (2013). *Underminers: A Guide to Subverting the Machine.* New Society Publishers.
[111] Hancox, Dan (2013). *The Village Against the World.* Verso. →【092】『理想の村マリナレダ』
[112] www.theguardian.com/books/2013/oct/10/village-against-world-dan-hancox-review
[113] www.theguardian.com/world/2013/oct/20/marinaleda-spanish-communist-village-utopia
[114] Pickering, Leslie James (2006). *Earth Liberation Front: 1997-2002.* Arissa Media Group.
[115] Holmgren, David (2013). *Crash on Demand.* http://holmgren.com.au/crash-demand/
[116] 贈与文化は複雑なテーマであり、前著『無銭経済宣言』で詳細に論じた。ひとことで言えば、財やサービスを売り買いするのではなく、即時および将来の見返りを明確にさだめずに与えあう社会制度をさす、人類学の用語。
[117] https://youtu.be/0v33cxzPcps
[118] Sozialdemokratische Partei Deutschlands のこと。
[119] Luxemburg, Rosa (1900). *Reform or Revolution.*
[120] Caygill, Howard (2013). *On Resistance: A Philosophy of Defiance.* Bloomsbury. p.209.
[121] Caygill, Howard (2013). *On Resistance: A Philosophy of Defiance.* Bloomsbury. p.210.
[122] Gelderloos, Peter (2013). *The Failure of Nonviolence: From the Arab Spring to Occupy.* Left Bank Books. pp.36-38.
[123] Gelderloos, Peter (2013). *The Failure of Nonviolence: From the Arab Spring to Occupy.* Left Bank Books. pp.36-38.
[124] Jensen, Derrick (2006). *Endgame Volume 1: The Problem of Civilisation.* Seven Stories Press.
[125] Pickering, Leslie James (2006). *Earth Liberation Front: 1997-2002.* Arissa Media Group.
[126] Gelderloos, Peter (2013). *The Failure of Nonviolence: From the Arab Spring to Occupy.* Left Bank Books. p.12.
[127] Mandela, Nelson (1995). *Long Walk To Freedom.* Abacus. ネルソン・マンデラ著、東江一紀訳『自由への長い道 ネルソン・マンデラ自伝』NHK出版
[128] Alinsky, Saul (1971). *Rules for Radicals: A Pragmatic Primer for Realistic Radicals.* Vintage Books. p.24.
[129] Bondaroff, Teale Phelps (2009). *Bitter Green: An Examination of the Strategy of Ecotage.* Undergraduate Honours Thesis. University of Calgary.
[130] Kuhn, Gabriel (2014). *Turning Money into Rebellion: The Unlikely Story of Denmark's Revolutionary Bank Robbers.* PM Press. p.83.
[131] Abbey,Edward(1984). *Beyond the Wall: Essays from the Outside.* Henry Holt & Company Inc.
[132] Dewey, John (1934). *Art as Experience.* Perigee Books. p.59. J・デューイ著、河村望訳『経験としての芸術』人間の科学新社
[133] Watts, Alan (1960). *The Nature of Consciousness.* https://youtu.be/jX8PqznN0ao
[134] Calaprice, Alice (2005). *The New Quotable Einstein.* Princeton University Press. p.206.
[135] Jensen, Derrick (2004). *A Language Older Than Words.* Souvenir Press Ltd. pp.33-34.
[136] Eisenstein, Charles (2007). *The Ascent of Humanity.* Panenthea.
[137] Foreman, Dave & Haywood, Bill (2002). *Ecodefense: A Field Guide to Monkeywrenching.* Abbzug Press. p.3.
[138] Jensen, Derrick (2007). Preface to Churchill, Ward and Ryan, Mike, *Pacifism as Pathology: Reflections on the Role of Armed Struggle in North America.* AK Press. p.11.

Books. p.vi.
【082】 Eisenstein, Charles (2007). *The Ascent of Humanity.* Panenthea. p.206.
【083】 Eisenstein, Charles (2011). *Sacred Economics: Money, Gift and Society in the Age of Transition.* Evolver Editions.
【084】 http://discovermagazine.com/1987/may/02-the-worst-mistake-in-the-history-of-the-human-race
【085】 Ellul, Jacques (1964). *The Technological Society.* Vintage Books. p.5.
【086】 Engels, Frederick and Marx, Karl (1859). *Economic and Philosophic Manuscripts of 1844.* Progress Publishers. カール・マルクス著、長谷川宏訳『経済学・哲学草稿』光文社古典新訳文庫
【087】 Hawken, Paul (2008). *Blessed Unrest: How the Largest Social Movement in History Is Restoring Grace, Justice, and Beauty to the World.* Penguin. p.102. ポール・ホーケン著、阪本啓一訳『祝福を受けた不安』バジリコ
【088】 Reuleaux, Franz (1876). *The Kinematics of Machinery: Outlines of a Theory of Machines.* Kessinger Publishing.
【089】 Mumford, Lewis (1971). *Technics and Human Development: The Myth of the Machine Volume 1.* Harcourt Publishers Ltd. p.191.
【090】 www.egs.edu/faculty/slavoj-zizek/articles/the-structure-of-domination-today-a-lacanian-view/
【091】 Olson, Miles (2012). *Unlearn, Rewild.* New Society Publishers.
【092】 Hancox, Dan (2013). *The Village Against the World.* Verso. ダン・ハンコックス著、プレシ南日子訳『理想の村マリナレダ』太田出版
【093】 Mumford, Lewis (1971). *Technics and Human Development: The Myth of the Machine Volume 1.* Harcourt Publishers Ltd. p.294.
【094】 Fasching, Darrell J. (1981). *The Thought of Jacques Ellul: A Systematic Exposition.* Vintage Books. p.17.
【095】 www.theguardian.com/news/2013/nov/20/mental-health-antidepressants-global-trends
【096】 www.reuters.com/article/2013/10/31/us-usa-poll-crime-idUSBRE99U11Z20131031
【097】 May, Rollo (1991). *The Cry for Myth.* W. W. Norton & Company. ロロ・メイ著、鈴木晶訳『自分さがしの神話』読売新聞社
【098】 Brown Jr., Tom (1999). *The Science and Art of Tracking.* G P Putnam's Sons; Berkley Trade Paperback edition.
【099】 Thoreau, Henry David (2008). *Walden.* Oxford's World Classics. →【011】『ウォールデン』
【100】 Zinn, Howard (2009). *The Zinn Reader: Writings on Disobedience and Democracy.* Seven Stories Press.
【101】 Rumi, Jelaluddin (2008). *The Essential Rumi.* Harper Collins. p.16.
【102】 Churchill, Ward (1999). *Fantasies of the Master Race: Literature, Cinema and the Colonization of American Indians.* City Lights Books.
【103】 Caygill, Howard (2013). *On Resistance: A Philosophy of Defiance.* Bloomsbury. p.10.
【104】 Gelderloos, Peter (2007). *How Nonviolence Protects the State.* South End Press. p.21.
【105】 http://discovermagazine.com/2013/may/05-how-ant-slaves-overthrow-their-masters
【106】 Churchill, Ward and Ryan, Mike (2007). *Pacifism as Pathology: Reflections on the Role of Armed Struggle in North America.* AK Press. p.57.
【107】 Eagleton, Terry (2012). *Why Marx Was Right.* Yale University Press.
【108】 Goldman, Emma (1911). *Anarchism and Other Essays.* Mother Earth Publishing Association.
【109】 旧ソ連圏、バルカン、中東諸国で起こった一連の運動をさして用いられる語。フィリピンのピープルパワー革命(黄色

the Mastery of Nature. Routledge.
[054] Singer, Peter (1995). *Animal Liberation*. Pimlico; 2nd edition. ピーター・シンガー著、戸田清訳『動物の解放』人文書院
[055] www.sciencemag.org/content/162/3859/1243.full
[056] www.monbiot.com/1994/01/01/the-tragedy-of-enclosure/
[057] Leopold, Aldo (1968). *A Sand County Almanac and Sketches Here and There*. OUP USA; Enlarged edition. →【029】『野生のうたが聞こえる』
[058] Underwood Spencer, Paula (1983). *Who Speaks for Wolf*. Tribe of Two Press. 「狼の代弁はだれがする」、ポーラ・アンダーウッド著、星川淳訳『知恵の三つ編み』所収、徳間書店
[059] www.theguardian.com/environment/2014/nov/29/animal-rights-group-sounds-alarm-over-40m-farm-deaths
[060] Illich, Ivan (1974). *Medical Nemesis: The Expropriation of Health*. Marion Boyars. イヴァン・イリッチ著、金子嗣郎訳『脱病院化社会——医療の限界』晶文社
[061] Barnet, Robert (2003). 'Ivan Illich and the Nemesis of Medicine'. *Medicine, Health Care and Philosophy* 6 (3): 273-286. Kluwer Academic Publishers.
[062] Wolff, Robert Paul (1969). 'On Violence'. In Vittorio Bufacchi (ed). *Violence: A Philosophical Anthology*. Palgrave Macmillan. p.59.
[063] Gelderloos, Peter (2013). *The Failure of Nonviolence: From the Arab Spring to Occupy*. Left Bank Books. p.139.
[064] Jensen, Derrick (2007). Preface to Churchill, Ward and Ryan, Mike, *Pacifism as Pathology: Reflections on the Role of Armed Struggle in North America*. AK Press. p.11.
[065] Lemkin, Raphael (1944). *Axis Rule in Occupied Europe*. The Lawbook Exchange, Ltd.; 2nd edition.
[066] Higgins, Polly (2010). *Eradicating Ecocide: Laws and Governance to Stop the Destruction of the Planet*. Shepheard-Walwyn.
[067] http://eradicatingecocide.com/overview/ecocide-act/（リンク切れ）
[068] www.reuters.com/article/2012/09/25/climate-inaction-idINDEE88O0HH20120925
[069] Schumacher, E.F. (1988). *Small is Beautiful: A Study of Economics as if People Mattered*. Abacus. E・F・シューマッハー著、酒井懋訳『スモール イズ ビューティフル再論』講談社学術文庫
[070] Mitchell, Alana (2008). *Seasick: The Hidden Ecological Crises of the Global Ocean*. Oneworld. p.8.
[071] Worm, Boris et al. (2006). 'Impacts of Biodiversity Loss on Ocean Ecosystem Services'. *Science 314* (5800). p.787.
[072] Davies, R.W.D. (2009). *Defining and Estimating Global Marine Fisheries Bycatch*. Marine Policy.
[073] Mitchell, Alana (2008). *Seasick: The Hidden Ecological Crises of the Global Ocean*. Oneworld. p.83.
[074] http://sawfish.saveourseas.com/threats/climate
[075] Mitchell, Alana (2008). *Seasick: The Hidden Ecological Crises of the Global Ocean*. Oneworld. p.84.
[076] Pimm, S.L. et al. (1995). 'The Future of Biodiversity'. *Science* 269. pp.347-350.
[077] www.occupyforanimals.net/animal-kill-counter.html
[078] McBay, Aric (2011). *Deep Green Resistance: Strategy to Save the Planet*. Seven Stories Press. p.239.
[079] McBay, Aric (2011). *Deep Green Resistance: Strategy to Save the Planet*. Seven Stories Press. p.243.
[080] Jensen, Derrick (2006). *Endgame Volume 1: The Problem of Civilisation*. Seven Stories Press.
[081] Ellul, Jacques and Merton, Robert K. (1964). *The Technological Society*. Vintage

Almanac and Sketches Here and There. OUP USA; Enlarged edition. アルド・レオポルド著、新島義昭訳『野生のうたが聞こえる』講談社学術文庫
[030] www.theguardian.com/global-development/poverty-matters/2013/nov/27/price-nature-markets-natural-capital
[031] www.monbiot.com/2014/04/22/reframing-the-planet/
[032] www.theguardian.com/global-development/poverty-matters/2013/nov/27/price-nature-markets-natural-capital
[033] Evernden, Neil (1999). *The Natural Alien: Humankind and Environment.* University of Toronto Press. p.10.
[034] www.theguardian.com/environment/2014/jan/13/shale-gas-fracking-cameron-all-out
[035] Jones, Pattrice (2006). 'Stomping with the Elephants: Feminist Principles for Radical Solidarity'. In Steven Best and Anthony J. Nocella (eds), *Igniting a Revolution: Voices in Defence of the Earth.* AK Press. pp.319-329.
[036] Jones, Pattrice (2006). 'Stomping with the Elephants: Feminist Principles for Radical Solidarity'. In Steven Best and Anthony J. Nocella (eds), *Igniting a Revolution: Voices in Defence of the Earth.* AK Press. pp.319-329.
[037] www.theguardian.com/commentisfree/2014/apr/07/climate-change-violence-occupy-earth
[038] Žižek, Slavoj (2009). *Violence: Six Sideways Reflections.* Profile Books. pp.99-100. →**[**017**]**『暴力』
[039] Potter, Will (2011). *Green is the New Red: An Insider's Account of a Social Movement Under Siege.* City Lights Books. pp.40-43.
[040] Weber, Max (1970). 'Politics as a Vocation'. In H. H. Gerth and C. W. Mills (eds), *From Max Weber.* Routledge. p.70. M・ヴェーバー著、脇圭平訳『職業としての政治』岩波文庫
[041] Garver, Newton (1968). 'What Violence Is'. In Vittorio Bufacchi (ed), *Violence: A Philosophical Anthology.* Palgrave Macmillan. p.170.
[042] Monbiot, George (2013). *Feral: Searching for Enchantment on the Frontiers of Rewilding.* Allen Lane. p.9.
[043] www.bbc.co.uk/news/uk-england-25622644
[044] Bufacchi, Vittorio (2009). *Violence: A Philosophical Anthology.* Palgrave Macmillan. p.207.
[045] Garver, Newton (1968). 'What Violence Is'. In Vittorio Bufacchi (ed), *Violence: A Philosophical Anthology.* Palgrave Macmillan. p.171.
[046] Gelderloos, Peter (2013). *The Failure of Nonviolence: From the Arab Spring to Occupy.* Left Bank Books. p.20.
[047] Gelderloos, Peter (2013). *The Failure of Nonviolence: From the Arab Spring to Occupy.* Left Bank Books. p.17.
[048] Ryan, Mike (2007). 'On Ward Churchill's "Pacifism as Pathology": Toward a Revolutionary Practice'. In Churchill, Ward and Ryan, Mike, *Pacifism as Pathology: Reflections on the Role of Armed Struggle in North America.* AK Press. p.126.
[049] Jensen, Derrick (2007). Preface to Churchill, Ward and Ryan, Mike, *Pacifism as Pathology: Reflections on the Role of Armed Struggle in North America.* AK Press. p.4.
[050] Kuhn, Gabriel (2014). *Turning Money into Rebellion: The Unlikely Story of Denmark's Revolutionary Bank Robbers.* PM Press. p.86.
[051] Kumar, Satish (2005). *The Buddha and The Terrorist.* Green Books. サティシュ・クマール著、加島牧史訳『もう殺さない――ブッダとテロリスト』バジリコ
[052] Keynes, John Maynard (1965). *The General Theory of Employment, Interest, and Money.* Mariner Books. ケインズ著、間宮陽介訳『雇用、利子および貨幣の一般理論』岩波文庫
[053] Plumwood, Val (1993). *Feminism and*

■原注

【001】数字は国際連合教育科学文化機関(UNESCO)による。
【002】数字はオックスファムによる。
【003】Fanon, Frantz (2001). *The Wretched of the Earth*. Penguin. フランツ・ファノン著、鈴木道彦・浦野衣子訳『地に呪われたる者』みすず書房
【004】Best, Steven and Nocella II, Anthony J. (2006). *Igniting a Revolution: Voices in Defence of the Earth*. AK Press.
【005】www.telegraph.co.uk/news/uknews/1468011/Glaxo-chief-animal-rights-cowards-are-terrorising-us.html
【006】Jensen, Derrick (2006). *Endgame Volume 1: The Problem of Civilisation*. Seven Stories Press.
【007】Potter, Will (2011). *Green is the New Red: An Insider's Account of a Social Movement Under Siege*. City Lights Books. p.41.
【008】Boyle, Mark (2012). *The Moneyless Manifesto*. Permanent Publications. マーク・ボイル著、吉田奈緒子訳『無銭経済宣言 ―お金を使わずに生きる方法』紀伊國屋書店
【009】Hallas, Duncan (1973). 'Controversy: Do We Support Reformist Demands?' *International Socialism* (1st series), No.54.
【010】[欠番]
【011】Thoreau, Henry David (2008). *Walden*. Oxford's World Classics. ヘンリー・D・ソロー著、酒本雅之訳『ウォールデン』ちくま学芸文庫
【012】Lorde, Audre (2013). 'The Master's Tools Will Never Dismantle the Master's House'. In *Sister Outsider: Essays and Speeches*. Ten Speed Press; Reprint edition.
【013】Churchill, Ward and Ryan, Mike (2007). *Pacifism as Pathology: Reflections on the Role of Armed Struggle in North America*. AK Press. p.103.
【014】wwf.panda.org/about_our_earth/biodiversity/biodiversity/
【015】Manes, Christopher (1990). *Green Rage: Radical Environmentalism and the Unmaking of Civilisation*. Little, Brown. p.xi.
【016】Eisenstein, Charles (2007). *The Ascent of Humanity*. Panenthea.
【017】Žižek, Slavoj (2009). *Violence: Six Sideways Reflections*. Profile Books. p.174. スラヴォイ・ジジェク著、中山徹訳『暴力――6つの斜めからの省察』青土社
【018】Thoreau, Henry David (1860). 'A Plea for Captain John Brown'. In Redpath, James, *Echos' for Harpers Ferry*. Thayer and Eldridge. 「ジョン・ブラウン大尉を弁護して」、H・D・ソロー著、飯田実訳『市民の反抗 他五篇』所収、岩波文庫
【019】Churchill, Ward and Ryan, Mike (2007). *Pacifism as Pathology: Reflections on the Role of Armed Struggle in North America*. AK Press. p.20.
【020】Nietzsche, Friedrich (1886). *Beyond Good and Evil*. Penguin Classics; Revised edition. ニーチェ著、竹山道雄訳『善悪の彼岸』新潮文庫
【021】[欠番]
【022】Blake, William (1810). 'And Did Those Feet in Ancient Time'. Preface to *Milton a Poem*.
【023】Heidegger, Martin (1977). *The Question Concerning Technology: And Other Essays*. Harper Perennial.
【024】[欠番]
【025】Evernden, Neil (1999). *The Natural Alien: Humankind and Environment*. University of Toronto Press. p.10.
【026】Watts, Alan (1975). *Psychotherapy East and West*. Vintage.
【027】Eisenstein, Charles (2007). *The Ascent of Humanity*. Panenthea.
【028】Monbiot, George (2013). *Feral: Searching for Enchantment on the Frontiers of Rewilding*. Allen Lane. p.69.
【029】Leopold, Aldo (1968). *A Sand County*

マーク・ボイル Mark Boyle

1979年、アイルランド生まれ。2007年に英国ブリストルでフリーエコノミー(無銭経済)運動を立ちあげ、2008年の無買デーからお金を一切使わない生活実験を開始。実験最初の1年間の記録『ぼくはお金を使わずに生きることにした』(紀伊國屋書店)は19か国で刊行され、大きな反響を呼んだ。現在はアイルランド西部の小農場で、電気もガスも水道もないセルフビルドの小屋に暮らし、贈与経済の実践をつづけている。他の著書に『無銭経済宣言――お金を使わずに生きる方法』、『*The Way Home: Tales from a life without technology*』(紀伊國屋書店より邦訳刊行予定)がある。

吉田奈緒子 よしだ・なおこ

1968年、神奈川県生まれ。東京外国語大学インド・パーキスターン語学科卒。英国エセックス大学修士(社会言語学専攻)。現在、千葉・南房総で半農半翻訳の生活を送っている。訳書に、マーク・ボイル『ぼくはお金を使わずに生きることにした』、『無銭経済宣言――お金を使わずに生きる方法』、マーク・サンディーン『スエロは洞窟で暮らすことにした』(いずれも紀伊國屋書店)。

モロトフ・カクテルを
ガンディーと

平和主義者のための暴力論

2020年6月15日　初版発行
1500円＋税

著　者　マーク・ボイル
訳　者　吉田奈緒子
パブリッシャー　木瀬貴吉
装　丁　安藤順

発行　ころから
〒115-0045
東京都北区赤羽1-19-7-603
Tel 03-5939-7950
Mail　office@korocolor.com
Web-site　http://korocolor.com/
Web-shop　https://colobooks.com/

ISBN 978-4-907239-49-7
C0036
COSH

13坪の本屋の奇跡

「闘い、そしてつながる」隆祥館書店の70年

木村元彦

978-4-907239-43-5　1700円＋税

韓国が嫌いで

チャン・ガンミョン

（吉良佳奈江訳）

978-4-907239-46-6　1800円＋税

草

日本軍「慰安婦」のリビング・ヒストリー

キム・ジェンドリ・グムスク

（都築寿美枝、李昤京訳）

978-4-907239-45-9　3000円＋税